# DANIEL DEFOE
# ROBINSON CRUSOE

Aus dem Englischen von Lore Krüger

**LINGEN**

Dieser Ausgabe liegt der erste Teil der Ausgabe der Bibliothek der Weltliteratur zugrunde, die 1973 im Aufbau-Verlag Berlin und Weimar erschien.

Genehmigte Ausgabe für Helmut Lingen Verlag GmbH & Co. KG, Opladener Straße 8, 50679 Köln.
© Aufbau Verlagsgruppe GmbH, Berlin 1973.
Diese Lizenzausgabe wurde vermittelt durch die Aufbau Media GmbH, Berlin.
Titelbild: getty images
Printed in Germany
Alle Rechte vorbehalten
www.lingen-koeln.de
VI/12/2008

Titel der Originalausgabe:
The Life and Strange Surprising Adventures of Robinson Crusoe,
of York, Mariner: who lived eight and twenty years, all alone in an
uninhabited island on the coast of America, near the mouth of the
great river of Oroonoque; having been cast on shore by shipwreck,
where in all the men perished but himself. With an account how he
was at last as strangely delivered by pirates. Written by himself.


Das Leben und die höchst merkwürdigen Abenteuer des Robinson
Crusoe aus York, eines Seemanns, der achtundzwanzig Jahre lang
ganz allein auf einer unbewohnten Insel vor der Küste Amerikas
nahe der Mündung des großen Orinokostroms lebte, dorthin verschlagen durch einen Schiffbruch, bei dem die gesamte Mannschaft
außer ihm umkam. Mit einem Bericht, wie er schließlich auf seltsame Weise durch Piraten befreit wurde. Von ihm selbst geschrieben.

# Vorwort

Wenn die Geschichte der Abenteuer eines Privatmanns in der Welt es jemals wert gewesen sein mag, veröffentlicht zu werden, und nach ihrem Erscheinen Anklang finden dürfte, dann ist das nach Meinung des Herausgebers bei dem vorliegenden Bericht der Fall.

Die erstaunlichen Begebenheiten im Leben dieses Mannes übertreffen (nach Ansicht des Herausgebers) alles bisher Dagewesene; denn im Leben eines einzigen Menschen kann es kaum bunter zugehen.

Die Geschichte ist mit Bescheidenheit, mit Ernst und in dem frommen Bemühen erzählt, die Ereignisse zu dem Zweck zu nutzen, zu dem die Weisen sie immer nutzen, nämlich um andere durch das Beispiel etwas zu lehren sowie um die Weisheit der göttlichen Vorsehung, die sich in allen unseren verschiedenartigen Lebensumständen zeigt – wie sie auch immer sein mögen –, zu rechtfertigen und sie zu preisen.

Der Herausgeber hält die Geschichte für einen getreuen Bericht von Tatsachen, denn sie lässt keinerlei Anzeichen freier Erfindung erkennen; jedenfalls ist er der Meinung – alle diese Dinge sind ja umstritten –, dass sie genauso gewinnbringend für den Leser sein wird, sowohl was dessen Unterhaltung als auch was seine Belehrung angeht, und glaubt deshalb, ohne der Welt weitere Komplimente zu machen, dass er ihr mit der Herausgabe des Buches einen großen Dienst erweist.

Ich wurde im Jahre 1632 in der Stadt York geboren; meine Familie genoss Ansehen, obwohl sie nicht aus diesem Lande stammte, denn mein Vater war Ausländer und kam aus Bremen; er ließ sich zuerst in Hull nieder. Durch den Handel erwarb er sich ein schönes Vermögen, und nachdem er sein Geschäft aufgegeben hatte, lebte er in York, der Heimat meiner Mutter. Sie war eine geborene Robinson und gehörte einer in dieser Gegend sehr geachteten Familie an; nach ihr hieß ich Robinson Kreutznaer, aber infolge der in England üblichen Verstümmelung von Worten nennt man uns jetzt, ja nennen wir uns selbst und schreiben wir unseren Namen Crusoe, und so haben mich auch meine Kameraden immer genannt.

Ich hatte zwei ältere Brüder, von denen der eine, ein Oberstleutnant in einem ehemals vom berühmten Oberst Lockhart befehligten englischen Infanterieregiment zu Flandern, in der Schlacht bei Dünkirchen im Kampf gegen die Spanier fiel; was aus meinem zweiten Bruder wurde, erfuhr ich nie, ebenso wie weder mein Vater noch meine Mutter je erfahren haben, was aus mir geworden ist.

Da ich der dritte Sohn der Familie war und keine Lehre durchlaufen hatte, begann sich mein Kopf schon früh mit abenteuerlichen Gedanken zu füllen. Mein bereits hoch betagter Vater hatte mir eine angemessene Ausbildung zukommen lassen, soweit eben ein Unterricht im Hause und eine ländliche Freischule im Allgemeinen reichen, und mich für den Beruf eines Rechtsanwalts bestimmt; ich hatte aber nichts weiter im Sinn, als zur See zu fahren, und gegen den Willen, ja gegen den Befehl meines Vaters und gegen alle Bitten und Überzeugungsversuche meiner Mutter und anderer Freunde trieb mich diese Neigung so stark, dass sie etwas Verhängnisvolles zu haben und unmittelbar zu dem elenden Leben zu führen schien, das mein Los sein sollte.

Mein Vater, ein weiser und gesetzter Mann, gab mir ernsthafte und ausgezeichnete Ratschläge zur Verhütung all dessen, was mir wahrscheinlich widerfahren würde. Eines Morgens rief er mich in sein Zimmer, in dem ihn die Gicht festhielt, und machte mir wegen dieser Sache heftige Vorhaltungen. Er fragte mich, welche Gründe ich denn außer einer Vorliebe für das Umherziehen hätte, mein Elternhaus und mein Vaterland zu verlassen, wo mir die Wege offen ständen und ich die Aussicht hätte, durch Fleiß und Arbeit mein

Glück zu machen und ein behagliches, angenehmes Leben zu führen. Er sagte, nur Verzweiflung oder Ehrgeiz und Unüberlegtheit triebe die Menschen ins Ausland, um Abenteuer zu suchen, durch Wagehalsigkeit emporzusteigen und mit Hilfe von Unternehmungen, die außerhalb des üblichen Weges lägen, berühmt zu werden; dies sei aber entweder zu hoch für mich oder aber unter meiner Würde – ich gehörte dem Mittelstand an oder dem, was man die obere Schicht der unteren Klassen nennen könne, und er habe durch Erfahrung festgestellt, dass dies der beste Stand der Welt sei, am günstigsten für das Glück der Menschen, denn in ihm seien sie nicht dem Elend und der Not, der Mühsal und dem Leiden der handwerklich Arbeitenden ausgesetzt und nicht durch den Stolz, den Luxus, den Ehrgeiz und den Neid der oberen Schicht der Menschheit behindert. Er sagte, wie glücklich dieser Stand sei, könne ich allein schon daran ermessen, dass es derjenige sei, den alle anderen beneideten; oft hätten Könige die bitteren Folgen ihres Schicksals, zu großen Dingen geboren zu sein, beklagt und gewünscht, sie wären in die Mitte der beiden Extreme, zwischen die Niedrigen und die Hohen gestellt worden, und der Weise bezeuge, dass dies der richtige Maßstab echten Glücks sei, wenn er bete, er möge vom Reichtum und von der Armut verschont bleiben.

Er forderte mich auf, dies zu beobachten, und immer könne ich feststellen, dass das Unheil des Lebens von der oberen und der unteren Schicht der Menschheit geteilt würde, im Mittelstand aber gebe es die wenigsten Katastrophen, in ihm seien die Menschen nicht so vielen Wechselfällen ausgesetzt wie im höheren oder im niedrigeren Stand, ja sie hätten nicht einmal unter so vielen Krankheiten und Beunruhigungen des Körpers und des Geistes zu leiden wie diejenigen, die sich auf der einen Seite durch lasterhaftes Leben, Luxus und Üppigkeit oder auf der anderen Seite durch schwere Arbeit, Mangel am Notwendigen und magere oder ungenügende Ernährung Krankheiten zuzögen als natürliche Folge ihrer Lebensweise; die mittlere Stellung in der Welt sei für alle Tugenden und alle Freuden berechnet, Frieden und Wohlhabenheit seien die Mägde des Mittelstandes – Enthaltsamkeit, Mäßigung, Ruhe, Gesundheit, Geselligkeit, alle angenehmen Zerstreuungen und alle wünschenswerten Vergnügungen seien der Segen, den eine mittlere Stellung im Leben erwartet – auf diese Weise gingen die Menschen still und mühelos durch die Welt und gemütlich aus ihr hinaus, ohne dass die Plackerei ihrer Hände oder ihres Kopfes sie belästigte noch ein Leben der Sklaverei um des täglichen Brotes willen sie fesselte oder wirre Verhältnisse sie quälten, die der Seele den Frieden und dem Körper die Ruhe raubten, und ohne dass die Leidenschaft der Missgunst oder die heimlich brennende ehrgeizige Lust auf große Dinge sie verzehrte, sondern sie glitten unter behaglichen Umständen sanft durch die Welt, kosteten spürbar die Annehmlichkeiten des Daseins, nicht aber seine bitteren Seiten, fühlten, dass sie glücklich waren, und lernten es durch die Erfahrung jedes Tages nur um so bewusster feststellen.

Danach drang er ernsthaft und auf die liebevollste Weise in mich, nicht den jungen Draufgänger zu spielen und mich nicht in ein Elend zu stürzen, vor dem mich die Natur und der Stand, in dem ich geboren wurde, bewahrt zu haben schienen; ich hätte es nicht nötig, einem Broterwerb nachzugehen; er, mein Vater, werde mich gut versorgen und sich bemühen, mir den Weg zu der Lebensweise zu ebnen, die er mir soeben empfohlen hatte, und wenn ich es in der Welt nicht leicht hätte und wenn ich nicht glücklich würde, so könnte allein nur mein Schicksal oder meine Schuld das Hindernis sein, und er werde es keineswegs zu verantworten haben, denn er habe seine Pflicht erfüllt und mich vor Schritten gewarnt, von denen er wisse, dass sie mir Schaden brächten – mit einem Wort, sosehr er sich mir gegenüber gütig zeigen werde, wenn ich zu Hause bliebe und mich dort nach seinen Anweisungen niederließe, sowenig wolle er mit meinem Unglück etwas zu schaffen haben und mich in keiner Weise ermutigen fortzugehen. Zum Schluss sagte er, mein älterer Bruder sei ein warnendes Beispiel für mich; mit ebenso ernsten Worten habe er ihn zu bewegen versucht, nicht nach den Niederlanden in den Krieg zu ziehen, ihn jedoch nicht überzeugen können, denn seine jugendlichen Wünsche hätten ihn zum Heer getrieben, und dort war er gefallen. Er erklärte wohl, er werde unaufhörlich für mich beten, sagte aber auch, wenn ich diesen törichten Schritt tue, werde Gott mich nicht segnen und ich hätte später noch Muße genug, darüber nachzudenken, dass ich seinen Rat in den Wind schlug, und dann wäre vielleicht niemand da, der mir helfen könne, wieder auf die Beine zu kommen.

Ich bemerkte bei diesem letzten Teil seiner Rede, die wirklich prophetisch war, obgleich ich annehme, dass mein Vater es selbst nicht wusste, ich bemerkte also, dass ihm dicke Tränen über das Gesicht liefen, besonders als er von meinem gefallenen Bruder sprach; und als er erwähnte, dass ich Muße zur Reue haben würde, aber niemand zu meiner Hilfe, war er so bewegt, dass er das Gespräch abbrach und erklärte, das Herz sei ihm zu voll, er könne jetzt nicht weitersprechen.

Ich war von dieser Rede ernsthaft bewegt, und wer wäre es auch nicht gewesen? Ich nahm mir vor, den Gedanken ans Ausland aufzugeben und mich, dem Wunsche meines Vaters entsprechend, zu Hause niederzulassen. Aber ach, in wenigen Tagen war alles verblasst, und einige Wochen danach beschloss ich, kurz gesagt, meinem Vater ganz davonzulaufen, um seinem Drängen zu entgehen. So überstürzt, wie ich es in der ersten Hitze meines Entschlusses gewollt hatte, handelte ich jedoch nicht; sondern in einem Augenblick, als meine Mutter etwas besser aufgelegt schien als gewöhnlich, nahm ich sie beiseite und erklärte ihr, meine Gedanken seien so völlig darauf gerichtet, die Welt zu sehen, dass ich mich niemals irgendeiner anderen Sache mit der genügenden Ausdauer widmen könne, und mein Vater täte besser daran, mir seine Einwilligung zu geben, anstatt mich zu zwingen, ohne diese fortzugehen; ich sei jetzt achtzehn Jahre alt, und das sei zu spät, um eine Lehre als Kaufmanns- oder Anwaltsgehilfe zu beginnen; täte ich es dennoch, dann würde ich sicher meine Lehrzeit nicht beenden und meinem Meister gewiss vorher weglaufen, um zur See zu fahren. Wenn meine Mutter mit meinem Vater sprechen und ihn bewegen wolle, mich nur eine einzige Seereise ins Ausland machen zu lassen, dann würde ich, wenn ich zurückkäme und es mir nicht gefallen habe, nie wieder fahren und versprechen, die verlorene Zeit durch doppelten Fleiß wettzumachen.

Diese Worte versetzten meine Mutter in großen Zorn; sie sagte, sie sei sicher, dass es keinen Zweck habe, mit meinem Vater über ein solches Thema zu sprechen; er wisse zu genau, was meinem Wohle diente, um seine Zustimmung zu etwas zu geben, was so zu meinem Schaden wäre, und sie wundere sich, dass ich nach der Aussprache mit ihm an so etwas denken könne, nach all den gütigen und zärtlichen Worten, die, wie sie wisse, mein Vater zu mir geäußert habe; wenn ich mich also zugrunde richten wolle, dann sei mir nicht zu helfen, ich könne mich aber darauf verlassen, dass ich keinesfalls die Zustimmung meiner Eltern dazu erhalten würde; was sie betreffe, so wolle sie zu meinem Untergang nicht einen Handschlag leisten, und ich solle niemals sagen können, ich hätte die Erlaubnis meiner Mutter, nicht aber die meines Vaters gehabt.

Obwohl sie sich weigerte, die Sache bei meinem Vater vorzubringen, erfuhr ich doch später, dass sie ihm das ganze Gespräch berichtete und mein Vater, nachdem er große Sorgen darüber gezeigt hatte, mit einem Seufzer zu ihr sagte: »Wenn der Junge zu Hause bleibt, kann er glücklich werden, im Ausland aber macht er sich todunglücklich; dazu kann ich mein Einverständnis nicht geben.«

Es verging noch fast ein Jahr, bevor ich fortlief, obgleich ich in der Zwischenzeit auch weiterhin für alle Vorschläge, mich zu einem Beruf zu entscheiden, taub blieb und Vater und Mutter Vorhaltungen machte, weil sie sich mit solcher Bestimmtheit gegen das stemmten, wozu mich, wie sie wussten, meine Neigung trieb. Als ich mich aber eines Tages in Hull aufhielt – wohin ich zufällig und damals ohne die Absicht wegzulaufen gereist war –, als ich mich also dort aufhielt und mir einer meiner Kameraden, der mit dem Schiff seines Vaters auf dem Seeweg nach London fahren wollte, zuredete, ihn zu begleiten, und das übliche Lockmittel der Seeleute anwandte, nämlich, dass mich die Fahrt nichts kosten werde, fragte ich meinen Vater und meine Mutter nicht mehr und sandte ihnen noch nicht einmal Nachricht, sondern überließ es ihnen, auf irgendeine Weise davon zu erfahren; und ohne um den Segen Gottes oder meines Vaters zu bitten, ohne die Umstände noch die Folgen zu bedenken, ging ich am 1. September 1651 zu einer, Gott weiß, unglückseligen Stunde an Bord eines nach London bestimmten Schiffes, und niemals begannen, wie ich glaube, die Missgeschicke eines jungen Abenteurers so früh oder dauerten sie so lange. Kaum hatte das Schiff den Humber verlassen, als Wind aufkam und die Wellen auf furcht erregende Weise immer höher schlugen; und da ich mich noch nie zuvor auf dem Meer befunden hatte, wurde ich körperlich unaussprechlich krank und mein Gemüt von Schrecken erfasst; ich begann ernsthaft darüber nachzudenken, was ich getan hatte und wie gerecht es war, dass mich jetzt das Gericht des Himmels ereilte, weil ich mein Vaterhaus böswillig verlassen und meine Pflicht vernachlässigt hatte. Alle guten Ratschläge meiner Eltern, die Tränen meines Vaters und die flehenden Bitten meiner Mutter kamen mir jetzt von neuem in den Sinn, und mein Gewissen, das noch nicht in dem Grade verhärtet war wie später, warf mir vor, dass ich alle guten Ratschläge missachtet und Gott und meinem Vater gegenüber meine Pflicht verletzt hatte.

Inzwischen wurde der Sturm heftiger, und die See, auf der ich noch nie gewesen war, ging sehr hoch, obgleich nicht so hoch, wie ich es einige Tage später und seitdem oft erlebt habe; aber damals genügte es, mich, der ich als Matrose ja ein Neuling war und keinerlei Erfahrung hatte, zu beeindrucken. Bei jeder einzelnen Welle erwartete ich, dass sie uns verschlinge, und jedes Mal, wenn das Schiff, wie ich glaubte, in die Schlucht oder den Abgrund der See hinunterfiel, dachte ich, wir würden nie wieder emporsteigen. In dieser Gemütsqual legte ich viele Versprechen und Gelübde ab. Sollte es Gott gefallen, mein Leben auf dieser einen Reise zu schonen, und sollte ich den Fuß jemals wieder auf festes Land setzen, dann wollte ich mich auf geradem Weg nach Haus und zu meinem Vater begeben und, solange ich lebte, niemals mehr ein Schiff betreten; ich wollte seinen Rat befolgen und mich nie wieder einer so jammervollen Lage aussetzen. Jetzt erkannte ich deutlich den Wert seiner Bemerkungen über den mittleren Lebensstand, wie bequem, wie behaglich er es sein Lebtag gehabt hatte, ohne jemals Stürmen auf der See noch Wirren auf dem Lande ausgesetzt gewesen zu sein, und ich beschloss, wie ein wahrhaft reuiger Sohn zu meinem Vater heimzukehren.

Diese weisen und nüchternen Gedanken waren von ebenso langer Dauer wie der Sturm und sogar von noch etwas längerer; am nächsten Tag aber ließ der Wind nach, und die See wurde ruhiger, ich begann mich auch allmählich an sie zu gewöhnen; den ganzen Tag über war ich jedoch sehr ernst, zumal ich mich noch ein wenig seekrank fühlte, aber gegen Nachmittag klärte sich das Wetter auf, der Wind legte sich gänzlich, und ein zauberhaft schöner Abend folgte, die Sonne ging bei völlig klarem Himmel unter und am nächsten Morgen ebenso wieder auf, kaum ein Lüftchen wehte, und das spiegelglatte, von der Sonne beschienene Meer bot, wie ich dachte, den wundervollsten Anblick, den ich je erlebt hatte.

In der Nacht hatte ich gut geschlafen und war jetzt nicht mehr seekrank, sondern recht guter Dinge. Ich blickte voller Staunen auf das Meer, das am Tage zuvor so rau und furchtbar gewesen war und schon bald darauf so still und angenehm sein konnte. Und nun, damit meine guten Vorsätze nur ja nicht anhielten, kommt doch mein Kamerad, der mich tatsächlich fortgelockt hatte, auf mich zu und sagt: »Nun, Bob« (und klopft mir auf die Schulter), »wie geht's dir danach? Ich wette, du hast gestern Abend Angst gehabt, nicht wahr, wo es doch nur eine Mütze voll Wind gegeben hat?«

»Eine Mütze voll nennst du das?«, sage ich. »Es war ein furchtbarer Sturm.«

»Ein Sturm, du Schafskopf«, antwortet er, »nennst du das einen Sturm? Es war überhaupt nichts. Wenn wir nur ein gutes Schiff und eine weite See haben, dann macht uns so ein Windstoß nichts aus, aber du bist ja nur ein Süßwassermatrose, Bob; komm, machen wir uns eine Schale Punsch, und vergessen wir das alles, siehst du, wie prächtig das Wetter jetzt ist?«

Um mich bei diesem traurigen Teil meiner Geschichte kurz zu fassen: Wir handelten nach altem Seemannsbrauch, der Punsch wurde hergestellt und ich damit betrunken gemacht, und in der Sündhaftigkeit dieser einen Nacht ertränkte ich all meine Reue, meine Einsichten über mein vergangenes Betragen und alle meine Beschlüsse für die Zukunft. Mit einem Wort, als das Meer durch den Abzug des Sturms seine glatte Oberfläche und seine gleichmäßige Ruhe wiedergewonnen hatte, der Tumult meiner Gedanken sowie meine Befürchtungen und meine Ängste, von der See verschlungen zu werden, vorüber waren und meine vorherigen Wünsche wieder freien Lauf hatten, vergaß ich völlig meine in der Not abgelegten Schwüre und Versprechen. Ich dachte zwischendurch wohl hin und wieder nach, und die ernsten Überlegungen wollten zuweilen zurückkehren, aber ich schüttelte sie ab und befreite mich von ihnen wie von einer Krankheit, und indem ich mich dem Trinken und der Geselligkeit hingab, überwand ich bald die Wiederkehr dieser Anfälle, denn so nannte ich sie, und nach fünf, sechs Tagen hatte ich einen so vollständigen Sieg über mein Gewissen davongetragen, wie es sich ein junger Bursche, der sich von diesem nicht belästigen lassen wollte, nur wünschen konnte. Ich sollte jedoch noch einmal eine Prüfung meines Gewissens erleben, und das Schicksal beschloss, wie in solchen Fällen gewöhnlich, mir gänzlich jede Entschuldigung zu nehmen. Denn wenn ich schon dies hier nicht als Rettung anerkennen wollte, so war die nächste Prüfung von solcher Art, dass selbst der hartgesottenste Lump unter uns die Gefahr wie auch die Gnade zugeben musste.

Am sechsten Tage unserer Seefahrt kamen wir auf die Reede von Yarmouth; wegen des Gegenwindes und des ruhigen Wetters waren wir seit dem Sturm nur wenig vorangekommen und mussten hier vor Anker gehen. Da der Südwestwind auch weiterhin gegen uns stand, lagen wir hier sieben oder acht Tage lang, und während dieser Zeit suchten sehr viele Segler aus Newcastle auf derselben Reede Zuflucht, um auf günstigen Wind für die Fahrt flussaufwärts zu warten.

Wir wären hier jedoch nicht lange geblieben, sondern mit der Flut den Fluss hinaufgefahren, wenn nicht so ein scharfer Wind geweht hätte, der, nachdem wir vier oder fünf Tage hier gelegen hatten, äußerst heftig wurde. Da man die Reede aber als ebenso sicher ansah wie einen Hafen, der Ankergrund gut und unser Ankertau sehr stark war, machten sich unsere Leute keine Sorgen und fürchteten nicht im mindesten eine Gefahr, sondern verbrachten die Zeit damit, sich auszuruhen und fröhlich zu sein, wie es auf See üblich ist; am Morgen des achten Tages aber wurde der Wind stärker, und wir setzten alle Mann an die Arbeit, um die Stengen zu streichen und alles schön dicht zu machen, damit das Schiff so gut wie möglich vor Anker spielen konnte. Um Mittag ging die See wirklich sehr hoch, und unser Schiff tauchte mit der Back ein, etliche Brecher schlugen über das Deck, und ein-, zweimal dachten wir, der Anker hätte sich losgerissen; daraufhin befahl der Kapitän, den Notanker zu werfen, so dass wir jetzt mit zwei Ankern voraus lagen; die Taue ließen wir schlippen.

Inzwischen war ein wirklich furchtbarer Sturm aufgekommen, und jetzt sah ich sogar in den Gesichtern der Seeleute Angst und Verblüffung. Zwar war der Kapitän umsichtig bemüht, das Fahrzeug zu retten, aber ich hörte ihn doch auf dem Wege zu seiner Kajüte mehrmals leise zu sich selbst sagen: »Der Herr sei uns gnädig, wir sind alle verloren, wir werden alle umkommen!« und ähnliches. Während dieses ersten Hin und Her war ich wie betäubt und lag reglos in meiner Kajüte auf dem Zwischendeck; meine Gefühle vermag ich nicht zu beschreiben. Zu meiner ersten Reue, die ich so offensichtlich mit Füßen getreten und gegen die ich mich verhärtet hatte, konnte ich nicht zurückkehren; ich hielt die Bitterkeit des Todes für schon überwunden und glaubte, diesmal wäre es nichts im Vergleich zum ersten Mal. Als aber nun der Kapitän selbst an mir vorbeikam und sagte, wir seien alle verloren, hatte ich entsetzliche Angst; ich erhob mich, verließ meine Kajüte und blickte hinaus. Einen grausigeren Anblick hatte ich jedoch noch nie erlebt: Die Wellen waren hoch wie Berge und schlugen alle drei oder vier Minuten über unser Schiff, und wenn freie Sicht war, vermochte ich rings um uns nichts als Not zu sehen; zwei neben uns liegende Schiffe hatten ihre Masten gekappt und über Bord gehen lassen, da sie zu schwer beladen waren, und unsere Matrosen riefen, ein Fahrzeug, das ungefähr eine Meile von uns vor Anker gelegen hatte, sei gesunken. Zwei weitere Schiffe hatten sich vom Anker losgerissen und waren von der Reede fortgetrieben, allen Abenteuern ausgesetzt, und das ohne Mast. Den leichten Fahrzeugen erging es am besten, denn sie stampften nicht so stark, zwei oder drei von ihnen aber trieben ab und kamen nahe an uns vorbei, sie fuhren davon, nur das Sprietsegel vor dem Wind.

Gegen Abend baten der Maat und der Bootsmann unseren Kapitän, sie den Fockmast kappen zu lassen, was er zuerst durchaus nicht wollte; aber da ihm der Bootsmann beteuerte, das Schiff werde sonst untergehen, stimmte er zu; und nachdem sie den Fockmast gekappt hatten, stand der Großmast so locker da und brachte das Schiff derart in Erschütterung, dass sie ihn ebenfalls kappen und das Deck klarmachen mussten.

Jeder wird beurteilen können, in was für einer Verfassung ich gewesen sein muss, da ich ja als Matrose ein Neuling war und zuvor schon bei einem nur geringen Anlass soviel Angst ausgestanden hatte. Wenn ich mich aber nach all der langen Zeit meiner damaligen Gedanken noch erinnere, dann war mein Entsetzen darüber, dass ich meine früheren Überzeugungen aufgegeben und mich meinen ersten sündhaften Entschlüssen wieder zugewandt hatte, zehnmal größer als meine Furcht vor dem Tode selbst, und dies zusammen mit den Schrecken des Sturms versetzte mich in einen Zustand, den ich mit Worten nicht beschreiben kann. Das Schlimmste sollte jedoch noch kommen; der Sturm wütete derart weiter, dass sogar die Seeleute eingestanden, einen schlimmeren hätten sie noch nie erlebt. Unser Schiff war gut, aber schwer beladen, und es stampfte dermaßen, dass die Matrosen immer wieder riefen, es werde scheitern. In einer Hinsicht war es zu meinem Vorteil, dass ich nicht wusste, was sie mit ›scheitern‹ meinten, bis ich mich danach erkundigte. Der Sturm war so gewaltig, dass ich etwas sah, was man nicht häufig zu sehen bekommt, wie nämlich der Kapitän, der Maat und einige andere vernünftige Seeleute beteten, denn sie erwarteten jeden Augenblick, das Schiff werde untergehen. Mitten in der Nacht rief zu all unserer sonstigen Not ein Matrose, der einen Kontrollgang unternommen hatte, wir hätten ein Leck und ein anderer meldete, das Wasser stehe schon vier Fuß hoch im Laderaum. Nun wurden alle Mann an die Pumpen gerufen. Schon bei diesem Wort hatte ich das Gefühl, das Herz ersterbe mir im Leibe, und ich fiel von der Bettkante, auf der ich gesessen hatte, in die Kajüte hinein. Die Matrosen richteten mich jedoch auf und sagten, wenn ich auch vorher nicht imstande gewesen sei, etwas zu tun, so sei ich doch ebenso gut wie jeder andere imstande zu pumpen. Bei diesen Worten erhob ich mich, ging an die Pumpe und arbeitete sehr tüchtig. Währenddessen hatte der Kapitän beobachtet, wie einige leichte Kohlenschiffe, die dem Sturm vor Anker nicht standhalten konnten, gezwungen waren, die Ankerketten zu schlippen und aufs offene Meer hinauszufahren; da sie sich uns näherten, befahl er, als Notsignal eine Kanone abzufeuern. Ich wusste nicht im geringsten, was das bedeutete, und war so überrascht, dass ich dachte, das Schiff sei geborsten oder etwas anderes Schreckliches habe sich ereignet. Mit einem Wort, es traf mich so unerwartet, dass ich in Ohnmacht fiel. In diesem Augenblick hatte aber jeder an sein eigenes Leben zu denken, und so kümmerte sich niemand darum, wie es mir ging, sondern ein anderer trat an die Pumpe, schob mich mit dem Fuß beiseite und ließ mich da liegen, in der Meinung, ich sei tot; es dauerte ziemlich lange, bis ich wieder zu mir kam.

Wir arbeiteten weiter, aber das Wasser im Laderaum stieg; es war offensichtlich, dass das Schiff sinken werde, und obwohl der Sturm ein wenig abflaute, konnten wir uns unmöglich bis zum nächsten Hafen über Wasser halten. Deshalb ließ der Kapitän auch weiterhin die Kanonen abfeuern, um Hilfe herbeizurufen, und ein leichtes Schiff, das ganz in unserer Nähe den Sturm vor Anker überdauert hatte, wagte es, ein Boot auszusetzen, um uns zu helfen. Unter großer Gefahr kam es näher heran, aber wir konnten weder an Bord gehen, noch vermochte das Boot längsseits unseres Schiffes anzulegen; endlich aber warfen unsere Matrosen vom Heck aus den Leuten, die mit ganzer Kraft ruderten und ihr Leben zu unserer Rettung aufs Spiel setzten, ein Tau mit einer Boje zu und ließen es ablaufen; jene konnten es nach großer Mühe und Gefahr fassen; wir zogen sie bis dicht unter unser Heck heran und stiegen alle in ihr Boot. Von hier aus war es jedoch ganz aussichtslos, ihr Schiff zu erreichen; darum kamen wir alle überein, das Boot treiben zu lassen und es nur so nahe wie möglich ans Ufer zu steuern; unser Kapitän versprach ihnen, es zu ersetzen, falls es am Ufer zerschellen sollte; und so fuhr unser Boot, halb gerudert, halb treibend, nordwärts schräg aufs Ufer zu, immer weiter bis fast nach Winterton Ness.

Wir hatten unser Schiff kaum eine Viertelstunde verlassen, als wir es sinken sahen, und da verstand ich zum ersten Mal, was es bedeutet, wenn ein Schiff auf See scheitert. Ich muss gestehen, dass ich kaum den Blick zu heben vermochte, als mir die Matrosen sagten, es gehe unter, denn von dem Moment an, da sie mich ins Boot hoben – man hätte schwerlich sagen können, ich sei hineingestiegen –, war mein Herz wie tot, teils vor Angst, teils vor Gemütsqualen sowie bei dem Gedanken, was mir noch bevorstand.

Während wir uns in dieser Lage befanden und die Männer angestrengt ruderten, um das Boot in Küstennähe zu bringen, konnten wir von der Höhe der Wellen aus das Ufer erblicken; wir sahen auch viele Leute den Strand entlanglaufen, die uns beim Landen helfen wollten; wir näherten uns aber dem Ufer nur sehr langsam und vermochten es auch erst dort zu erreichen, wo es hinter dem Leuchtturm von Winterton nach Westen gegen Cromer hin abfällt und das Land die Heftigkeit des Sturms ein wenig brach. Hier gelangten wir, wenn auch nicht ohne große Schwierigkeiten, endlich alle wohlbehalten ans Ufer; danach gingen wir zu Fuß nach Yarmouth, wo wir als Schiffbrüchige sehr freundlich behandelt wurden, sowohl von der

Obrigkeit der Stadt, die uns gute Quartiere anwies, als auch von Privatkaufleuten und Schiffseigentümern, und man gab uns ausreichend Geld, um nach London oder zurück nach Hull zu reisen, wie es uns beliebte.

Wenn ich jetzt genügend Verstand gehabt hätte, nach Hull zurückzufahren und heimzukehren, wäre ich glücklich geworden, und mein Vater hätte – sinnbildlich wie im Gleichnis unseres Heilands – sogar das gemästete Kalb für mich geschlachtet, denn nachdem er gehört hatte, dass mein Schiff auf der Reede von Yarmouth gesunken war, dauerte es lange, bis er Gewissheit darüber erhielt, dass ich nicht ertrunken war.

Mein böses Geschick aber trieb mich jetzt mit einer Hartnäckigkeit voran, der nichts zu widerstehen vermochte, und obwohl meine Vernunft und mein besseres Wissen mehrfach vernehmlich von mir forderten, nach Hause zu fahren, hatte ich nicht die Kraft, es zu tun. Ich weiß nicht, wie ich es nennen soll, und ich will auch nicht behaupten, dass es ein geheimes übermächtiges Schicksal ist, das uns treibt, zu Werkzeugen unseres eigenen Verderbens zu werden, sogar dann, wenn es unmittelbar vor uns liegt und wir mit offenen Augen hineinrennen. Gewiss vermochte nur ein unabwendbar über mich beschlossenes Verhängnis, dem ich in keiner Weise entgehen konnte, mich vorwärtszustoßen, trotz der Vernunft und Überzeugungskraft meiner innersten Gedanken und ungeachtet zweier so sichtbarer Lektionen, wie ich sie bei meinem ersten Versuch erhalten hatte.

Mein Kamerad, der Sohn des Kapitäns, der zuvor zu meiner Verstocktheit beigetragen hatte, war jetzt viel kleinlauter als ich. Bei unserem ersten Gespräch nach unserer Ankunft in Yarmouth – und das fand erst nach zwei, drei Tagen statt, da man uns in der Stadt auf verschiedene Quartiere verteilt hatte –, bei unserem ersten Wiedersehen also schien sich sein Ton verändert zu haben; er sah sehr trübsinnig aus, schüttelte den Kopf und fragte, wie es mir gehe; dann erzählte er seinem Vater, wer ich sei und dass ich diese Seereise nur versuchsweise unternommen hätte, um dann weiter fort ins Ausland zu fahren.

Sein Vater wandte sich mir zu und sagte in sehr ernstem und beunruhigtem Ton: »Junger Mann, Ihr solltet nie wieder zur See fahren. Ihr solltet das als deutlich sichtbares Zeichen auffassen, dass Ihr kein Seemann werden dürft.« – »Wieso, Sir«, antwortete ich, »wollt Ihr denn auch nicht wieder zur See fahren?« – »Das ist etwas anderes«, erklärte er, »es ist mein Beruf und darum meine Pflicht; da Ihr diese Reise aber als Versuch unternommen habt, so seht Ihr ja, was für einen Vorgeschmack Euch der Himmel von dem, was Ihr erwarten könnt, gegeben hat, falls Ihr darauf besteht. Vielleicht habt Ihr das alles über uns gebracht wie Jona auf dem Schiff nach Tarsis. Bitte, was seid Ihr«, fuhr er fort, »und aus welchem Grund seid Ihr auf See gegangen?«

Daraufhin erzählte ich ihm etwas von meiner Geschichte, und als ich geendet hatte, wurde er merkwürdig zornig. »Was habe ich nur getan«, sagte er, »dass ein so unglückseliger Kerl auf mein Schiff kommen musste? Nicht für tausend Pfund würde ich den Fuß wieder auf das gleiche Schiff mit Euch setzen!«

Er hatte, wie gesagt, die Beherrschung verloren und ging – noch erregt über seinen Verlust – weiter, als es ihm mir gegenüber zustand. Danach aber sprach er sehr ernst mit mir, ermahnte mich, zu meinem Vater zurückzukehren und nicht zu meinem Verderben das Schicksal herauszufordern; er erklärte, ich könne darin die sichtbare Hand des Himmels gegen mich erkennen, und fuhr fort: »Junger Mann, verlasst Euch darauf, wenn Ihr nicht zurückkehrt, wird Euch nichts als Unglück und Enttäuschung begegnen, wohin Ihr Euch auch wendet, bis sich die Worte Eures Vaters an Euch erfüllt haben.«

Kurz danach trennten wir uns, denn ich antwortete ihm kaum darauf und sah ihn auch nie wieder; wohin er ging, weiß ich nicht. Was mich betrifft, so reiste ich, da ich etwas Geld in der Tasche hatte, über Land nach London und rang dort wie auch unterwegs immer wieder mit der Frage, welchen Lebensweg ich wählen und ob ich heimkehren oder zur See gehen sollte.

Was die Heimkehr betrifft, so verdrängte die Scham alle besseren Überlegungen, die ich anstellte, und mir fiel sogleich ein, dass die Nachbarn über mich lachen würden und dass es für mich beschämend wäre, nicht nur vor Vater und Mutter, sondern auch vor alle übrigen hinzutreten. Seitdem habe ich häufig beobachtet, wie widersinnig und unvernünftig gewöhnlich der Charakter der Menschen, besonders der der Jugendlichen ist – wie sehr der Vernunft entgegengerichtet, die sie in solchen Fällen lenken sollte, nämlich, dass sie sich zwar nicht schämen, eine Sünde zu begehen, wohl aber, sie zu bereuen – dass sie sich der Tat nicht schämen, um derentwillen man sie gerechterweise für Narren halten muss, aber Scham empfinden umzukehren, was allein dazu führen könnte, dass man sie für weise Menschen hielte.

In diesem Zustand blieb ich noch einige Zeit und schwankte, welche Maßnahmen ich treffen und was für eine Laufbahn ich wählen sollte. Meine unwiderstehliche Abneigung gegen die Heimkehr hielt an, und nachdem ich eine Weile in London geblieben war, verblasste die Erinnerung an die durchstandene Not und mit ihr auch der schwache Wunsch nach einer Rückkehr, der sich in mir geregt hatte. Schließlich schob ich den Gedanken daran ganz beiseite und sah mich nach einer Seereise um. Jene böse Macht, die mich zuerst aus meines Vaters Haus getrieben und in mir den tollen, unausgegorenen Wunsch geweckt hatte, mein Glück zu versuchen, und die mir diese Gedankengänge so zwingend aufgenötigt hatte, dass ich jedem guten Rat sowie auch den Bitten und sogar den Befehlen meines Vaters gegenüber taub war – diese böse Macht also, worin sie auch bestehen mochte, verleitete mich zu der unseligsten aller Unternehmungen: Ich ging an Bord eines Schiffes, das an die afrikanische Küste segeln sollte oder, wie unsere Matrosen gewöhnlich sagten, auf Fahrt nach Guinea.

Es war mein großes Missgeschick, dass ich mich zu diesem Abenteuer nicht als Matrose einschiffte; dadurch hätte ich zwar etwas härter als sonst arbeiten müssen, jedoch gleichzeitig Beruf und Aufgaben eines Vollmatrosen erlernt und mich vielleicht mit der Zeit zum Maat oder Schiffsleutnant, wenn nicht gar zum Kapitän emporarbeiten können. Aber wie es immer mein Schicksal war, das Falsche zu wählen, so tat ich es auch hier, denn da ich Geld in der Tasche und gute Kleidung auf dem Leibe hatte, pflegte ich immer nur als Gentleman an Bord zu gehen, so dass ich auf dem Schiff keinerlei Arbeit zu verrichten brauchte noch irgend etwas dazulernte.

Mein Los wollte es, dass ich in London gleich zu Beginn in recht gute Gesellschaft geriet, was bei einem so leichtsinnigen und ganz auf sich gestellten jungen Burschen, wie ich es damals war, nicht immer der Fall ist. Gewöhnlich unterlässt es der Teufel nicht, ihm schon frühzeitig eine Falle zu stellen. Mir aber ging es nicht so. Zuerst machte ich die Bekanntschaft eines Schiffskapitäns, der zur Küste Guineas gefahren war, und zwar mit solchem Erfolg, dass er beschlossen hatte, dorthin zurückzukehren. Da ihm die Unterhaltung mit mir, die ihm damals durchaus nicht unangenehm war, gefiel und er mich sagen hörte, ich hätte im Sinn, etwas von der Welt zu sehen, erklärte er mir, ich solle, wenn ich mich mit ihm auf die Reise begeben wollte, keinerlei Ausgaben haben, sondern sein Tischgefährte sein und ihm Gesellschaft leisten, und wenn ich einige Waren mitnehmen könne, dann solle ich davon alle Vorteile haben, die der Handel bringe, und vielleicht werde es mich ermutigen, dabeizubleiben.

Ich nahm das Angebot an, schloss enge Freundschaft mit diesem Kapitän, einem ehrlichen, aufrichtigen Menschen, und begab mich mit ihm auf die Reise. Meine geringe Einlage vermehrte ich dank der Uneigennützigkeit meines Freundes, des Kapitäns, beträchtlich, denn auf sein Anraten hatte ich Spielsachen und Kleinkram im Werte von vierzig Pfund gekauft und mitgenommen. Diese vierzig Pfund hatte ich mit Hilfe einiger meiner Verwandten zusammengebracht, mit denen ich im Briefwechsel stand und die, wie ich glaube, meinen Vater oder zumindest meine Mutter veranlasst hatten, wenigstens soviel zu meiner ersten Unternehmung beizusteuern.

Dies war unter allen meinen Abenteuern das einzige, von dem ich sagen kann, dass es erfolgreich war, und ich verdanke es der Lauterkeit und Ehrlichkeit meines Freundes, des Kapitäns. Durch ihn eignete ich mir auch eine hinreichende Kenntnis der Mathematik und der Navigationsregeln an, lernte, wie man den Kurs eines Schiffes bestimmt, eine Standortberechnung vornimmt – kurz, einiges, was zu wissen für einen Seemann nützlich ist; und ebenso, wie es ihm Spaß machte, mir etwas beizubringen, machte mir das Lernen Spaß; mit einem Wort, auf dieser Reise wurde sowohl ein Seemann als auch ein Kaufmann aus mir, denn ich brachte für meinen Einsatz fünf Pfund neun Unzen Goldstaub heim, was mir bei meiner Rückkehr nach London fast dreihundert Pfund eintrug, und das erfüllte mich mit den hochfliegenden Gedanken, die mich seither so völlig ins Verderben geführt haben. – Aber selbst auf dieser Reise hatte ich Pech, besonders das, ständig krank zu sein, da das übermäßig heiße

Klima bei mir ein heftiges Fieber hervorrief; unser Handel spielte sich nämlich meist an der Küste zwischen dem 15. Grad nördlicher Breite bis zum Äquator hinunter ab.

Ich maßte mir nun an, ein Guineahändler zu sein, und als mein Freund zu meinem großen Unglück kurz nach seiner Rückkehr starb, beschloss ich, die Reise von neuem zu machen, und schiffte mich auf demselben Schiff wieder ein, und zwar unter dem Kommando eines Kapitäns, der bei der vorigen Reise als Maat gedient hatte. Das war die unglückseligste Reise, die je ein Mensch unternommen hat, denn obgleich ich nicht einmal ganz hundert Pfund von meinem neu erworbenen Reichtum mitnahm und die übrigen zweihundert Pfund bei der Witwe meines Freundes ließ, die sehr redlich zu mir war, widerfuhr mir doch auf dieser Reise schreckliches Unglück. Als erstes überraschte unser Schiff, das Kurs auf die Kanarischen Inseln nahm oder vielmehr zwischen diesen Inseln und der afrikanischen Küste hindurchsteuern wollte, im Morgengrauen ein türkischer Freibeuter aus Salé und machte mit vollen Segeln Jagd auf uns. Auch wir setzten so viele Segel, wie unsere Rahen nur aufnehmen und unsere Masten tragen konnten, um davonzukommen; als wir aber sahen, dass der Seeräuber sich näherte und uns in ein paar Stunden gewiss einholen würde, bereiteten wir uns auf einen Kampf vor; unser Schiff hatte zwölf Kanonen und der Schurke achtzehn. Gegen drei Uhr nachmittags holte er uns ein, und da er aus Versehen quer zum Achterdeck anstatt zum Heck beidrehte, wie er beabsichtigt hatte, ließen wir acht von unseren Geschützen, die sich auf dieser Seite befanden, ausrichten und feuerten eine Breitseite auf ihn ab, was ihn veranlasste, zurückzuweichen, nachdem er unser Feuer erwidert und die etwa zweihundert Mann seiner Besatzung auf uns eine Schrotsalve hatte abgeben lassen. Bei uns wurde jedoch nicht ein Mann getroffen, weil alle in Deckung blieben. Er bereitete sich erneut auf einen Angriff vor und wir auf die Verteidigung; diesmal aber legte er auf der anderen Seite unseres Achterdecks an, sechzig seiner Leute enterten unser Schiff und begannen sogleich, die Decks und das Takelwerk zu zerhauen und zu zerhacken. Wir empfingen sie mit Schrotkugeln, kurzen Piken, Pulverkisten und ähnlichem und trieben sie zweimal von unserem Deck. Um aber diesen trübseligen Teil unserer Geschichte kurz zu fassen: Da unser Schiff segelunfähig gemacht, drei unserer Leute getötet und acht verwundet waren, mussten wir uns ergeben und kamen alle als Gefangene nach Salé, einem Hafen der Mauren.

Man behandelte mich dort nicht so schlimm, wie ich zuerst befürchtet hatte; ich wurde auch nicht ins Landesinnere an den Hof des Kaisers gebracht wie die übrigen unserer Leute, sondern der Kapitän des Piratenschiffs behielt mich als seine ihm zustehende Beute und machte mich zu seinem Sklaven, weil ich jung und behänd und für seine Zwecke geeignet war. Diese überraschende Veränderung meiner Stellung vom Kaufmann zu einem armseligen Sklaven hatte mich völlig überwältigt, und jetzt erinnerte ich mich der prophetischen Worte meines Vaters, dass ich in Not geraten und niemand zu meiner Hilfe da sein würde, und ich dachte, dies habe sich nun so drastisch erfüllt – schlimmer könne es mir nicht mehr gehen, die Hand des Himmels habe mich jetzt erreicht und ich sei unwiederbringlich verloren. Aber ach! Dies war nur ein Vorgeschmack der Not, die ich noch durchleben sollte, wie die Fortsetzung meiner Geschichte zeigen wird.

Da mich mein neuer Meister oder Herr in sein Haus genommen hatte, hoffte ich, er werde mich auch mitnehmen, wenn er wieder zur See fuhr, denn ich glaubte, früher oder später werde er von einem spanischen oder portugiesischen Kriegsschiff aufgebracht werden und ich befreit sein. Aber diese Hoffnung schwand bald, denn jedes Mal, wenn er sich wieder einschiffte, ließ er mich an Land zurück, damit ich nach seinem kleinen Garten sah und die übliche Plackerei der Sklaven im Haus auf mich nahm. Wenn er von seiner Seefahrt zurückkehrte, befahl er mir, in der Kajüte zu schlafen und auf das Schiff achtzugeben.

Hier sann ich über nichts anderes nach als über meine Flucht und die Methode ihrer Durchführung; ich fand aber keinen Weg, der auch nur die mindeste Chance auf Erfolg versprach, nichts schien aussichtsreich zu sein; ich hatte ja niemand, dem ich mich anvertrauen konnte und der mit mir zusammen entflohen wäre – keine Mitsklaven, außer mir war kein Engländer, Ire oder Schotte dort –, so dass ich mir wohl zwei Jahre lang das Vergnügen machte, mir eine Flucht auszumalen, nie aber auch nur die geringste ermutigende Aussicht hatte, sie zu verwirklichen.

Nach ungefähr zwei Jahren ereignete sich ein ungewöhnlicher Vorfall, der meine alten Fluchtgedanken wieder wachrief. Mein Herr blieb länger als sonst zu Hause, ohne sein Schiff auszurüsten, und das, wie ich hörte, aus Geldmangel; regelmäßig ein- oder zweimal in der Woche, bei gutem Wetter auch öfter, fuhr er mit dem Beiboot des Schiffs auf die Reede hinaus, um zu angeln. Dabei nahm er stets mich und einen jungen Morisken zum Rudern des Bootes mit, und wir erheiterten ihn sehr. Ich erwies mich als recht geschickt beim Angeln, so dass er mich manchmal mit einem Mauren, einem Verwandten von ihm, und dem Moriskenjungen, wie sie ihn nannten, hinausschickte, um eine Mahlzeit Fische für ihn zu fangen.

Einmal geschah es, dass wir an einem gänzlich ruhigen Morgen zum Fischen hinausfuhren und dichter Nebel aufkam, so dass wir den Strand aus den Augen verloren, obwohl wir kaum eine halbe Meile davon entfernt waren; wir wussten nicht, in welche Richtung und wohin wir rudern sollten, und rackerten uns den ganzen Tag und die darauffolgende Nacht über ab, und als der Morgen kam, stellten wir fest, dass wir anstatt zum Ufer hin aufs offene Meer hinausgerudert und mindestens zwei Meilen vom Land entfernt waren; wir gelangten jedoch heil wieder nach Hause, wenn auch mit großer Mühe und nicht ohne Gefahr, denn am Morgen kam ein recht kräftiger Wind auf; vor allem aber hatten wir sämtlich großen Hunger.

Durch dieses Missgeschick gewarnt, beschloss unser Herr, in Zukunft vorsichtiger mit seinem Leben umzugehen. Da er das große Beiboot unseres von ihm gekaperten englischen Schiffes noch daliegen hatte, nahm er sich vor, nicht mehr ohne Kompass und einige Vorräte fischen zu fahren. Er befahl also seinem Schiffszimmermann, ebenfalls einem englischen Sklaven, in die Mitte des Bootes eine kleine Kabine oder Kajüte wie bei einer Barke zu bauen, mit einem Platz dahinter zum Steuern und Einholen der Großschoten und genügend Platz für ein oder zwei Mann davor, um die Segel manövrieren zu können. Das Boot hatte ein sogenanntes Gieksegel, und der Giekbaum war über der Kajüte befestigt, die geschützt und niedrig lag; darin befanden sich Schlafstellen für ihn und einen oder zwei Sklaven, ein Tisch, um daran zu essen, und einige kleine Spinde für ein paar Flaschen Schnaps, den er vielleicht trinken wollte, und vor allem für Brot, Reis und Kaffee.

Mit diesem Boot fuhren wir häufig zum Angeln hinaus, und da ich mich beim Fischfang am geschicktesten anstellte, fuhr er nie ohne mich. Einmal hatte er sich mit zwei oder drei dort ziemlich geachteten Mauren verabredet, um mit diesem Boot zu einer Vergnügungsfahrt oder zum Angeln auszufahren, und besondere Vorsorge dafür getroffen. Zu diesem Zweck hatte er über Nacht einen größeren Proviantvorrat als gewöhnlich an Bord des Bootes geschickt und mir befohlen, drei Flinten mit Pulver und Munition von Bord seines Schiffes zu holen, denn sie wollten sich nicht nur mit Fischen, sondern auch mit Vogelschießen vergnügen.

Ich bereitete alles so vor, wie er es befohlen hatte, und wartete am nächsten Morgen mit dem sauber gewaschenen Boot, auf dem Flagge und Wimpel gehisst und alle Vorbereitungen zur Versorgung seiner Gäste getroffen waren; bald darauf kam mein Herr allein an Bord und sagte, seine Gäste hätten die Fahrt verschoben, da sie wegen eines Geschäfts, das sich ergeben habe, fortmüssten, und er befahl mir, wie gewöhnlich mit dem Mann und dem Jungen auszufahren und Fische für sie zu angeln, denn seine Freunde wollten bei ihm zu Abend essen. Er ordnete an, dass ich ihm die Fische ins Haus bringen sollte, sobald ich welche gefangen hätte, und ich machte mich bereit, alles auszuführen.

In diesem Augenblick schossen mir meine früheren Fluchtgedanken wieder durch den Kopf, sollte ich doch plötzlich ein kleines Schiff kommandieren; und als mein Herr gegangen war, fing ich an, mich auszurüsten – nicht für das Angeln, sondern für eine Seereise; obwohl ich nicht wusste und nicht einmal darüber nachdachte, wohin ich steuern sollte, denn jeder Ort war mir recht, wenn ich nur von hier fortkam.

Meine erste List bestand darin, dass ich den Mauren unter einem Vorwand dazu bekam, für uns Lebensmittel an Bord zu holen; ich sagte, wir dürften uns nicht erkühnen, vom Brot unseres Herrn zu essen. Er antwortete, das sei richtig, und brachte einen großen Korb Zwieback sowie drei Krüge frisches Wasser ins Boot. Da ich wusste, wo die Flaschenkiste meines Herrn stand, die, wie die Marke verriet, offensichtlich aus einer englischen Beute stammte, trug ich sie in das Boot, während der Maure an Land war, so dass es aussah, als hätte sie schon vorher für unseren Gebieter dort gestanden. Außerdem beförderte ich einen großen Klumpen Bienenwachs an Bord, der über einen halben Zentner wog, samt einem Knäuel Schnur oder Bindfaden, einer Axt, einer Säge und einem Hammer – alles Dinge, die uns später sehr nützlich waren, besonders das Wachs, um Kerzen daraus zu machen. Auf einen zweiten Trick, den ich an ihm versuchte, fiel der Ahnungslose ebenfalls herein; sein Name war Ismael, und er war als Muly oder Moely bekannt, wie auch ich ihn nannte. »Moely«, sagte ich, »die Gewehre unseres Herrn sind an Bord, kannst du nicht ein bisschen Pulver und Schrot holen? Vielleicht könnten wir uns ein paar Alcamys schießen« (eine Vogelart, die unserem Brachvogel gleicht), »denn ich weiß, dass er den Munitionsvorrat des Kanoniers auf dem Schiff hat.«

»Ja«, erwiderte er, »ich hole etwas«, und so brachte er einen großen Lederbeutel mit etwas mehr als anderthalb Pfund Pulver, einen zweiten von fünf oder sechs Pfund mit Schrot, dazu einige Kugeln und legte das alles ins Boot; inzwischen hatte ich noch etwas Pulver meines Herrn in der großen Kajüte gefunden und füllte damit eine von den bauchigen Flaschen aus der Kiste, die fast leer gewesen war; den Rest hatte ich in eine andere Flasche gegossen. So segelten wir, mit allem Notwendigen ausgerüstet, zum Angeln aus dem Hafen. Im Kastell am Hafeneingang kannten sie uns und nahmen keinerlei Notiz, und wir hatten uns kaum eine Meile weit aus dem Hafen entfernt, als wir das Segel einholten und uns ans Angeln machten. Der Wind stand von Nordnordost, und das entsprach nicht meinem Wunsch, denn wäre er von Süden gekommen, hätten wir sicher die spanische Küste oder zumindest die Bucht von Cadiz erreichen können; mein Entschluss stand jedoch fest: aus welcher Richtung es auch wehen mochte – ich wollte fort von diesem scheußlichen Ort, an dem ich mich befand, und das übrige dem Schicksal überlassen.

Nachdem wir eine Zeitlang die Angel ausgeworfen hatten, ohne etwas zu fangen – denn ich zog keinen der Fische, die ich am Haken spürte, heran, damit sie der Maure nicht sah -, sagte ich zu diesem: »So geht das nicht – so bekommt unser Herr nichts, wir müssen uns weiter draußen aufhalten.« Nichts Böses ahnend, stimmte er mir zu, und da er vorn im Boot stand, setzte er die Segel; ich stand am Ruder und ließ das Boot fast noch eine Seemeile auslaufen, dann drehte ich bei, als ob ich angeln wollte. Nun übergab ich das Ruder dem Jungen, trat vor zu dem Mauren, tat, als bücke ich mich nach etwas hinter ihm, packte ihn überraschend mit dem Arm bei den Schenkeln und warf ihn über Bord ins Meer. Er kam sogleich wieder hoch, denn er schwamm wie ein Korken; er rief mir zu und flehte mich an, ich möge ihn hereinnehmen und er wolle mit mir um die ganze Welt fahren. Er schwamm so kräftig hinter dem Boot her, dass er mich sehr rasch erreicht hätte, denn es wehte nur ein schwacher Wind; da trat ich in die Kajüte, holte eine der Vogelflinten, richtete sie auf ihn und sagte, ich hätte ihm nichts zuleide getan, und wenn er sich ruhig verhalte, wolle ich ihm auch weiterhin nichts tun. »Aber«, sagte ich, »du schwimmst gut genug, um die Küste zu erreichen, das Meer ist ja ruhig; schwimm, so gut du kannst, an Land, dann geschieht dir nichts, wenn du dich jedoch dem Boot näherst, schieße ich dir eine Kugel in den Kopf, denn ich bin entschlossen, meine Freiheit zu erlangen.« Nun wandte er sich um und schwamm auf die Küste zu, und ich zweifle nicht daran, dass er sie mit Leichtigkeit erreicht hat, da er ein ausgezeichneter Schwimmer war.

Ich hätte auch den Mauren mitnehmen und den Jungen ertränken können, aber ich traute jenem nicht. Als er fort war, wandte ich mich an den Knaben, der Xury hieß, und sagte zu ihm: »Xury, wenn du mir treu bist, mache ich dich zu einem großen Mann, wenn du dir aber nicht über das Gesicht streichst, zum Zeichen, dass du mir treu bleibst, und es nicht bei Mohammed und dem Barte seines Vaters beschwörst, muss ich dich ebenfalls ins Meer werfen.« Der Junge lächelte mich an und redete so unschuldig, dass ich ihm nicht misstrauen konnte; er schwor, mir treu zu sein und um die ganze Welt mit mir zu fahren.

Solange mich der schwimmende Maure noch sehen konnte, fuhr ich mit dem Boot direkt aufs offene Meer hinaus und segelte beinahe gegen den Wind, damit die Leute glauben sollten, wir bewegten uns auf die Meerenge von Gibraltar zu; dies musste man von jedem, der bei gesundem Verstand war, auch annehmen, denn wer hätte vermuten können, dass wir nach Süden zur Küste der Barbaren segelten, wo uns mit Gewissheit ganze Völkerstämme von Negern mit ihren Kanus umzingeln und umbringen würden und wo wir nicht einmal an Land gehen konnten, ohne von wilden Tieren oder von noch gnadenloseren menschlichen Wilden verschlungen zu werden?

Sobald jedoch die Abenddämmerung einsetzte, änderte ich meinen Kurs und steuerte geradenwegs Süd zu Ost, immer ein wenig nach Osten haltend, um an der Küste entlangzusegeln. Da eine schöne frische Brise wehte und das Meer ruhig und glatt war, machte ich so gute Fahrt, dass ich, als ich am nächsten Nachmittag gegen drei Uhr auf das Land zuhielt, wohl mindestens hundertfünfzig Meilen südlich von Salé sein musste, weit entfernt vom Reich des marokkanischen Kaisers oder dem irgendeines anderen Königs jener Gegend, denn wir sahen keine Menschen.

Aber die Angst vor den Mauren und die Furcht, ihnen wieder in die Hände zu fallen, war so groß, dass ich weder haltmachen noch an Land gehen und nicht einmal vor Anker dort liegen wollte, bis ich – da der Wind auch weiterhin günstig blieb – auf diese Weise fünf Tage lang gesegelt war. Nun drehte der Wind auf Süd, und ich nahm an, dass irgendwelche Schiffe von uns, die mir vielleicht nachjagten, es jetzt auch aufgeben würden; ich wagte also, die Küste anzulaufen, und ging in der Mündung eines kleinen Flusses vor Anker, ohne eine Ahnung zu haben, wo ich mich befand: weder auf welchem Breitengrad noch in welchem Land, bei welchem Volk oder auf welchem Fluss. Menschen sah ich keine und wollte auch keine sehen, was ich jedoch dringend brauchte, war frisches Wasser. Wir kamen am Abend zu diesem Flüsschen und beschlossen, sobald Dunkelheit herrschte, an Land zu schwimmen, um die Gegend zu erkunden; als es jedoch ganz finster war, hörten wir ein so grässliches Gebell, Gebrüll und Geheul wilder Tiere – was für welche es waren, wussten wir nicht –, dass der arme Junge vor Angst fast starb und mich anflehte, nicht vor Tagesanbruch an Land zu gehen.

»Nun, Xury«, sagte ich, »dann werde ich es nicht tun, aber es kann sein, dass wir am Tag Menschen sehen, die zu uns ebenso schlimm sind wie diese Löwen.«

»Dann geben wir ihnen eins mit Schießgewehr, dass sie weglaufen«, antwortete Xury und lachte. Soviel Englisch konnte Xury von den Unterhaltungen mit uns Sklaven. Aber ich freute mich, den Jungen so munter zu sehen, und gab ihm einen Schluck aus der Flaschenkiste unseres Herrn, um ihm Mut zu machen. Alles in allem war Xurys Rat gut, und ich richtete mich danach. Wir warfen unseren kleinen Anker aus und lagen die ganze Nacht still – lagen still, sage ich, denn wir schliefen überhaupt nicht; nach zwei, drei Stunden sahen wir nämlich etliche riesengroße, uns unbekannte Tiere zur Küste herabkommen und ins Wasser laufen; dort wälzten sie sich und badeten aus Freude an der Abkühlung, wobei sie ein so grässliches Geheul und Gebrüll von sich gaben, wie ich es in meinem ganzen Leben noch nicht gehört hatte.

Xury hatte entsetzliche Angst, und mir ging es wahrhaftig ebenso, aber unsere Angst verstärkte sich noch, als wir eine von diesen Bestien auf unser Boot zuschwimmen hörten; sehen konnten wir sie nicht, aber an ihrem Geschnaufe hörten wir, dass es ein wildes, mächtiges, wütendes Ungetüm war. Xury sagte, es sei ein Löwe, und vielleicht war es einer, ich weiß es nicht; der arme Junge rief mir zu, ich solle den Anker lichten und davonrudern.

»Nein, Xury«, antwortete ich, »wir werden unser Tau mit der Boje einfach loslassen und aufs Meer hinausfahren; weit können sie uns nicht folgen.«

Kaum hatte ich das gesagt, da erblickte ich zu meiner Bestürzung das Untier (was es auch immer gewesen sein mochte) in zwei Riemenlängen Entfernung von uns; ich trat jedoch sogleich zur Kajütentür, ergriff mein Gewehr und schoss auf die Bestie, worauf sie sich unverzüglich umwandte und zum Ufer zurückschwamm.

Man kann aber unmöglich die entsetzlichen Laute, das scheußliche Geheul und Gebrüll beschreiben, das sowohl vom Ufer als auch vom Landesinnern her ertönte, als der Knall des Gewehrschusses zu hören war – etwas, was diese Geschöpfe wohl noch niemals vernommen hatten. Nun war ich überzeugt, dass wir nachts auf keinen Fall an Land gehen konnten; es blieb auch fraglich, wie wir uns tagsüber ans Ufer wagen sollten, denn in die Hände von Wilden zu fallen war ebenso schlimm, wie unter Löwen und Tiger zu geraten – zumindest fürchteten wir uns vor beiden Gefahren gleichermaßen.

Wie dem aber auch sein mochte, wir waren gezwungen, irgendwo an Land zu gehen, um Wasser zu holen, denn wir hatten nicht einmal mehr einen halben Liter im Boot; die Frage war nur, wann und wo wir es holen sollten. Xury sagte, wenn ich ihn mit einem Krug an Land gehen lasse, werde er schon herausfinden, ob es Wasser gab, und es mir bringen. Ich fragte ihn, wohin er gehen und weshalb er denn nicht im Boot bleiben wolle, während ich ginge. Der Junge antwortete mir mit soviel Zuneigung, dass ich ihn für immer liebgewann. Er sagte: »Wenn wilde Männers kommen, sie mich aufessen, du fortsegeln.«

»Nun, Xury«, erwiderte ich, »wir werden beide gehen, und wenn wilde Männer kommen, dann töten wir sie. Sie werden keinen von uns beiden aufessen.«

Ich gab Xury also ein Stück Schiffszwieback und einen Schluck aus der bereits erwähnten Flaschenkiste unseres Herrn; wir holten das Boot so nah ans Ufer, wie wir es für richtig hielten, und wateten an Land; dabei trugen wir nichts als unsere Waffen und zwei Krüge für das Wasser.

Aus Angst, dass Kanus mit Wilden den Fluss herunterkämen, mochte ich das Boot nicht aus den Augen lassen; der Knabe aber wanderte zu einer Senke, die er etwa eine Meile landeinwärts wahrgenommen hatte, und nach einer Weile sah ich ihn angelaufen kommen. Ich dachte, er werde von irgendeinem Wilden verfolgt oder ein wildes Tier habe ihn erschreckt, und rannte auf ihn zu, um ihm zu helfen; beim Näherkommen sah ich aber, dass ihm etwas über der Schulter hing, nämlich ein Tier, das er geschossen hatte und das bis auf die Farbe und die längeren Beine einem Hasen ähnelte; wir waren sehr froh darüber, und das Fleisch schmeckte ausgezeichnet; die Freudenbotschaft aber, mit der Xury kam, war, dass er gutes Wasser gefunden und keine ›wilden Männers‹ gesehen hatte.

Später stellten wir freilich fest, dass wir uns des Wassers wegen nicht soviel Mühe zu machen brauchten, wir entdeckten, dass das Flusswasser ein bisschen weiter aufwärts von uns rein war, wenn die Flut, die nicht weit hinaufreichte, fiel; wir füllten also unsere Krüge, schmausten den getöteten Hasen und machten uns zur Weiterfahrt bereit, ohne in der Gegend eine menschliche Fußspur gesehen zu haben.

Von einer früheren Reise her an diese Küste war mir bekannt, dass sich die Kanarischen und auch die Kapverdischen Inseln unweit vom Festland befanden; da ich aber weder Instrumente hatte, um Beobachtungen zur Bestimmung des Breitengrades, auf dem wir uns befanden, anzustellen, noch genau wusste oder mich wenigstens nicht erinnerte, auf welcher Breite sie lagen, wusste ich auch nicht, wo ich sie suchen und wann ich dorthin in See stechen sollte, sonst hätte ich jetzt einige dieser Inseln leicht finden können. Meine Hoffnung war jedoch, an der Küste entlangzusegeln und in dem Teil, wo die Engländer gewöhnlich kreuzten, auf eines ihrer Handelsschiffe zu stoßen, das uns helfen und uns aufnehmen würde. Nach meinen Berechnungen musste das Gebiet, auf dem wir uns jetzt befanden, das öde und nur von wilden Tieren bewohnte Land sein, das zwischen dem Reich des Kaisers von Marokko und dem der Neger liegt. Aus Furcht vor den Mauren verließen es die Neger und zogen weiter nach Süden, während die Mauren der Meinung waren, es lohne sich wegen seiner Unfruchtbarkeit nicht, es zu bewohnen; außerdem gaben es beide wegen der ungeheuren Anzahl dort hausender Tiger, Löwen, Leoparden und anderer wilder Tiere auf. Die Mauren benutzen es nur noch zur Jagd und rücken dann wie mit einer Armee, mit zwei- oder dreitausend Mann zugleich an; und wirklich sahen wir während der ganzen hundert Meilen, die wir die Küste hinabfuhren, am Tage nur ödes, unbewohntes Land und hörten bei Nacht nichts weiter als das Geheul und Gebrüll wilder Tiere.

Am Tage glaubte ich ein- oder zweimal den Pico de Teyde von Teneriffa zu erkennen, den höchsten Gipfel der Kanarischen Inseln, und hatte große Lust, mich hinauszuwagen, in der Hoffnung, dorthin zu gelangen; aber nachdem ich es zweimal versucht hatte, zwangen mich ungünstige Winde und ein für mein kleines Schiff zu hoher Seegang, in die Bucht zurückzukehren; so beschloss ich, meine ursprüngliche Absicht auszuführen und mich weiter in Küstennähe zu halten.

Nachdem wir diesen Platz verlassen hatten, musste ich noch mehrmals an Land, um frisches Wasser zu holen. So gingen wir eines Morgens unterhalb einer ziemlich steilen kleinen Landspitze vor Anker und blieben dort liegen, weil wir die eben einsetzende Flut abwarten wollten, um weiter landeinwärts zu fahren. Da rief mich Xury, der anscheinend seine Blicke mehr umherschweifen ließ als ich, plötzlich leise an und meinte, wir sollten uns lieber mehr von der Küste entfernen, »denn sieh mal«, sagte er, »dort drüben neben dem Hügel liegt ein schreckliches Untier in tiefem Schlaf«. Mein Blick folgte seinem Finger, und ich sah tatsächlich eine furchtbare Bestie, einen entsetzlich großen Löwen, der am Ufer im Schatten der Hügelwand, die ein wenig überhing, lag und schlief.

»Xury«, sagte ich, »du gehst an Land und tötest ihn.«

Xury sah erschrocken aus und erwiderte: »Ich töten! Er mich fressen mit einem Maul!« (Mit einem Bissen, meinte er.) Ich drang jedoch nicht weiter in den Jungen, sondern hieß ihn nur still liegen, nahm unsere größte Büchse, die fast Musketenkaliber hatte, lud sie mit einem ordentlichen Schuss Pulver sowie mit zwei Flintenkugeln und legte sie nieder; dann lud ich noch eine Flinte mit zwei Geschossen, und eine dritte – denn wir hatten drei – lud ich mit fünf kleineren Kugeln. Ich zielte mit der ersten Büchse ganz scharf auf den Kopf des Tieres, aber es lag so, den Fuß ein wenig über der Nase, dass ihn die Geschosse ins Bein unter dem Knie trafen und den Knochen zertrümmerten. Der Löwe fuhr zuerst knurrend auf, aber als er merkte, dass sein Bein verletzt war, fiel er wieder nieder, erhob sich dann auf drei Beinen und stieß das furchtbarste Gebrüll aus, das ich je gehört habe.

Ich war ein wenig überrascht, dass ich ihn nicht in den Kopf getroffen hatte, nahm aber sogleich die zweite Flinte auf, schoss wieder und traf ihn, obwohl er sich gerade davonmachen wollte, diesmal in den Kopf. Voller Freude sah ich, wie er niederfiel und – kaum einen Laut von sich gebend – mit dem Tode rang. Jetzt fasste sich Xury ein Herz und bat mich, ihn an Land gehen zu lassen. »Schön, dann geh«, sagte ich, und so sprang der Junge – in der einen Hand eine kleine Flinte – ins Wasser und schwamm ans Ufer; als er neben der Bestie war, hielt er ihr die Mündung seiner Waffe ans Ohr und schoss sie noch einmal in den Kopf. Das gab ihr den Rest.

Da hatten wir nun wirklich ein Wild erlegt, aber kein essbares, und es tat mir sehr leid, drei Schuss Pulver und Blei an ein Tier verschwendet zu haben, das uns nichts nützte. Wie dem auch sein mochte, Xury sagte, er wolle irgendetwas von ihm haben; er kam deshalb an Bord und ersuchte mich um die Axt. »Wozu, Xury?« fragte ich. »Ich ihm abhacken den Kopf«, erwiderte er. Das gelang Xury jedoch nicht, und so hackte er ihm eine Pfote ab und brachte sie mit; sie war ungeheuer groß.

Mir fiel aber ein, dass uns das Fell vielleicht irgendwie nützlich sein könnte, und deshalb beschloss ich, das Tier abzuhäuten, wenn ich es zustande brächte. So machten Xury und ich uns an die Arbeit; Xury war dabei jedoch der Geschicktere von uns zweien, denn ich verstand nicht viel von der Sache. Wir hatten auch alle beide den ganzen Tag damit zu tun; endlich aber war das Fell herunter, und wir breiteten es auf unserem Kajütendach aus. Schon nach zwei Tagen war es von der Sonne getrocknet, und danach diente es mir als Lagerstatt.

Nach diesem Aufenthalt segelten wir zehn oder zwölf Tage lang immerfort nach Süden, lebten sehr sparsam von unseren Vorräten, die allmählich zusammenschrumpften, und gingen nur an Land, um frisches Wasser zu holen. Meine Absicht war, auf diese Weise den Gambia oder den Senegal zu erreichen, also irgendwo im Gebiet von Kap Verde zu landen, wo ich auf ein europäisches Schiff zu stoßen hoffte; sollte dies nicht der Fall sein, dann blieb mir nichts weiter übrig, als die Inseln zu suchen, wenn ich nicht dort unter den Negern umkommen wollte. Ich wusste, dass alle Schiffe, die an die Küste von Guinea, nach Brasilien oder nach Ostindien segelten, das Kap oder die Inseln ansteuerten; mit einem Wort, ich machte mein Schicksal allein von diesem einen Punkt abhängig: entweder ich traf auf ein Schiff, oder ich musste umkommen.

Nachdem ich mich an diesen Entschluss noch etwa zehn Tage lang gehalten hatte, merkte ich, dass das Land bewohnt war, und wir sahen im Vorbeisegeln an zwei, drei Orten Leute an der Küste stehen, die zu uns herüberblickten; wir konnten auch erkennen, dass sie ganz schwarz und splitternackt waren. Einmal wollte ich zu ihnen an Land gehen, Xury aber beriet mich besser und sagte: »Nicht gehen, nicht gehen.« Ich fuhr jedoch nahe ans Ufer heran, um mit ihnen sprechen zu können, und sah, dass sie ein ganzes Stück am Strand neben uns herliefen. Ich beobachtete, dass sie keine Waffen in der Hand trugen, nur ein Mann hatte einen langen dünnen Stock, von dem Xury sagte, es sei eine Lanze und sie würfen sie wohlgezielt und sehr weit; so hielt ich mich von ihnen entfernt, sprach aber mit ihnen, so gut ich konnte, durch Zeichen und gab ihnen vor allem zu verstehen, dass wir etwas zu essen haben wollten. Sie winkten mir, ich solle das Boot anhalten, dann wollten sie mir Fleisch besorgen; darauf holte ich den oberen Teil meines Segels ein und drehte bei. Zwei von ihnen liefen landeinwärts, und in kaum einer halben Stunde kehrten sie zurück und brachten zwei Stück Dörrfleisch und etwas Getreide mit – Produkte ihres Landes; wir aber kannten weder das eine noch das andere, waren jedoch willens, es anzunehmen. Unsere nächste Verhandlung ging darum, wie wir es erhalten sollten, denn ich war nicht geneigt, mich zu ihnen an Land zu wagen, und sie fürchteten sich ebenso vor uns; sie wählten aber einen für uns alle sicheren Weg, indem sie nämlich die Lebensmittel an den Strand brachten, sie dort niederlegten, dann fortgingen und in weiter Entfernung stehen blieben, bis wir die Nahrung an Bord geholt hatten – danach kamen sie wieder in unsere Nähe.

Wir bedankten uns bei ihnen durch Zeichen, wir hatten ja nichts, um es ihnen zu vergüten; im nächsten Augenblick aber bot sich eine großartige Gelegenheit, ihnen einen Gefallen zu tun, denn als wir dort in der Nähe des Ufers lagen, kamen auf einmal zwei mächtige Bestien die Hügel herab zum Meer gelaufen, von denen die eine, wie wir glaubten, die andere voller Wut verfolgte. Ob es ein Männchen war, das ein Weibchen verfolgte, ob sie miteinander spielten oder sich zornig jagten, vermochten wir nicht zu sagen, ebensowenig wie wir wussten, ob es sich dabei um einen gewöhnlichen oder einen außergewöhnlichen Vorfall handelte; ich glaube aber, das zweite traf zu, denn einmal erscheinen diese Raubtiere fast nur in der Nacht, und zum anderen stellten wir fest, dass die Leute furchtbar erschrocken waren, besonders die Frauen. Der Mann mit der Lanze oder dem Wurfspieß floh nicht wie die übrigen; die beiden Bestien liefen jedoch sogleich ins Wasser und machten keine Miene, einen der Neger anzufallen, sondern tauchten ins Meer und schwammen umher, als seien sie gekommen, um sich zu belustigen. Schließlich kam eine näher an unser Boot heran, als ich erwartet hatte, ich lag aber zu ihrem Empfang bereit, denn ich hatte in aller Eile meine Büchse geladen und Xury geheißen, das gleiche mit den beiden anderen zu tun. Sobald das Tier einigermaßen in meine Schussweite gelangt war, drückte ich ab und traf es mitten in den Kopf; es tauchte sofort unter, kam jedoch unmittelbar darauf wieder hoch und tauchte auf und nieder, als ob es mit dem Tode ringe, was auch der Fall war. Es schwamm sogleich zum Ufer, aber die tödliche Wunde und das ihm in die Nase gedrungene Seewasser bewirkten, dass es verendete, noch bevor es das Ufer erreichte.

Die Bestürzung der armen Menschen beim Knall und Feuer aus meiner Flinte ist nicht zu beschreiben; einige starben fast vor

Schreck und fielen vor Angst wie tot um; als sie aber sahen, dass die Bestie verendet und untergegangen war und ich ihnen Zeichen machte, ans Ufer zu kommen, fassten sie Mut, kamen herbei und begannen nach dem Tier zu suchen. Ich fand es durch das blutig gefärbte Wasser, und mit Hilfe eines Taus, das ich um seinen Leib schlang und den Negern zum Schleppen zuwarf, zogen sie es an Land und stellten fest, dass es ein sehr merkwürdiger, gefleckter und ungemein schöner Leopard war, und die Neger hielten voller Bewunderung die Hände in die Höhe, als sie sich fragten, womit ich ihn wohl getötet hatte.

Die andere Bestie schwamm, vom Feuerstrahl und vom Knall der Büchse erschreckt, ans Ufer und lief eilends zu den Bergen hinauf, woher die beiden Tiere gekommen waren, und in dieser Entfernung konnte ich nicht feststellen, was für ein Geschöpf es war. Ich merkte rasch, dass die Neger gern das Fleisch der Bestie essen wollten, und war bereit, es ihnen aus Gefälligkeit zu überlassen. Als ich ihnen durch Zeichen zu verstehen gab, dass sie es nehmen konnten, waren sie dafür sehr dankbar. Sie fielen sogleich darüber her, und obwohl sie kein Messer hatten, zogen sie ihm mit einem spitzen Holz das Fell ebenso rasch oder noch rascher ab, als wir es mit einem Messer hätten tun können. Sie boten mir etwas von dem Fleisch an; ich lehnte es ab und tat, als wollte ich es ihnen schenken, machte aber durch Zeichen deutlich, dass ich Wert auf das Fell legte, und sie gaben es mir bereitwillig. Sie brachten mir auch noch eine Menge von ihren Vorräten, die ich zwar nicht kannte, aber doch annahm. Dann bat ich sie durch Zeichen um Wasser, hielt ihnen einen meiner Krüge mit dem Boden nach oben hin, um ihnen zu zeigen, dass er leer war und ich ihn gern gefüllt hätte. Sogleich riefen sie ein paar von ihren Freunden etwas zu, und zwei Frauen brachten ein großes Tongefäß, das, wie ich annehme, in der Sonne gebrannt war; sie ließen es wie zuvor für mich stehen, ich sandte Xury mit meinen Krügen an Land, und er füllte alle drei. Die Frauen waren ebenso splitternackt wie die Männer.

Ich war jetzt mit Wurzeln, Getreide – was für eine Sorte es auch sein mochte – und mit Wasser versorgt, schied von meinen freundlichen Negern und segelte ungefähr elf Tage lang geradeaus weiter, ohne Anstalten zu machen, mich der Küste zu nähern, bis ich an eine

Stelle kam, wo sich in vier oder fünf Meilen Entfernung von mir eine Landzunge weit ins Meer hinaus erstreckte, und da wir sehr ruhige See hatten, hielt ich mich weit draußen, um diese Stelle zu umschiffen. Endlich, nachdem ich zwei oder drei Meilen von der Küste entfernt an ihr vorbeigesegelt war, sah ich auf der anderen Seite seewärts ganz deutlich Land, und ich schloss – es war ja auch ganz sicher –, dass jenes das Kap Verde und dieses die danach benannten Kapverdischen Inseln sein mussten. Sie lagen jedoch weitab, und ich wusste nicht, was ich tun sollte, denn wenn mich plötzlich ein Auffrischen des Windes überraschte, erreichte ich vielleicht weder das eine noch das andere.

Ich grübelte über dieses Dilemma nach, ging in die Kajüte und setzte mich; Xury stand am Ruder; plötzlich rief der Junge: »Herr, Herr, ein Schiff mit einem Segel!«, und der törichte Knabe war außer sich vor Angst, denn er dachte, es könne nur ein Schiff seines Herrn sein, das er zu unserer Verfolgung ausgesandt habe, wo ich doch wusste, dass wir aus der Reichweite der Mauren gelangt waren. Ich sprang aus der Kajüte und sah sogleich nicht nur das Schiff, sondern auch, was für eins es war, nämlich ein portugiesisches, das zum Negerhandel nach Guinea fuhr. Als ich aber seinen Kurs beobachtete, überzeugte ich mich bald davon, dass es ein anderes Ziel hatte und nicht beabsichtigte, sich der Küste zu nähern; deshalb hielt ich so weit wie möglich aufs Meer hinaus und beschloss, wenn ich konnte, mit den Leuten darauf zu sprechen.

Ich stellte jedoch fest, dass es mir mit allen Segeln, die ich zu setzen vermochte, nicht gelingen würde, sie zu erreichen, und dass sie fort wären, bevor ich ihnen ein Signal geben konnte. Nachdem ich aber mit vollen Segeln mein Äußerstes getan hatte und schon zu verzweifeln begann, schienen sie mich durch ihr Fernrohr zu entdecken und zu sehen, dass es ein europäisches Boot war, welches zu einem gescheiterten Schiff gehören musste, wie sie wohl annahmen; sie holten also einige Segel ein und ließen mich herankommen. Das gab mir Mut, und da ich die Flagge meines Herrn an Bord hatte, machte ich daraus ein Notsignal und feuerte eine Flinte ab; sie sahen beides, denn später erzählten sie mir, dass sie zwar den Rauch bemerkt, den Schuss aber nicht hatten hören können. Nach diesen Signalen drehten sie freundlicherweise bei und lagen vor Anker, bis ich heran war; nach ungefähr drei Stunden hatte ich sie erreicht.

Sie fragten mich auf portugiesisch, spanisch und französisch, wer ich sei, aber ich verstand keine dieser Sprachen; endlich aber rief mir ein schottischer Matrose, der sich an Bord befand, etwas zu, und ich antwortete, ich sei Engländer und aus der Sklaverei bei den Mauren von Salé entflohen; da forderten sie mich auf, an Bord zu kommen, und nahmen mich und meine ganze Habe sehr freundlich auf.

Es war für mich, wie sich wohl jeder denken kann, eine unaussprechliche Freude, auf diese Weise aus meiner elenden und fast hoffnungslosen Lage befreit zu werden, und ich wusste das auch zu würdigen; zum Dank für meine Erlösung bot ich dem Kapitän des Schiffes alles an, was ich besaß; aber er erklärte mir großmütig, er wolle nichts nehmen, sondern mein gesamtes Eigentum solle mir nach unserer Ankunft in Brasilien unversehrt ausgehändigt werden, »denn«, so sagte er, »ich habe Euer Leben unter keinen anderen Bedingungen gerettet, als unter welchen ich selbst gern gerettet würde, und früher oder später kann es durchaus mein Schicksal sein, unter den gleichen Umständen aufgelesen zu werden. Außerdem«, so fuhr er fort, »wenn ich Euch nach Brasilien bringe, so weit entfernt von Eurem Land, und Euch wegnähme, was Ihr besitzt, dann verhungert Ihr dort, und ich raubte Euch das Leben wieder, das ich Euch gegeben habe. Nein, nein, Seignor Inglese« (Mr. Engländer), sagte er, »ich bringe Euch aus Barmherzigkeit dorthin, und Eure Habe wird Euch helfen, dort Euren Lebensunterhalt sowie Eure Heimfahrt zu bezahlen.«

Seinen so gütigen Vorschlag führte der Kapitän haargenau aus, und er untersagte den Matrosen, auch nur Miene zu machen, meine Sachen anzurühren; dann nahm er diese sämtlich in seine Obhut und gab mir eine genaue Liste davon, damit ich alles, sogar meine drei irdenen Krüge, wieder zurückerhielte. Was mein Boot betraf, so war es sehr gut; er sah das und erklärte mir, er würde es gern für das Schiff kaufen, und fragte, was ich dafür haben wolle? Ich antwortete, er sei in allem so großzügig zu mir gewesen, dass ich keinen Preis für das Boot nennen könne, sondern dies gänzlich ihm überlasse, worauf er mir erwiderte, er werde mir einen Schuldschein über achtzig Pesos, zahlbar in Brasilien, geben, und wenn dort nach unserer

Ankunft irgend jemand mehr biete, wolle er mir die Differenz vergüten. Er bot mir auch noch weitere achtzig Pesos für meinen Jungen Xury, die ich nur ungern nehmen wollte; nicht dass ich ihn dem Kapitän nicht gegönnt hätte, aber es widerstrebte mir, die Freiheit des armen Knaben zu verkaufen, der mir so treu dabei geholfen hatte, meine eigene zu erlangen. Als ich aber dem Kapitän meine Gründe mitteilte, gab er zu, dass sie gerechtfertigt waren, und er bot mir als Ausgleich an, dem Jungen ein Abkommen auszuhändigen, dass er ihn nach zehn Jahren freilassen werde, falls er Christ geworden sei. Auf dieses Versprechen und Xurys Einverständnis hin überließ ich diesen dem Kapitän.

Wir hatten eine sehr gute Fahrt bis Brasilien und kamen nach zweiundzwanzig Tagen in der Bohia de Todos os Santos oder Allerheiligenbucht an. Und nun war ich wieder einmal aus der allerelendesten Lebenslage gerettet und musste überlegen, was ich als nächstes mit mir anfangen wollte.

An die großzügige Behandlung, die mir der Kapitän zuteil werden ließ, kann ich mich nicht oft genug erinnern: Für die Überfahrt wollte er nichts von mir nehmen, er gab mir zwanzig Dukaten für das Leoparden- und vierzig für das Löwenfell, die ich in meinem Boot gehabt hatte, und veranlasste, dass mir alles Eigentum aus dem Schiff pünktlich ausgehändigt wurde; was ich verkaufen wollte, kaufte er, wie die Kiste mit den Flaschen, zwei meiner Gewehre und ein Stück von dem Bienenwachsklumpen – denn aus dem Rest hatte ich Kerzen gemacht –, mit einem Wort, meine Ladung brachte mir ungefähr zweihundertzwanzig Pesos ein, und mit diesem Grundkapital ging ich in Brasilien an Land.

Ich war noch nicht lange dort, als ich auf Empfehlung des Kapitäns in das Haus eines guten, ehrlichen Mannes, wie er selbst einer war, kam, der ein Ingenio, wie sie es da nennen, besaß, das heißt eine Zuckerpflanzung nebst -siederei. Bei ihm wohnte ich einige Zeit und machte mich auf diese Weise mit dem Pflanzen und der Gewinnung des Zuckers vertraut; und da ich sah, wie gut die Pflanzer lebten und wie rasch sie reich wurden, beschloss ich, ein solcher zu werden, falls ich eine Lizenz erhalten konnte; inzwischen wollte ich einen Weg suchen, um an mein in London zurückgelassenes Kapital zu gelangen. Zu diesem Zweck kaufte ich, nachdem ich eine Naturalisierungsurkunde erhalten hatte, so viel ungerodetes Land, wie es mir mein Geld erlaubte, und machte einen Plan für meine Pflanzung und meine Ansiedlung, welcher der aus England erwarteten Summe entsprach.

Ich hatte einen Nachbarn, einen Portugiesen aus Lissabon, der jedoch von englischen Eltern stammte und Wells hieß; er lebte unter ähnlichen Umständen wie ich. Ich nenne ihn Nachbar, weil seine Pflanzung neben meiner lag, und wir kamen sehr gut miteinander aus. Er besaß genau wie ich nur wenig Kapital; zwei Jahre lang bauten wir eigentlich nur so viel an, wie wir brauchten, um satt zu werden. Wir kamen aber voran und kultivierten unser Land nach und nach, so dass wir im dritten Jahr ein wenig Tabak pflanzten und jeder von uns ein großes Feld für den Zuckerrohranbau im nächsten Jahr vorbereitete; beide brauchten wir jedoch Hilfe, und jetzt merkte ich mehr als zuvor, wie falsch es gewesen war, mich von meinem Jungen Xury zu trennen.

Aber ach! Es war durchaus kein Wunder, dass ich, der ich niemals richtig handelte, mich falsch verhalten hatte; mir blieb nichts anderes übrig, als weiterzumachen. Meine jetzige Tätigkeit entsprach ganz und gar nicht meiner Neigung und war dem Leben, das ich liebte und um dessentwegen ich das Haus meines Vaters verlassen und alle seine guten Ratschläge in den Wind geschlagen hatte, geradezu entgegengesetzt: Ich befand mich auf dem Wege zu eben jener mittleren Stellung im Leben oder der oberen Schicht des unteren Standes, die mein Vater mir zuvor so empfohlen hatte, und wenn ich beschloss weiterzumachen, hätte ich ebenso gut in England bleiben können und mich nicht in der Welt herumzuschlagen brauchen, wie ich es getan hatte; oft sagte ich mir, ich hätte in England unter meinen Freunden derselben Betätigung nachgehen können, anstatt dies fünftausend Meilen entfernt in einer Wildnis unter Fremden und unzivilisierten Menschen zu tun, so weit fort, dass ich nie auch nur das geringste aus jenem Teil der Welt hören würde, wo man mich kannte.

Auf diese Weise betrachtete ich meine gegenwärtige Lage mit dem größten Bedauern. Ich hatte niemand, mit dem ich mich unterhalten konnte, als nur hin und wieder diesen Nachbarn, keine andere Arbeit als nur die meiner Hände, und ich pflegte zu sagen, ich lebte wie ein Mensch, der auf eine einsame Insel verschlagen ist, auf der es niemanden gibt außer ihm.

Aber wie gerecht ist doch alles gekommen und wie gründlich sollten die Menschen darüber nachdenken, dass – wenn sie ihre gegenwärtige Lage mit anderen, schlimmeren Geschicken vergleichen – der Himmel sie dazu zwingen kann, zu tauschen, so dass die Erfahrung sie dann von ihrem früheren Glück überzeuge; wie gerecht ist also alles gekommen, dass das wahrhaft einsame Leben auf einer völlig verlassenen Insel, über das ich räsoniert hatte, mein Schicksal werden sollte, da ich es so oft ungerechterweise mit dem Leben verglichen hatte, das ich damals führte und bei dem ich es, wenn ich dabei geblieben wäre, zu großem Wohlstand und Reichtum hätte bringen können.

Bis zu einem gewissen Grade hatte ich meine Maßnahmen zur Weiterführung der Pflanzung schon getroffen, als mein gütiger Freund, der Schiffskapitän, der mich auf See aufgelesen hatte, zurückfuhr, nachdem das Schiff für die Aufnahme der Ladung und zur Vorbereitung der Fahrt fast drei Monate lang dort gelegen hatte; als ich ihm von meinem kleinen, in London verbliebenen Kapital erzählte, gab er mir folgenden freundlichen und ehrlichen Rat: »Seignor Inglese«, sagte er, denn so nannte er mich immer, »wenn Ihr mir einen Brief und offizielle Vollmachten mit einer Order an die Person gebt, die Euer Geld in London hat, dass sie Euer Eigentum nach Lissabon an Leute senden soll, die ich nennen werde, und zwar in Form von Waren, wie sie für dieses Land hier geeignet sind, dann bringe ich Euch diese, so Gott will, bei meiner Rückkehr herüber; weil aber alle menschlichen Angelegenheiten Veränderungen und Schicksalsschlägen unterworfen sind, möchte ich, dass Ihr nur für hundert Pfund Sterling Order gebt – die, wie Ihr sagt, die Hälfte Eures Kapitals ausmachen –, damit Ihr nur diese Summe aufs Spiel setzt, und wenn sie sicher ankommt, dann könnt Ihr den Rest auf die gleiche Weise herbeordern; sollte es aber misslingen, habt Ihr noch die andere Hälfte, um Euch damit zu versorgen.«

Dies war ein so vernünftiger und freundschaftlicher Rat, dass er mich unbedingt überzeugte, und so schrieb ich an die Dame, bei der ich das Geld gelassen hatte, einen Brief und für den portugiesischen Kapitän eine Vollmacht, wie er es wünschte.

Ich berichtete der Witwe des englischen Kapitäns ausführlich über meine Abenteuer, meine Sklaverei, meine Flucht und mein Zusammentreffen mit dem portugiesischen Kapitän auf See, beschrieb ihr, wie menschlich sein Verhalten gewesen war, unter welchen Umständen ich jetzt lebte, und machte ihr alle anderen notwendigen Angaben, wie sie mir meine Barschaft zuführen sollte; als der biedere Kapitän nach Lissabon kam, fand er über einige der dort wohnenden englischen Kaufleute einen Weg, neben der Order auch einen ausführlichen Bericht über mein Schicksal an einen Kaufmann in London zu senden, der ihr alles richtig überbrachte. Darauf händigte sie ihm nicht nur das Geld aus, sondern sandte dem portugiesischen Kapitän auch aus ihrer eigenen Tasche ein ansehnliches Geschenk zum Dank für seine Menschlichkeit und seine Barmherzigkeit mir gegenüber.

Der Londoner Kaufmann legte die hundert Pfund in englischen Waren an, wie der Kapitän sie bestellt hatte, schickte sie ihm direkt nach Lissabon, und dieser brachte mir alles unbeschädigt nach Brasilien; der Kapitän hatte ohne mein Zutun (denn ich war noch zu jung in meinem Geschäft, um daran zu denken) dafür gesorgt, dass sich allerlei Werkzeug, Eisengeräte und für meine Pflanzung notwendige Ausrüstungsgegenstände darunter befanden, die von großem Nutzen für mich waren.

Als diese Sendung ankam, war ich freudig überrascht und dachte, mein Glück sei gemacht. Mein guter Verwalter, der Kapitän, hatte die fünf Pfund, die meine Freundin ihm als Geschenk übersandt hatte, dafür ausgegeben, einen auf sechs Jahre vertraglich gebundenen Diener zu kaufen, und mir diesen mitgebracht – eine Entschädigung wollte er durchaus nicht von mir annehmen, außer einem bisschen Tabak, den ich ihm aufdrängen konnte, denn der stammte ja aus meiner eigenen Produktion. Und das war noch nicht alles; da sämtliche Waren – wie Tuche, Wollstoffe, Flanelle und andere Dinge – englische Erzeugnisse und in diesem Lande besonders wertvoll und begehrt waren, gelang es mir, sie mit großem Vorteil zu verkaufen, und ich kann sagen, dass ich mehr als den vierfachen Wert meiner ersten Ladung erhielt. Nun war ich meinem armen Nachbarn, was die Entwicklung meiner Plantage betraf, weit überlegen, denn als erstes kaufte ich mir einen Negersklaven und dazu noch einen europäischen Diener, das heißt einen zweiten neben dem, den mir der Kapitän aus Lissabon mitgebracht hatte.

Missbrauchter Wohlstand aber wird häufig gerade zur Ursache unseres größten Unglücks, und so ging es auch mir. Im nächsten Jahr bewirtschaftete ich meine Plantage mit großem Erfolg; ich erntete auf meinem eigenen Grund und Boden fünfzig große Ballen Tabak, abgesehen von dem, den ich bei meinen Nachbarn für allerlei Lebensnotwendiges eingetauscht hatte, und diese fünfzig Ballen, jeder über hundert Pfund schwer, wurden gut gebeizt und bis zur Rückkehr der Flotte von Lissabon gelagert, und da nun mein Geschäft und mein Reichtum größer geworden waren, begann sich mein Kopf mit Plänen für Unternehmen zu füllen, die meine Verhältnisse überstiegen, was ja im Geschäftsleben häufig zum Ruin der besten Leute führt.

Hätte ich mich mit der Stellung, die ich nun einnahm, begnügt, dann wäre mir noch all das Glück zuteil geworden, um dessentwillen mein Vater mir so inständig ein ruhiges, zurückgezogenes Dasein empfohlen hatte und von dem, nach seiner so vernünftigen Beschreibung, das Leben des mittleren Standes erfüllt ist. Aber anderes erwartete mich: Ich sollte der Schmied meines eigenen Unglücks werden, meine Schuld verstärken und die Vorwürfe, die ich mir machte, verdoppeln, wozu mir in meinem künftigen Leid genügend Muße bleiben würde. Die Ursache all dieser Fehlschläge war mein hartnäckiges Festhalten an der törichten Neigung, in der Ferne umherzuschweifen, anstatt das Nächstliegende zu tun und für mein Wohl zu sorgen, indem ich gerade und zielstrebig im Leben die Aussichten verfolgte und die Maßnahmen traf, die Natur und Schicksal mir gemeinsam anboten und mir zur Pflicht machten.

Ebenso wie ich damals meinen Eltern weggelaufen war, vermochte ich mich auch jetzt nicht zufriedenzugeben, sondern musste auf und davon gehen und die glückliche Aussicht, auf meiner neuen Plantage ein wohlhabender und erfolgreicher Mann zu werden, aufgeben, nur weil ich dem unbesonnenen und maßlosen Wunsch folgen wollte, schneller emporzusteigen, als es die Natur der Dinge gestattete; und so stürzte ich mich von neuem in den tiefsten Abgrund menschlicher Not, in den je ein Mensch gefallen ist oder auch nur fallen kann, ohne Leben und Gesundheit einzubüßen.

Um also in angemessenen Etappen zu den näheren Umständen dieses Teils meiner Geschichte zu kommen: Der Leser kann sich wohl vorstellen, dass ich, nachdem ich beinahe vier Jahre lang in Brasilien ansässig und auf dem Wege war, durch meine Plantage ein gutes Auskommen zu haben und wohlhabend zu werden, nicht nur die Landessprache gelernt, sondern auch unter den übrigen Pflanzern und den Kaufleuten aus unserem Hafen San Salvador Freunde und Bekannte gefunden hatte. In meinen Unterhaltungen mit ihnen berichtete ich häufig von meinen beiden Fahrten zur Küste Guineas, wie dort mit Negern gehandelt wurde und wie leicht es war, um Kleinigkeiten wie Glasperlen, Spielzeug, Messer, Scheren, Beile, Glasstückchen und dergleichen an der Küste nicht nur Goldstaub, guinesisches Getreide, Elefantenzähne und so weiter, sondern auch Neger in großer Anzahl für die Sklavenarbeit in Brasilien zu kaufen.

Sie hörten meinen Erzählungen über diese Dinge sehr aufmerksam zu, besonders aber dem Teil, der vom Negerkauf handelte, einem Gewerbe, das damals noch nicht sehr entwickelt war und, soweit es bestand, nur mit Asiento oder mit Genehmigung der Könige von Spanien und Portugal ausgeübt wurde, die sich das Monopol darauf vorbehalten hatten, so dass nur wenige Neger gekauft wurden, und diese zu außerordentlich hohen Preisen.

Als ich einmal in Gesellschaft mehrerer Kaufleute und Pflanzer meiner Bekanntschaft sehr angelegentlich über diese Dinge gesprochen hatte, kamen am nächsten Morgen drei von ihnen zu mir und erklärten, sie hätten sehr reiflich über das nachgedacht, was ich ihnen am Abend zuvor berichtet hatte, und sie seien gekommen, um mir insgeheim einen Vorschlag zu machen; nachdem sie mich zum Stillschweigen verpflichtet hatten, erzählten sie mir, sie beabsichtigten, ein Schiff nach Guinea auszurüsten, denn alle besaßen Plantagen, genau wie ich, und an nichts mangelte es ihnen so wie an Arbeitskräften. Da dies ein einmaliges Geschäft war, weil sie nach ihrer Heimkehr die Neger nicht öffentlich verkaufen konnten, wollten sie nur eine einzige Reise unternehmen, die Neger heimlich an Land bringen und sie dann auf ihre eigenen Plantagen verteilen; die Frage war, mit einem Wort, ob ich als ihr Ladungsaufseher mit dem Schiff fahren wolle, um an der Küste von Guinea den Handel abzuwickeln;

sie boten mir an, ich solle einen gleich großen Anteil wie sie an den Negern haben, ohne Kapital aufbringen zu müssen.

Das war ein günstiges Angebot, wie ich zugeben muss, wäre es an jemand gerichtet gewesen, der sich nicht um eine eigene Niederlassung und Pflanzung hätte kümmern müssen, die auf dem besten Wege war, sich zu einer sehr bedeutenden zu entwickeln, und in der ein großes Kapital steckte. Dass aber ich an eine solche Reise dachte, war das Unsinnigste, was sich ein Mann in solchen Verhältnissen nur ausdenken konnte, da ich auf die beste Weise vorbereitet und versorgt war und weiter nichts zu tun brauchte, als noch drei oder vier Jahre lang so fortzufahren, wie ich begonnen hatte, mir die übrigen hundert Pfund aus England kommen zu lassen und innerhalb dieser Zeit mit diesem kleinen Zuschuss kaum verfehlt hätte, es auf drei-, viertausend Pfund Sterling zu bringen und diese dann noch zu vermehren.

Ich aber, der ich dazu geboren wurde, mich selbst ins Verderben zu bringen, vermochte dem Angebot ebensowenig zu widerstehen, wie ich meine erste Begierde, in der Welt umherzustreifen, hatte bändigen können, als mein Vater seinen guten Rat an mich vergeudet hatte. Mit einem Wort, ich erwiderte ihnen, ich führe von Herzen gern, wenn sie es übernehmen wollten, in meiner Abwesenheit nach meiner Plantage zu sehen und sie im Falle meines Misserfolgs denen zu übergeben, die ich nennen wollte. Zu alldem erklärten sie sich bereit und verpflichteten sich schriftlich durch einen Vertrag, es auszuführen; ich machte ein rechtskräftiges Testament und verfügte über meine Pflanzung und meine bewegliche Habe für den Fall meines Todes, indem ich den Schiffskapitän, der mich, wie zuvor berichtet, gerettet hatte, als Universalerben einsetzte, unter der Bedingung, dass er meinen Besitz, den Testamentsbestimmungen entsprechend, veräußerte, dass nämlich die eine Hälfte des Erlöses ihm gehören und er die andere nach England bringen sollte.

Ich traf also alle nur möglichen Vorsichtsmaßnahmen, um mein Eigentum zu sichern und meine Plantage zu erhalten; hätte ich nur soviel Vorsicht darauf verwandt, für mein eigenes Wohl zu sorgen und mir klarzumachen, was ich hätte tun und was unterlassen sollen, dann wäre ich gewiss niemals von einem so blühenden Unternehmen fortgegangen und hätte nicht der festen Aussicht auf ein Leben des

Wohlstands den Rücken gekehrt, um mich auf eine Seereise zu begeben, bei der ich allen üblichen Gefahren ausgesetzt war – von den Gründen, weshalb gerade ich besonderes Unheil zu erwarten hatte, gar nicht zu reden.

Es trieb mich jedoch weiter, und ich gehorchte blindlings dem Ruf meiner Phantasie und nicht meiner Vernunft; als das Schiff ausgerüstet, die Ladung verstaut war und meine Partner alles verabredungsgemäß für die Reise vorbereitet hatten, ging ich also zu einer unglückseligen Stunde, am 1. September 1659, an Bord, am gleichen Tage, an dem ich acht Jahre zuvor meinen Vater und meine Mutter in Hull verlassen hatte, um gegen ihre Autorität zu rebellieren und den Narren auf Kosten meines eigenen Wohls zu spielen.

Unser Schiff hatte etwa hundertundzwanzig Tonnen, war mit sechs Kanonen bestückt, und die Besatzung bestand aus vierzehn Mann, außer dem Kapitän, seinem Schiffsjungen und mir; wir führten keine große Ladung an Bord, abgesehen von dem Krimskrams, der sich für unseren Handel mit den Negern eignete, wie Glasperlen, Glasstückchen und allem möglichen Plunder, besonders kleine Spiegel, Messer, Scheren, Beile und dergleichen.

Noch am selben Tag, an dem ich an Bord ging, stachen wir in See und segelten entlang unserer Küste nach Norden, mit der Absicht, bei zehn oder zwölf Grad nördlicher Breite nach Afrika hinüberzukreuzen, was damals wohl der übliche Kurs war. Wir hatten sehr gutes Wetter, und an der Küste war es die ganze Zeit über außerordentlich heiß, bis wir auf die Höhe von Kap St. Augustin kamen; dort hielten wir aufs offene Meer hinaus und verloren das Land aus den Augen, steuerten, als wollten wir zur Insel Fernando de Noronha, hielten Kurs auf Nordnordost und ließen die Insel östlich liegen. Auf diesem Kurs passierten wir nach etwa zwölf Tagen den Äquator und befanden uns nach unserer letzten Standortberechnung auf 7 Grad 22 Minuten nördlicher Breite, als uns plötzlich ein Tornado oder Hurrikan völlig aus der Richtung brachte. Er begann aus Südosten, sprang auf Nordwesten um und kam dann aus Nordosten, von wo er mit so furchtbarer Gewalt tobte, dass uns zwölf Tage lang nichts übrig blieb, als dahinzutreiben, vor ihm herzujagen und uns wegtragen zu lassen, wohin es dem Schicksal und der Wut des Sturms beliebte. Ich brauche wohl nicht zu erwähnen, dass ich an jedem dieser zwölf Tage erwartete, vom Meer verschlungen zu werden, und niemand auf dem Schiff glaubte, er werde mit dem Leben davonkommen.

Zu all der Not, in die uns die Schrecken des Sturms versetzten, kam noch, dass einer unserer Leute am Tropenfieber starb und dass ein Matrose sowie der Schiffsjunge über Bord gespült wurden. Etwa am zwölften Tag, als der Sturm ein wenig nachgelassen hatte, berechnete der Kapitän, so gut es ging, unseren Standort und stellte fest, dass wir uns ungefähr bei 11 Grad nördlicher Breite, aber 22 Längengrade weiter westlich von Kap St. Augustin befanden; so stellte er also fest, dass wir uns der Küste Guayanas oder dem nördlichen Teil Brasiliens genähert hatten, und zwar dem Gebiet zwischen dem Amazonas und dem Orinoko, den man gewöhnlich den großen Fluss nennt. Nun beriet er sich mit mir, welchen Kurs er steuern sollte, denn da das Schiff leck und in einem bösen Zustand war, wollte er geradenwegs zurück zur brasilianischen Küste segeln.

Ich war entschieden dagegen, und als wir gemeinsam die Karten der Küste Amerikas studierten, kamen wir zu dem Schluss, dass wir bis zu den Karibischen Inseln kein bewohntes Land fänden, welches wir anlaufen konnten; und deshalb entschieden wir uns, Kurs auf Barbados zu nehmen. Wir hofften, diese Insel mühelos in etwa vierzehn Segeltagen zu erreichen, wenn wir uns auf der offenen See hielten, um den Sog der Bay oder des Golfs von Mexiko zu vermeiden. Die Reise nach Afrika dagegen hätten wir unmöglich ohne fremde Hilfe für uns und unser Schiff zu unternehmen vermocht.

Mit dieser Absicht änderten wir also unseren Kurs und steuerten Westnordwest, um eine unserer englischen Inseln zu erreichen, wo ich hoffte, Hilfe zu erhalten. Es war uns jedoch bestimmt, dass unsere Fahrt anders verlaufen sollte, denn als wir bei 12 Grad 18 Minuten nördlicher Breite waren, kam ein zweiter Sturm auf, der uns mit ebensolcher Gewalt westwärts jagte und uns so weit von allen Handelswegen der Menschen forttrieb, dass wir auch dann, wenn das Meer unser Leben verschonen würde, eher Aussicht hatten, von Wilden gefressen zu werden, als jemals in unsere Heimat zurückzukehren.

In dieser Not, während es immer noch heftig stürmte, rief früh an einem Morgen einer unserer Leute: »Land!«, und kaum waren wir aus der Kajüte gelaufen, um hinauszublicken, in der Hoffnung, festzustellen, wo in aller Welt wir uns befanden, als das Schiff auch schon auf Sand lief, und weil seine Fahrt auf diese Weise gehemmt war, schlug die See mit solcher Gewalt über uns zusammen, dass wir dachten, wir würden alle sogleich umkommen. Unverzüglich trieb es uns unter Deck in den Schutz vor der Gischt und dem Spritzwasser der See.

Es ist nicht leicht, jemandem, der noch nicht in ähnlicher Lage gewesen ist, die Bestürzung der Leute während einer solchen Situation zu beschreiben, und auch für diesen nicht, sie sich vorzustellen. Wir wussten weder, wo wir uns befanden oder in welches Land es uns verschlagen hatte, noch ob es eine Insel oder Festland, ob es bewohnt oder unbewohnt war; und da die Wut des Sturms weiter anhielt, wenn sie auch nicht mehr ganz so groß war wie zuvor, konnten wir nicht einmal hoffen, dass das Schiff noch länger als ein paar Minuten standhalten würde, ohne auseinanderzubrechen, wenn der Wind nicht, wie durch ein Wunder, sogleich drehte. Mit einem Wort, wir saßen da, blickten einander an und erwarteten jeden Moment den Tod; alle handelten dementsprechend und bereiteten sich auf eine andere Welt vor – denn auf dieser konnten wir nicht mehr viel tun. Unser einziger Trost war jetzt, dass das Schiff gegen alle Erwartung doch nicht geborsten war und dass der Kapitän sagte, der Wind lasse nach. Obgleich wir glaubten, dass der Wind tatsächlich ein wenig nachließ, befanden wir uns doch in einer ganz schrecklichen Lage, da das Schiff gestrandet war und zu fest saß, als dass wir erwarten konnten, wieder flott zu werden; uns blieb nichts weiter übrig, als über die Rettung unseres Lebens nachzudenken. Gerade vor dem Sturm hatten wir ein Boot am Heck festgemacht, aber erst war es beschädigt worden, weil es gegen das Steuerruder geschleudert worden war, dann hatte es sich losgerissen und war entweder gesunken oder aufs offene Meer hinausgetrieben, so dass wir es aufgeben mussten; wir hatten noch ein zweites Boot an Bord, aber wie wir es in die See hinablassen sollten, war zweifelhaft. Uns blieb jedoch keine Zeit zu diskutieren, denn wir glaubten, das Schiff werde jeden Augenblick in Stücke bersten, und einige sagten sogar, es sei schon geborsten.

In dieser Not packte unser Maat das Boot und warf es mit Hilfe der anderen über Bord; wir stiegen alle hinein und überließen uns der Gnade Gottes und dem tobenden Meer, denn obgleich der Sturm beträchtlich nachgelassen hatte, schlug die See noch furchtbar hoch über das Ufer, und man konnte sie mit Recht als den ›wild zee‹ bezeichnen, wie die Holländer das Meer bei einem Sturm nennen.

Und jetzt war unsere Lage wirklich verzweifelt, wie wir alle sahen: Die Wogen gingen so hoch, dass unser Boot nicht standhalten konnte und wir unweigerlich ertrinken mussten. Segel zu setzen war nicht möglich, da wir keine hatten, und auch wenn wir welche gehabt hätten, wären sie uns zu nichts nütze gewesen; so ruderten wir schweren Herzens auf das Land zu, mit einem Gefühl, als führen wir zu unserer Hinrichtung, da wir ja alle wussten, dass die Brandung das Boot in tausend Stücke zerschmettern würde, sobald es näher ans Ufer gelangte. Inbrünstig empfahlen wir unsere Seelen jedoch Gott, und während uns der Wind zum Ufer trieb, beschleunigten wir mit eigenen Händen unseren Untergang und ruderten, so schnell wir konnten, dem Land zu.

Ob das Ufer felsig oder sandig, steil oder flach war, wussten wir nicht. Die einzige Hoffnung, die uns vernunftgemäß auch nur den Bruchteil einer Chance bot, war, einen Golf, eine Bucht oder eine Flussmündung zu erreichen, wo wir, wenn wir Glück hatten, das Boot hineinrudern konnten, oder in den Windschatten der Küste und somit in ruhiges Wasser zu gelangen. Aber nichts Derartiges war zu sehen, und je näher wir dem Land kamen, desto bedrohlicher schien es im Vergleich zur See. Nachdem wir schätzungsweise anderthalb Meilen weit gerudert oder vielmehr getrieben waren, rollte von achtern her eine berghohe Welle tobend auf uns zu und kündigte uns offensichtlich den Gnadenstoß an. Sie packte uns, um es kurz zu sagen, mit solcher Gewalt, dass das Boot sogleich umschlug, wobei wir von diesem und voneinander losgerissen wurden und nicht einmal Zeit hatten, ›o Gott!‹ zu sagen, denn im selben Augenblick verschlang uns das Meer.

Nichts kann den Gedankenwirrwarr beschreiben, der mich erfasste, als ich in den Fluten versank. Obwohl ich ein guter Schwimmer war, vermochte ich mich nicht lange genug über Wasser zu halten, um Atem zu holen, bis die Welle, die mich weit zum Ufer hin getrieben oder vielmehr mitgerissen hatte, sich brach, zurückflutete und mich fast auf dem Trockenen, aber halbtot vom geschluckten Wasser zurückließ. Da ich mich nun dem festen Land näher als erwartet gegenübersah, war ich jedoch noch geistesgegenwärtig und kräftig genug, mich zu erheben und so rasch wie möglich ans Ufer zu waten, bevor eine neue Welle herbeifluten und mich davontragen würde; bald sah ich aber, dass ich dieser keinesfalls entgehen konnte, denn das Meer folgte mir, hoch wie ein Berg und tobend wie ein Feind, gegen den anzukämpfen ich weder Mittel noch Kraft hatte. Ich konnte nur den Atem anhalten und versuchen aufzutauchen, um schwimmend Luft zu holen; außerdem musste ich auf das Ufer zusteuern und vor allem dafür sorgen, dass mich die Welle, die mich beim Heranstürmen weit zum Ufer hin trüge, beim Zurückfluten nicht wieder mit sich risse.

Die Welle, die mich überrollte, begrub mich von neuem sogleich zwanzig oder dreißig Fuß tief, und ich spürte, wie ich mit heftiger Gewalt und großer Geschwindigkeit sehr weit auf das Ufer zu getragen wurde; ich hielt jedoch den Atem an und schwamm, so kräftig ich nur konnte, um noch weiter vorwärts zu kommen. Ich platzte fast vom Atemanhalten, als ich fühlte, wie ich auftauchte und Kopf und Hände zu meiner großen Erleichterung aus dem Wasser schossen; zwar vermochte ich mich nur zwei Sekunden lang so zu halten, aber es half mir doch sehr und gab mir Atem und neuen Mut. Wieder begrub mich das Wasser eine gute Weile, jedoch nicht so lange, dass ich es nicht hätte überstehen können, und als sich die Kraft der Welle sichtlich erschöpft hatte und das Wasser zurückzufluten begann, schwamm ich mit kräftigen Zügen dagegen an und spürte wieder Boden unter den Füßen. Einen Augenblick lang stand ich still, um Atem zu schöpfen und das Wasser von mir ablaufen zu lassen; dann rannte ich, so schnell ich es noch vermochte, näher an das Ufer heran. Doch auch dies befreite mich nicht von dem wütenden Meer, das erneut hinter mir herflutete; noch zweimal erfassten mich die Wellen und trugen mich vorwärts, denn das Ufer war sehr flach.

Beim letzten Mal wäre es beinah um mich geschehen gewesen, denn nachdem mich die See, wie schon zuvor, mit sich gerissen hatte, schwemmte oder vielmehr schleuderte sie mich gegen ein Felsenriff, und zwar mit solcher Wucht, dass ich die Besinnung verlor und hilflos liegenblieb, ohne etwas zu meiner Befreiung tun zu können; denn ich war mit der Seite und der Brust aufgeprallt, und es hatte mir sozusagen ganz und gar den Atem aus dem Körper geschlagen. Wäre das Wasser sogleich zurückgekehrt, hätte es mich erstickt, aber ich erholte mich vorher ein wenig, und als ich das Meer wieder auf mich zukommen sah, beschloss ich, mich an eine Ecke der Klippe anzuklammern und möglichst den Atem anzuhalten, bis es zurückströmte. Da die Wellen hier in der Nähe des Ufers nicht so hoch waren, gelang es mir, mich festzuhalten, bis das Wasser zurückfloss, dann nahm ich noch einen Anlauf und kam so nahe ans Ufer, dass mich die nächste Welle zwar überflutete, aber doch nicht verschlang und mit sich riss; als ich von neuem rannte, erreichte ich festes Land, wo ich zu meiner großen Erleichterung auf die Uferklippen zu klettern vermochte und mich fern von der Gefahr und außerhalb der Reichweite des Wassers ins Gras setzte.

So war ich nun gelandet und wohlbehalten am Ufer, und ich blickte auf und dankte Gott, weil er mein Leben, das vor wenigen Minuten noch hoffnungslos verloren schien, gerettet hatte. Ich glaube, man kann unmöglich wahrheitsgetreu den Jubel und die Beschwingtheit der Seele beschreiben, wenn man so, wie ich wohl sagen darf, vom Grabe errettet ist; und ich wundere mich durchaus nicht über den Brauch, dass man nämlich, wenn ein Übeltäter schon den Strick um den Hals hat, eben von der Leiter gestoßen werden soll und dann plötzlich begnadigt wird – wie gesagt, ich wundere mich nicht darüber, dass man einen Wundarzt mitbringt, der ihn noch im selben Augenblick, wo er die Mitteilung erhält, zur Ader lässt, damit ihm die Überraschung nicht die Lebensgeister aus dem Herzen treibt und ihn überwältigt.

> Denn jähe Freude, gleich dem
> jähen Schmerz, erdrückt zuerst.

Ich ging am Ufer auf und ab, hob die Hände empor und kann wohl sagen, dass ich ganz und gar in die Betrachtung meiner Rettung versunken war; ich machte tausenderlei nicht zu schildernde Gebärden und Bewegungen, dachte über meine Kameraden nach, die alle ertrunken waren, und darüber, dass sich außer mir keiner retten konnte, denn was sie betrifft, so sah ich sie später niemals wieder und auch keine Spur von ihnen, außer drei Hüten, einer Mütze und zwei Schuhen, die nicht zueinander gehörten. Als ich zu dem gestrandeten Schiff hinüberblickte, schlugen Brandung und Gischt so hoch, dass ich es kaum in der Ferne zu sehen vermochte und dachte: ›O mein Gott, wie war es nur möglich, dass ich ans Ufer gelangte?‹

Nachdem ich mein Gemüt mit der erfreulichen Seite meiner Lage getröstet hatte, blickte ich mich um und wollte feststellen, wo ich mich befand und was ich als nächstes tun sollte; da schwand meine Freude bald wieder, und ich fand meine Errettung, kurz gesagt, furchtbar, denn ich war durchnässt, hatte keine Kleidung zum Wechseln noch irgend etwas Ess- oder Trinkbares, um mich zu stärken, und sah auch keine andere Aussicht vor mir als die, Hungers zu sterben oder von wilden Tieren gefressen zu werden. Besonders bedrückte mich, dass ich keine Waffe besaß, um zu meinem Unterhalt irgendein Tier zu jagen und zu erlegen oder um mich gegen irgendein anderes zu verteidigen, das wiederum mich töten wollte, damit ich ihm als Nahrung diente. Mit einem Wort, ich hatte nichts bei mir außer einem Messer, einer Tabakspfeife und einem bisschen Tabak in einer Dose. Das war mein ganzer Vorrat, und es versetzte mich in eine solche Niedergeschlagenheit, dass ich eine Zeitlang wie ein Wahnsinniger umherrannte. Bei Einbruch der Dunkelheit überlegte ich schweren Herzens, wie es mir ergehen würde, wenn es irgendwelche wilden Tiere in dieser Gegend gab, die ja immer nachts auf Beute gehen.

Die einzige Vorsichtsmaßnahme, die mir einfiel, war, einen dichten buschigen Baum in der Nähe zu besteigen, der aussah wie eine Tanne, aber Dornen hatte; ich beschloss, die Nacht über dort sitzen zu bleiben und am nächsten Tag darüber nachzudenken, welchen Todes ich sterben wollte, denn ich sah noch keine Aussicht, mein Leben zu erhalten. Ich ging ungefähr eine Achtelmeile vom Ufer fort, um Trinkwasser zu suchen; zu meiner großen Freude fand ich auch welches, und nachdem ich getrunken hatte, nahm ich ein wenig Tabak in den Mund, um dem Hunger vorzubeugen. Dann begab ich mich zu dem Baum, kletterte hinauf, versuchte mich so zu setzen, dass ich im Schlaf nicht hinunterfiele, und bezog mein Quartier, nachdem ich mir einen kurzen Stock, ähnlich einem Knüppel, abgeschnitten hatte. Da ich außerordentlich müde war, fiel ich in einen so festen Schlaf, wie es wohl nur wenige in meiner Situation getan hätten, und danach fühlte ich mich erquickter als je in einer solchen Lage.

Ich erwachte am hellen Tag, das Wetter war schön und der Sturm abgeklungen, so dass das Meer nicht mehr raste und wogte wie zuvor; am meisten überraschte mich jedoch, dass die Flut das Schiff während der Nacht von der Sandbank, auf die es aufgelaufen war, fortgetragen und fast bis zu der Klippe getrieben hatte, die ich schon erwähnte und an der ich beim Aufschlag so starke Prellungen erlitten hatte. Da es nur eine Meile weit von mir am Ufer lag und senkrecht zu stehen schien, wollte ich an Bord gehen, um wenigstens einige Dinge, die ich benötigte, zu bergen.

Nachdem ich von meiner Wohnung auf dem Baum hinabgestiegen war, blickte ich mich von neuem um und sah als erstes das Boot, das so, wie es Wind und Meer an Land geworfen hatten, ungefähr zwei Meilen rechts von mir dalag. Ich ging, so weit ich konnte, am Strand entlang darauf zu, stieß aber auf einen Wasserarm oder eine kleine Bucht, die sich zwischen mir und dem Boot befand und etwa eine halbe Meile breit war; ich kehrte also vorläufig wieder um, noch eifriger bestrebt, zu dem Schiff zu gelangen, wo ich etwas für meinen unmittelbaren Unterhalt zu finden hoffte.

Kurz nach Mittag stellte ich fest, dass die See sehr ruhig war und sich mit der Ebbe so weit zurückgezogen hatte, dass ich bis auf eine Viertelmeile ans Schiff herankommen konnte; da erwachte mein Kummer von neuem, denn ich sah ganz deutlich, dass wir uns alle in Sicherheit befänden, wenn wir an Bord geblieben wären, das heißt, wir hätten alle glücklich das Land erreicht, und ich wäre nicht so elend, nicht so jedes Trostes und jeder menschlichen Gesellschaft beraubt gewesen wie jetzt. Dies trieb mir wieder die Tränen in die Augen; weil mir das aber wenig half, wollte ich versuchen, aufs Schiff zu gelangen; so zog ich mir die Kleidung aus, denn es war entsetzlich heiß, und ging ins Wasser. Als ich aber das Schiff erreicht hatte, fand ich es noch schwieriger, an Bord zu kommen, denn da es auf Grund gelaufen war, ragte es hoch aus dem Wasser, und in meiner Reichweite gab es nichts, woran ich Halt gefunden hätte. Ich schwamm zweimal rund um das Wrack, und beim zweiten Mal erspähte ich ein kleines Tauende, das am Bug bei den Püttings hing, und ich wunderte mich, dass ich es nicht schon beim ersten Mal gesehen hatte. Es hing sehr tief herab, und ich konnte es, wenn auch unter großen Schwierigkeiten, fassen und stieg mit Hilfe dieses Taus auf das Vorderdeck. Hier stellte ich fest, dass das Schiff aufgequollen war und eine Menge Wasser im Laderaum hatte, es saß aber an einer Bank von hartem Sand oder vielmehr Erde, das Heck auf die Bank geschoben und den Bug beinah im Wasser. Daher blieb das ganze Quarterdeck frei, und dort war nichts nass geworden, denn man kann gewiss sein, dass ich gleich als erstes alles untersuchte und feststellte, was verdorben und was erreichbar war, und ich sah sofort, dass das Wasser sämtliche Schiffsvorräte verschont und trocken gelassen hatte, und da ich durchaus Hunger verspürte, ging ich in die Brotkammer, füllte mir die Taschen mit Zwieback und aß, während ich mich um anderes kümmerte, denn ich hatte keine Zeit zu verlieren. In der großen Kajüte fand ich auch Rum, von dem ich einen großen Zug tat; ich hatte ihn ja wirklich nötig, um mir für das, was vor mir lag, Mut zu machen. jetzt brauchte ich nur noch ein Boot, damit ich mich mit den vielen Dingen ausrüsten konnte, die ich, wie ich voraussah, notwendig brauchen würde.

Stillzusitzen und mir nur zu wünschen, was nicht zu haben war, nützte nichts, und die Not weckte meinen Fleiß; wir hatten auf dem Schiff ein paar Ersatzrahen und zwei, drei große Spiere sowie auch eine oder zwei Marsstengen als Reserve. Ich beschloss nun, mit diesen meine Arbeit zu beginnen, und warf so viele davon über Bord, wie ich bei ihrem Gewicht nur zu bewältigen vermochte. Ich vertäute jedes einzeln, damit es nicht abtrieb. Danach ließ ich mich an der Schiffswand hinab, zog die Hölzer zu mir heran und band sie an beiden Enden in der Form eines Floßes so fest wie nur möglich aneinander; dann legte ich zwei oder drei kurze Planken quer darüber und stellte nun fest, dass ich zwar sehr gut auf dem Floß umhergehen konnte, es aber zu leicht war, um größere Lasten zu tragen. So machte ich mich also ans Werk, zersägte mit der Zimmermannssäge eine Marsstenge in drei Teile und befestigte sie mit viel Mühe und Anstrengung an meinem Floß, aber die Hoffnung, mich mit dem Notwendigen ausrüsten zu können, gab mir den Mut, mehr zu leisten als das, wozu ich sonst fähig gewesen wäre.

Mein Floß war nun stark genug, jede angemessene Last zu tragen. Meine nächste Sorge war, womit ich es beladen und wie ich das, was ich darauf verstaute, vor der Brandung schützen sollte; ich zerbrach mir aber nicht lange den Kopf darüber. Zuerst legte ich alle Bohlen und Bretter, deren ich habhaft werden konnte, auf das Floß, und nachdem ich gründlich darüber nachgedacht hatte, was ich am nötigsten brauchte, holte ich mir zunächst die drei Seemannskisten, die ich aufgebrochen und geleert hatte, und ließ sie auf mein Floß hinab; die erste davon füllte ich mit Vorräten, und zwar mit Brot, Reis, drei holländischen Käsen, fünf Stück getrocknetem Ziegenfleisch (das wir häufig gegessen hatten) und einem kleinen Rest von europäischem Getreide, ehemals als Futter für unser Geflügel auf See gedacht, das aber nicht mehr lebte. Es handelte sich um ein Gemisch von Gerste und Weizen; zu meiner großen Enttäuschung stellte ich jedoch nachher fest, dass die Ratten einen Teil gefressen und den anderen verdorben hatten. Was den Alkohol betraf, so fand ich mehrere Kisten voller Flaschen aus dem Besitz unseres Kapitäns; sie enthielten Likör und mehr als fünf, sechs Gallonen Arrak. Die Flaschen stellte ich einfach so aufs Floß, denn es war nicht nötig, sie in den Kisten zu verstauen, und es gab auch keinen Platz dafür. Während ich hiermit beschäftigt war, bemerkte ich, dass die Flut langsam zu steigen begann, und ich musste zu meinem Ärger sehen, dass sie mir Rock, Hemd und Weste, die ich am Strand hatte liegenlassen, davonschwemmte; meine Hose, die nur aus Leinen war und die Knie frei ließ, sowie meine Strümpfe hatte ich anbehalten, als ich an Bord schwamm. Dies veranlasste mich jedoch, nach Kleidungsstücken zu suchen, und ich fand auch genügend, nahm aber nicht mehr mit, als ich für den Augenblick brauchte, denn es gab noch andere Dinge, auf die ich es mehr abgesehen hatte, vor allem Werkzeug für die Arbeit an Land. Nach langem Suchen fand ich die Kiste des Schiffszimmermanns, die tatsächlich eine nützliche Beute und damals wertvoller für mich war als eine Schiffsladung Gold. Ich ließ sie, so wie sie war, auf mein Floß hinab und verschwendete keine Zeit damit, hineinzusehen, denn ich wusste ja ungefähr, was sie enthielt.

Als nächstes kümmerte ich mich um Waffen und Munition. In der großen Kajüte hingen zwei ausgezeichnete Vogelflinten und zwei Pistolen; diese sicherte ich mir zuerst sowie einige Pulverhörner, ein

Säckchen mit Bleikugeln und zwei alte rostige Schwerter. Ich wusste, dass sich drei Fass Pulver auf dem Schiff befanden, mir war aber nicht bekannt, wo unser Geschützmeister sie untergebracht hatte. Nach langem Suchen fand ich sie jedoch; zwei waren trocken und gut, in das dritte war Wasser gedrungen. Die beiden schaffte ich mitsamt den Waffen auf mein Floß. jetzt schien mir meine Ladung groß genug zu sein, und ich überlegte, wie ich damit an Land gelangen konnte, denn ich hatte ja weder Segel noch Ruder oder Steuer, und die geringste Brise hätte meine ganze Navigationskunst über den Haufen geblasen.

Drei Dinge ermutigten mich: erstens die glatte und ruhige See, zweitens die einsetzende Flut, die auf das Ufer zuströmte, und drittens der leichte Wind, der mich zum Land hin trieb. Nachdem ich zwei oder drei zerbrochene, vormals zum Boot gehörende Ruder gefunden hatte, entdeckte ich außer dem Werkzeug in der Kiste auch noch zwei Sägen, eine Axt und einen Hammer, und mit dieser Ladung an Bord begab ich mich auf die Fahrt. Ungefähr eine Meile weit schwamm mein Floß ausgezeichnet, nur stellte ich fest, dass es zu einem Punkt hintrieb, der ein wenig von der Stelle entfernt lag, wo ich zuerst gelandet war, und dies verriet mir, dass es eine Strömung zum Land hin gab; ich hoffte deshalb, einen Bach oder einen Fluss zu finden, den ich als Hafen benutzen konnte, um meine Ladung zu bergen. Und so war es auch; eine kleine Bucht tauchte vor mir auf, und ich spürte, wie sich die Flut mit einer starken Strömung hineindrückte. Ich steuerte also mein Floß, so gut ich konnte, um mich in der Mitte des Stroms zu halten. Dort aber wäre ich fast zum zweiten Male schiffbrüchig geworden, und das hätte mir, glaube ich, das Herz gebrochen; denn da ich die Küste ja nicht im mindesten kannte, lief mein Floß mit einem Ende auf eine Sandbank auf, und weil ich mit dem anderen nicht auf Grund saß, wäre meine ganze Ladung um ein Haar auf das noch schwimmende Ende zugerutscht und ins Wasser gefallen. Ich tat mein Äußerstes, stemmte mich mit dem Rücken gegen die Kisten, um sie an ihrem Platz zu halten, konnte aber mit aller Anstrengung das Floß nicht wieder flottmachen; ich wagte auch nicht, mich aus meiner Stellung zu rühren, sondern hielt die Kisten mit meiner ganzen Kraft und stand so etwa eine halbe Stunde lang. In dieser Zeit brachte das steigende Wasser mein Floß in eine etwas ebenere Lage, und kurz darauf schwamm es wieder; ich stieß es mit dem Ruder in die Fahrrinne, und als ich ein wenig weiter hinauf getrieben war, befand ich mich in der Mündung eines kleinen Flusses mit starker Strömung flussaufwärts und hatte Land zu beiden Seiten. Ich blickte mich nach einer geeigneten Landestelle um, denn ich hatte nicht die Absicht, den Fluss allzuweit hinauf zu fahren. Ich hoffte, im Laufe der Zeit auf See ein Schiff zu erblicken, und beschloss deshalb, mich möglichst nahe beim Meer niederzulassen.

Endlich erspähte ich auf dem rechten Ufer des Wasserlaufs eine kleine Bucht; mit Mühe und Not brachte ich mein Floß dorthin und gelangte schließlich so nahe, dass ich mit meinem Ruder den Grund erreichen und das Floß hineinstoßen konnte. Hier hätte ich von neuem beinah meine gesamte Ladung ins Wasser getaucht, denn da das Ufer ziemlich steil, das heißt abschüssig war, gab es keine Stelle, wo das Floß landen konnte; wenn ein Ende auf das Ufer auflief, würde es so hoch wie zuvor liegen und das andere absinken, wodurch meine Ladung wieder in Gefahr käme. Ich konnte nur warten, bis die Flut ihren Höhepunkt erreicht hatte. In der Nähe einer flachen Stelle, von der ich dachte, das Wasser werde sie überschwemmen, was auch geschah, hielt ich seitlich das Floß mit dem Ruder als Anker am Ufer fest. Sobald genügend Wasser da war – denn mein Floß hatte etwa einen Fuß Tiefgang –, stieß ich es auf die flache Stelle und befestigte oder vertäute es, indem ich meine beiden zerbrochenen Ruder in den Boden rammte, eins auf der einen und das andere auf der gegenüberliegenden Seite, und so blieb ich liegen, bis das Wasser mit der Ebbe ablief und mein Floß mit der gesamten Ladung wohlbehalten zurückließ.

Meine nächste Arbeit war, das Land in Augenschein zu nehmen und einen geeigneten Platz für meine Wohnung zu finden, wo ich auch meine Habe verstauen und vor allen Gefahren in Sicherheit bringen konnte. Ich wusste nicht, ob ich mich auf dem Festland oder auf einer Insel befand, ob in einer bewohnten oder unbewohnten Gegend und ob ich von wilden Tieren bedroht wurde oder nicht. Kaum weiter als eine Meile von mir entfernt erhob sich ein sehr steiler hoher Hügel; er schien einige andere zu überragen, die nördlich von ihm wohl eine Kette bildeten. Ich nahm eine Vogelflinte, eine Pistole und ein Pulverhorn; so bewaffnet, zog ich auf Entdeckungsfahrt zum Gipfel dieses Hügels, und nachdem ich mit viel Mühe und Anstrengung auf die Spitze gelangt war, erkannte ich zu meinem großen Leid mein Schicksal, nämlich, dass ich mich auf einer Insel befand und mich ringsum Wasser umgab; kein Land war zu sehen außer in weiter Ferne ein paar Felsenriffe und zwei Inseln, die kleiner waren als mein Eiland und etwa drei Seemeilen weiter westlich lagen.

Ich stellte auch fest, dass die Insel, auf der ich mich befand, öde und scheinbar unbewohnt war, abgesehen vielleicht von wilden Tieren, die ich freilich nicht sah; ich erblickte aber eine Menge Vögel, kannte sie jedoch nicht und wusste auch nicht, welche, wenn ich sie getötet hätte, genießbar waren und welche nicht. Auf dem Rückweg schoss ich einen großen Vogel, den ich am Rande eines ausgedehnten Waldes auf einem Baum sitzen sah. Ich glaube, das war der erste Schuss, der seit Erschaffung der Welt dort fiel. Kaum hatte ich ihn abgegeben, da erhoben sich aus allen Teilen des Waldes unzählige Vögel aller Art, sie krächzten und schrien durcheinander, jeder nach seiner eigenen Melodie, aber keine war mir bekannt. Was das von mir geschossene Tier betraf, so hielt ich es für eine Art Habicht, denn Farbe und Schnabel glichen ihm; es hatte aber keine ungewöhnlich großen Klauen oder Krallen; das Fleisch war wie das eines Aasvogels und nicht zu genießen.

Mit dieser Erkundung gab ich mich zufrieden und kehrte zu meinem Floß zurück; dort machte ich mich an die Arbeit und brachte meine Ladung ans Ufer. Das nahm den Rest des Tages in Anspruch. Was ich in der Nacht anfangen und wo ich schlafen sollte, wusste ich nicht, denn ich hatte Angst, mich auf den Boden zu legen, da ich nicht sicher war, ob mich nicht ein wildes Tier verschlingen würde; später stellte ich freilich fest, dass es wirklich keinen Grund zu solchen Befürchtungen gab.

Indessen errichtete ich, so gut ich konnte, rings um mich eine Barrikade aus den Kisten und Brettern, die ich an Land gebracht hatte, und baute mir eine Art Hütte als Unterkunft für die Nacht. Wie ich mich mit Nahrung versorgen sollte, war noch unklar, abgesehen davon, dass ich zwei oder drei hasenähnliche Tiere aus dem Wald hatte rennen sehen, als ich den Vogel schoss.

Jetzt überlegte ich mir, dass ich noch eine Menge Dinge, die mir nützlich sein würden, aus dem Schiff holen müsste, vor allem Tauwerk und einige Segel sowie anderes, was ich an Land bringen konnte, und ich nahm mir vor, möglichst noch eine Fahrt zum Schiff zu unternehmen. Da ich wusste, dass es bei dem nächsten Sturm zwangsläufig völlig auseinanderbrechen musste, beschloss ich, alles andere beiseite zu lassen, bis ich aus dem Schiff soviel wie möglich geborgen hatte. Dann berief ich eine Ratstagung ein – das heißt in Gedanken –, um zu entscheiden, ob ich das Floß wieder mit hinübernehmen sollte; dies erschien aber undurchführbar, und so entschloss ich mich, noch einmal, wie zuvor schon, bei Ebbe zu schwimmen, und das tat ich, nur dass ich mich diesmal in meiner Hütte auszog und nichts am Leibe behielt als ein kariertes Hemd, eine Leinenhose und ein paar leichte Schuhe an den Füßen.

Ich gelangte wie das vorige Mal an Bord des Schiffes, machte mir ein zweites Floß zurecht, und da ich bei dem ersten Erfahrung gesammelt hatte, baute ich es diesmal nicht so schwerfällig und belud es auch nicht so sehr, schaffte aber einige Sachen fort, die äußerst wertvoll für mich waren. An erster Stelle fand ich im Lager des Schiffszimmermanns zwei oder drei Säcke mit Nägeln und Stiften, einen großen Schraubenzieher, ein oder zwei Dutzend Beile und vor allem dieses nützlichste aller Dinge, Schleifstein genannt. All das brachte ich in Sicherheit, zusammen mit einigen Sachen, die dem Geschützmeister gehört hatten, und zwar zwei oder drei Brecheisen, zwei Fässer mit Musketenkugeln, sieben Musketen und noch eine Vogelflinte mit etwas Pulver, einen großen Beutel mit Schrot und eine mächtige Rolle Bleiblech; sie war jedoch so schwer, dass ich sie nicht über Bord zu hieven vermochte.

Außer diesen Dingen nahm ich alle Kleidungsstücke der Leute, die ich nur finden konnte, ein Reservefockmarssegel, eine Hängematte und etwas Bettzeug; damit belud ich mein zweites Floß und brachte alles zu meiner großen Befriedigung wohlbehalten ans Ufer.

Ich hatte während meiner Abwesenheit vom Land einige Befürchtungen, dass zumindest meine Lebensmittelvorräte dort gefressen würden; als ich aber zurückkehrte, fand ich keine Anzeichen eines Besuchers vor. Nur ein Tier, das wie eine Wildkatze aussah, saß auf einer der Kisten, und als ich näher kam, rannte sie ein Stück weit fort und machte dann halt. Sie setzte sich ganz ruhig und arglos nieder und sah mir gerade ins Gesicht, als hätte sie Lust, Bekanntschaft mit mir zu schließen. Ich legte meine Flinte auf sie an, aber die Katze verstand das nicht, sie blieb völlig unbekümmert und machte auch keine Miene, sich zu trollen. Nun warf ich ihr ein Stück Zwieback zu, obwohl ich, nebenbei gesagt, nicht viel übrig hatte, mein Vorrat war gering; ich spendierte ihr also ein Stück, sie ging darauf zu, roch daran, fraß es und hielt, als sei sie erfreut, Ausschau nach mehr, ich lehnte jedoch bedauernd ab, denn ich konnte nichts weiter entbehren, und so trabte sie davon.

Nachdem ich meine zweite Ladung an Land gebracht hatte (freilich musste ich die Pulverfässer öffnen und ihren Inhalt päckchenweise verladen, denn es waren große, allzu schwere Tonnen), machte ich mich daran, mir aus dem Segel und einigen Stangen, die ich für diesen Zweck zersägte, ein kleines Zelt zu bauen; hier hinein brachte ich alles, von dem ich wusste, dass Regen oder Sonne es verderben würden, und rings um das Zelt häufte ich kreisförmig sämtliche leeren Kisten und Fässer auf, um es vor irgendwelchen plötzlichen Angriffen durch Menschen oder Tiere zu schützen. Nachdem das getan war, verbarrikadierte ich den Zelteingang von innen mit Brettern und von außen mit einer leeren, auf die Schmalseite gestellten Kiste, breitete eine der Matratzen auf dem Boden aus, legte meine beiden Pistolen neben meinen Kopf und meine Flinte der Länge nach an meine Seite; dann ging ich zum ersten Mal zu Bett und schlief die ganze Nacht seelenruhig, denn ich war äußerst erschöpft und abgespannt, da ich die Nacht zuvor wenig geschlafen und den ganzen Tag über sehr schwer gearbeitet hatte, sowohl beim Transport der Sachen vom Schiff als auch bei ihrem Hinüberbringen zum Land.

Ich glaube, ich hatte nun das größte jemals für einen einzelnen Menschen angelegte Lager von Dingen aller Art, aber ich war noch immer nicht zufrieden, denn solange das Schiff in seiner jetzigen Lage senkrecht stand, dachte ich, ich müsste alles, was ich nur konnte, daraus bergen; so ging ich jeden Tag bei Ebbe an Bord und holte das eine oder das andere. Vor allem aber brachte ich bei meiner dritten Fahrt soviel von der Takelage wie nur möglich mit, auch alle dünnen Taue und Schnüre, die ich finden konnte, und ein Stück Reservesegelleinen, das dazu hatte dienen sollen, bei Bedarf die Segel zu flicken, und außerdem das Fass mit dem nassen Schießpulver. Kurz gesagt, ich holte mir sämtliche Segel, vom ersten bis zum letzten, nur war ich gezwungen, sie in Stücke zu zerschneiden und so viele auf einmal zu transportieren, wie ich konnte, denn als Segel nützten sie ja nichts mehr, sondern nur als Leinwand.

Aber am meisten freute mich, dass ich, nachdem ich fünf oder sechs solcher Fahrten unternommen hatte und dachte, nun sei auf dem Schiff nichts Lohnendes mehr zu holen, nach alldem ein großes Oxhoftfass mit Brot, drei große Fässer mit Rum oder Weingeist, eine Kiste Zucker und eine Tonne feines Mehl fand; dies war für mich eine Überraschung, weil ich nicht erwartet hatte, noch Nahrungsmittel zu entdecken außer denen, die vom Wasser verdorben waren. Ich hatte das Oxhoftfass bald vom Brot leer gemacht und dieses Päckchen für Päckchen in Segeltuchstücke gewickelt, die ich ausgeschnitten hatte – mit einem Wort, ich brachte auch all das sicher an Land.

Am nächsten Tag unternahm ich wieder eine Fahrt, und nachdem ich das Schiff nun all dessen beraubt hatte, was nicht niet- und nagelfest war, begann ich mit den Kabeltauen, zerschnitt das große Ankertau in tragbare Enden und schaffte zwei Kabeltaue und zwei Trossen samt allem Eisenwerk, das ich bewältigen konnte, an Land; nachdem ich die Sprietsegelrahe, die Besanrahe und alles andere, was ich zum Bau eines großen Floßes gebrauchen konnte, abgeschnitten hatte, belud ich es mit diesen schweren Sachen und stieß ab. Mein Glück schien mich jedoch jetzt zu verlassen, denn dieses Floß war so schwer zu hantieren und so überladen, dass es, nachdem ich in die kleine Bucht gefahren war, wo ich meine übrigen Sachen an Land gebracht hatte, umschlug und mich und meine gesamte Ladung ins Wasser warf, da ich es nicht so geschickt zu steuern vermochte wie die anderen Flöße. Was mich betraf, so war der Schaden nicht groß, denn ich befand mich in der Nähe des Ufers, aber von meiner Ladung ging ein beträchtlicher Teil verloren, vor allem das Eisenwerk, von dem ich mir viel Nutzen versprochen hatte. Als jedoch die Ebbe einsetzte, brachte ich die meisten Kabeltaue und einen Teil des Eisenwerks an Land, wenn auch mit unendlich viel Mühe, weil ich gezwungen war, danach zu tauchen – eine Arbeit, die mich sehr anstrengte. Darauf ging ich jeden Tag an Bord und holte alles, was ich nur holen konnte.

Ich war nun seit dreizehn Tagen an Land, hatte elfmal das Schiff bestiegen und in der Zeit fortgeschafft, was ein Mensch mit zwei Händen nur fortschaffen konnte; freilich glaubte ich, dass ich bei anhaltend ruhigem Wetter Stück für Stück das ganze Schiff abgebaut hätte. Als ich mich aber bereit machte, zum zwölften Male an Bord zu gehen, bemerkte ich, dass Wind aufkam; bei Ebbe ging ich jedoch an Bord, und trotz meiner Annahme, ich hätte die Kajüte so gründlich durchsucht, dass nichts mehr zu finden war, entdeckte ich ein Spind mit Schubladen und in einer davon drei Rasiermesser, eine große Schere sowie zehn oder zwölf gute Messer und Gabeln; in einer anderen fand ich ungefähr sechsunddreißig Pfund in Bargeld, einige europäische und brasilianische Münzen sowie spanische Pesos, ein paar in Gold, ein paar in Silber.

Ich lächelte innerlich bei dem Anblick des Geldes. »O du Rauschmittel«, sagte ich laut, »wozu bist du nütze? Es lohnt nicht einmal, dass ich dich vom Boden aufhebe; eins von diesen Messern gilt soviel wie dieser ganze Haufen – ich kann dich nicht gebrauchen, bleib also, wo du bist, und geh unter wie jemand, dessen Leben es nicht wert ist, gerettet zu werden!«

Nach nochmaligem Überlegen nahm ich es aber doch mit, wickelte es in ein Stück Segelleinen und wollte wiederum ein Floß bauen; während ich aber alles dazu bereitmachte, merkte ich, dass sich der Himmel bedeckt und der Wind verstärkt hatte; nach einer Viertelstunde blies vom Lande her eine steife Brise. Sofort fiel mir ein, dass es vergebliche Mühe wäre, ein Floß zu bauen, wenn der Wind vom Ufer her wehte, und dass ich mich lieber fortbegeben sollte, bevor die Flut käme, sonst gelänge es mir vielleicht überhaupt nicht, das Ufer zu erreichen. Ich ließ mich deshalb ins Meer hinab und durchschwamm die Wasserfläche, die zwischen dem Schiff und dem Strand lag, und auch das nur mit großer Mühe, zum Teil wegen des Gewichts der Gegenstände, die ich bei mir hatte, und zum Teil, weil die See sehr hoch ging, denn der Wind verstärkte sich rasch, und bevor die Flut richtig einsetzte, wurde er zum Sturm.

Ich war jedoch nach Hause zu meinem kleinen Zelt gelangt, wo ich geborgen inmitten aller meiner Schätze lag. Die ganze Nacht über stürmte es heftig, und als ich am Morgen hinausschaute – siehe, da war kein Schiff mehr zu sehen! Es überraschte mich ein wenig, ich tröstete mich aber mit der befriedigenden Überlegung, dass ich keinen Augenblick verschwendet und keine Mühe gescheut hatte, um alles daraus zu bergen, was mir von Nutzen sein konnte, und dass tatsächlich kaum noch etwas auf dem Schiff gewesen war, was ich hätte fortschaffen können, wenn mir mehr Zeit geblieben wäre.

Jetzt dachte ich nicht weiter an das Schiff noch an das, was daraus zu holen gewesen wäre, außer was vielleicht von dem Wrack an Land triebe, wie es später tatsächlich mit einigen Teilen geschah, aber diese nützten mir nicht sehr viel.

Meine ganze Sorge war jetzt, wie ich mich vor eventuell auftauchenden Wilden und vor wilden Tieren, falls es solche auf der Insel gab, schützen sollte, und ich dachte viel darüber nach, auf welche Weise das möglich war und welche Art von Behausung am nützlichsten für mich wäre – ob eine Höhle unter der Erde oder ein Zelt auf ihr. Um es kurz zu sagen, ich entschloss mich zu beidem, und es ist vielleicht nicht unangebracht, eine Beschreibung davon zu geben.

Ich erkannte bald, dass die Stelle, an der ich mich befand, sich für eine Niederlassung wenig eignete, besonders, weil der Boden dort am Wasser flach und sumpfig und, wie ich glaubte, der Gesundheit unzuträglich war, vor allem aber, weil es kein Süßwasser in der Nähe gab, und so beschloss ich, einen gesünderen und zweckmäßigeren Ort ausfindig zu machen.

Ich berücksichtigte dabei mehrere Umstände, die, so fand ich, in meiner Situation richtig für mich waren: erstens eine gesunde Lage am Süßwasser, wie ich eben bereits erwähnte; zweitens Schutz vor der Sonnenglut; drittens Sicherheit vor raubgierigen Geschöpfen – seien es nun Menschen oder Tiere; viertens einen Ausblick auf das Meer, damit ich, falls Gott irgendein Schiff in Sehweite sandte, keine Gelegenheit zu meiner Befreiung versäumte, auf die ich ja immer noch hoffte.

Auf der Suche nach einer entsprechenden Stelle fand ich eine kleine Ebene am Fuß eines steilen Hügels, dessen eine Seite so schroff abfiel, dass von oben nichts zu mir herunterkommen konnte; die Felswand hatte eine leichte Einbuchtung, die dem Eingang oder

der Tür zu einer Höhle glich, aber es gab in Wirklichkeit weder eine Höhle noch irgendeinen Weg in den Felsen hinein.

Ich beschloss, mein Zelt auf der flachen Wiese genau vor dieser Einbuchtung aufzuschlagen; die Ebene war nicht breiter als etwa hundert Yard und ungefähr zweimal so lang, sie erstreckte sich wie ein Rasen vor meiner Tür und fiel am Rand auf allen Seiten unregelmäßig zur Niederung an der Küste hin ab. Sie lag an der Nordnordwestseite des Hügels, so dass ich tagsüber vor der Hitze geschützt war, bis die Sonne ungefähr im Südwesten stand, was in diesen Gegenden kurz vor ihrem Untergehen der Fall ist.

Bevor ich mein Zelt aufschlug, zog ich einen Halbkreis vor der Felswand, etwa zehn Yard breit und mit einem Durchmesser von zwanzig Yard.

Um diesen Halbkreis errichtete ich zwei Reihen starker Pfähle, die ich in den Boden rammte, bis sie so fest standen wie Pfeiler; das längere Ende ragte jeweils etwa fünfeinhalb Fuß weit aus dem Boden und war oben zugespitzt, und die beiden Reihen hatten einen Abstand von höchstens sechs Zoll.

Dann nahm ich die Kabeltauenden, die ich mir auf dem Schiff zerhauen hatte, und schichtete sie bis oben übereinander in den Halbkreis zwischen den beiden Pfahlreihen, und von innen stellte ich noch weitere etwa zweieinhalb Fuß hohe Pfähle schräg dagegen, wie Pfostenstreben. Dieser Zaun war so fest, dass weder Mensch noch Tier hinein oder darüber gelangen konnte; es kostete mich viel Zeit und Mühe, besonders, die Pfähle im Wald zu hauen, sie an Ort und Stelle zu schaffen und in den Boden zu rammen.

Als Eingang zu diesem Ort diente mir keine Tür, sondern eine kurze Leiter zum Hinübersteigen, die ich einzog, wenn ich drin war; so fühlte ich mich von aller Welt abgeschirmt und verbarrikadiert und schlief nachts unbesorgt, was ich sonst nicht getan hätte, obwohl, wie sich später herausstellte, alle diese Vorsichtsmaßnahmen gegen Feinde, die ich fürchtete, nicht nötig gewesen wären.

In diese Umzäunung oder Festung schleppte ich mit unendlicher Mühe alle meine Schätze – meine Lebensmittel, meine Munition und anderen Vorräte, die ich dem Leser schon zuvor aufgezählt habe. Ich errichtete ein großes Zelt. Um mich vor dem Regen zu schützen, der dort während eines Teils des Jahres sehr heftig niederfällt, machte ich es doppelt, das heißt, ich spannte ein größeres über ein kleineres Zelt und bedeckte das äußere mit einer großen Persenning, die ich zusammen mit den Segeln geborgen hatte.

Für eine Weile schlief ich jetzt nicht mehr auf der Matratze, die ich an Land gebracht hatte, sondern in einer Hängematte, die wirklich ausgezeichnet war und aus dem Besitz des Schiffsmaats stammte.

Nun schaffte ich meine sämtlichen Lebensmittel sowie alles, was durch Nässe verderben konnte, in dieses Zelt, und nachdem ich meine ganze Habe untergebracht hatte, machte ich den bisher offenen Eingang zu und ging, wie gesagt, über eine kurze Leiter hinein und hinaus.

Dann begann ich mich in den Felsen hineinzuarbeiten, brachte Steine und Erde, die ich ausgrub, durch mein Zelt ins Freie und schüttete sie innen vor meinem Zaun zu einer Terrasse auf, so dass der Boden dort nun anderthalb Fuß höher wurde; auf diese Weise baute ich mir gleich hinter meinem Zelt eine Höhle, die mir als Keller zu meinem Haus diente.

Es kostete mich viel Arbeit und so manchen Tag, bevor all das vollendet war, und darum muss ich zu einigen anderen Dingen zurückkehren, die meine Gedanken in Anspruch nahmen. Gerade zu der Zeit, als ich meinen Plan für den Bau des Zelts und der Höhle gemacht hatte, ging aus einer dicken dunklen Wolke ein Regenguss nieder, ein Blitz leuchtete plötzlich auf, und ihm folgte natürlicherweise ein Donnerschlag. Der Blitz erschreckte mich nicht so wie ein Gedanke, der mir ebenso rasch wie ein Blitz durch den Kopf schoss: ›Oh, mein Schießpulver!‹ Mir sank das Herz bei dem Gedanken, dass auf einen Schlag mein gesamtes Pulver in die Luft gehen könnte, von dem ja nicht nur meine Verteidigung, sondern auch, wie ich glaubte, meine Nahrungsversorgung abhing. Die Gefahr, in der ich mich selbst befand, beunruhigte mich weniger, obgleich mir, wenn das Pulver Feuer gefangen hätte, keine Zeit mehr geblieben wäre, zu begreifen, was geschehen war.

Dies beeindruckte mich so, dass ich nach dem Gewitter alle meine Bau- und Befestigungsarbeiten beiseite ließ und mich daran begab, Beutel und Kästen herzustellen, um das Pulver – in kleinen Mengen verteilt – getrennt aufzubewahren. Damit sich die Päckchen nicht aneinander entzünden konnten, brachte ich sie weit genug voneinander unter und hoffte, dass bei allem, was kommen mochte, nicht das ganze Pulver auf einmal Feuer finge. Diese Arbeit beendete ich nach ungefähr vierzehn Tagen, und ich glaube, ich teilte mein Pulver, von dem ich etwa zweihundertvierzig Pfund hatte, in mindestens hundert Pakete. Was das Fass betrifft, das nass geworden war, so hielt ich es nicht für eine Gefahr und stellte es in meine Höhle, die ich in Gedanken meine Küche nannte; das übrige verbarg ich rundherum in Felslöchern, so dass es nicht nass werden konnte, und bezeichnete sehr sorgfältig die Stellen, wo ich es versteckt hatte.

Während dieser Zeit ging ich mindestens einmal am Tag mit dem Gewehr spazieren, sowohl um mich zu zerstreuen, als auch um zu sehen, ob ich nicht etwas Essbares schießen könnte. Außerdem wollte ich mir soweit wie möglich Kenntnis darüber verschaffen, was die Insel hervorbrachte. Als ich zum ersten Mal ausging, entdeckte ich recht bald, dass es dort Ziegen gab, und darüber freute ich mich sehr; zu meinem Pech aber waren sie so scheu, schlau und behände, dass es äußerst schwierig war, an sie heranzukommen. Ich ließ mich jedoch davon nicht entmutigen und zweifelte keineswegs daran, dass ich hin und wieder eine schießen würde, was auch bald der Fall war, denn nachdem ich die Stellen, wo sie sich gewöhnlich aufhielten, ein wenig kennengelernt hatte, lauerte ich ihnen auf folgende Weise auf: Ich beobachtete, dass sie, wenn sie sich oben auf den Felsen befanden und mich in den Tälern sahen, in furchtbarer Angst davonjagten; ästen sie aber in den Tälern und stand ich oben auf den Felsen, dann beachteten sie mich nicht. Ich schloss daraus, dass ihr Blickfeld, der Anordnung ihrer Augen entsprechend, unterhalb von ihnen lag und sie Dinge, die sich über ihnen befanden, nur schwer wahrnehmen konnten; darum wandte ich später die Methode an, immer zuerst auf die Felsen zu klettern, um höher als sie zu sein, und bekam sie dann häufig gut vor die Flinte. Bei dem ersten Schuss auf diese Geschöpfe tötete ich eine Zicke; sie hatte ein Junges bei sich, das sie noch säugte, was mir von Herzen leid tat, aber als die alte Geiß fiel, blieb das Zicklein, ohne sich zu rühren, neben ihr stehen, bis ich kam und sie mir auflud, und nicht nur das, sondern als ich sie auf den Schultern forttrug, folgte es mir bis zu meinem Zaun. Da legte ich das Muttertier nieder, nahm das Junge auf den Arm und trug es über meine Umfriedung, in der Hoffnung, es zähmen zu können; aber es wollte nicht fressen, und so war ich gezwungen, es zu töten und es selbst zu essen, und diese beiden versorgten mich für eine ganze Weile mit Fleisch, denn ich aß mäßig und schonte meine Vorräte (besonders das Brot), soweit ich nur konnte.

Nachdem ich nun meine Behausung eingerichtet hatte, stellte ich fest, dass ich unbedingt eine Stelle brauchte, wo ich Feuer machen und Brennholz lagern konnte; wie ich dafür sorgte, wie ich meine Höhle erweiterte und welche Bequemlichkeiten ich mir sonst noch schaffte, werde ich an gegebenem Ort ausführlich berichten. Zuerst aber muss ich ein wenig von mir selbst und meinen Gedanken über das Leben berichten, von denen mir, wie sich der Leser ja wohl vorstellen kann, nicht wenige im Kopf herumgingen.

Meine Lage sah trübe aus, denn da ich auf diese Insel verschlagen worden war, nachdem uns, wie schon berichtet, ein heftiger Sturm gänzlich vom Kurs unserer beabsichtigten Reise abgebracht und weit fort, nämlich mehrere hundert Meilen weit von den üblichen Handelslinien der Menschen, getrieben hatte, gab es für mich reichlich Grund anzunehmen, es sei ein Beschluss des Himmels, dass ich an diesem verlassenen Ort und in diesem einsamen Zustand mein Leben beenden sollte. Die Tränen liefen mir über das Gesicht, wenn ich daran dachte, und zuweilen haderte ich mit mir selbst, weshalb die Vorsehung ihre Geschöpfe so gänzlich zugrunde richtete und sie so unglücklich machte, so hilflos und verlassen, so vollständig niedergedrückt, dass es kaum der Vernunft entsprach, für ein solches Leben dankbar zu sein.

Immer jedoch befahl mir rasch eine innere Stimme, diesen Gedanken Einhalt zu gebieten, und tadelte mich; besonders eines Tages, als ich mit der Flinte in der Hand am Meeresufer entlangging, zerbrach ich mir den Kopf über meine jetzige Lage, und mein Verstand machte mir entgegengesetzte Vorhaltungen, wie: Nun, du bist in einer verzweifelten Situation, das stimmt wohl, aber bitte, vergiss doch nicht – wo sind denn die übrigen? Wart ihr nicht zu elft in dem Boot? Wo sind die anderen zehn geblieben? Warum sind nicht sie gerettet worden und bist nicht du umgekommen? Warum wurdest du ausgewählt? Was ist besser, hier oder dort zu sein? – Und dann deutete ich auf das Meer. Bei jedem Übel muss man auch das Gute daran sehen und das Schlimmere, das hätte sein können.

Dann fiel mir wieder ein, wie reichlich ich mit allem Lebensnotwendigen versorgt war und wie es mir wohl ergangen wäre, wenn – wie man mit größter Wahrscheinlichkeit hätte erwarten müssen – das Schiff nicht von der ersten Unglücksstelle fortgeschwemmt und so nahe an den Strand getrieben wäre, dass ich Zeit hatte, all das herauszuschaffen; wie wäre es mir wohl ergangen, wenn ich unter den Umständen hätte leben müssen, unter denen ich zuerst an Land gekommen war – ohne das Lebensnotwendige und ohne alles, was man zu dessen Beschaffung brauchte? Vor allem, so sagte ich laut (obwohl ich es zu mir selbst sagte), was hätte ich ohne Flinte angefangen, ohne Munition und ohne Werkzeug, um damit zu arbeiten und etwas herzustellen, ohne Kleidung, Bettzeug, Zelt und jede Bedeckung? Und jetzt besaß ich all das in genügender Menge und war auf dem Wege, derart vorzusorgen, dass ich ohne meine Flinte leben konnte, wenn meine Munition einmal verschossen war; so hatte ich also einige Aussicht, mich zu erhalten, ohne Not leiden zu müssen, solange ich lebte, denn von Anfang an dachte ich daran, wie ich für etwaige Zufälle und für die Zukunft vorsorgen musste, nicht nur für die Zeit, wo ich meine Munition verschossen hätte, sondern auch für die, wo mich Gesundheit und Kraft verlassen würden.

Ich gestehe, es war mir nicht in den Sinn gekommen, dass meine Munition mit einem Schlag zerstört werden, ich meine, durch einen Blitz in die Luft gejagt werden könnte, und deshalb bestürzte mich während des Gewitters der Gedanke daran so, wie ich es bereits beschrieben habe.

Und jetzt, wo ich mich anschicke, einen melancholischen Bericht über ein schweigsames Leben zu geben, wie ihn die Welt vielleicht noch nicht gehört hat, werde ich es von vorn und der Reihenfolge entsprechend tun. Meiner Rechnung nach war es der 30. September, an dem ich in der oben beschriebenen Weise das erste Mal den Fuß auf diese schreckliche Insel gesetzt hatte; die Sonne, die bei uns gerade im Herbstäquinoktium stand, schien fast senkrecht auf meinen Scheitel, denn wie ich durch Beobachtung berechnet hatte, befand ich mich wohl bei 9 Grad 22 Minuten nördlicher Breite.

Nachdem ich zehn oder zwölf Tage dort verbracht hatte, fiel mir ein, dass ich aus Mangel an Büchern, Federn und Tinte jede Zeitrechnung verlieren und sogar den Sonntag nicht mehr von den Arbeitstagen unterscheiden könnte. Um das zu verhindern, schnitt ich in großen Buchstaben mit meinem Messer folgende Inschrift in einen Pfahl ein: »Hier kam ich am 30. September 1659 an Land.« Mit diesem baute ich ein großes Kreuz und stellte es am Meeresufer auf, an der Stelle, an der ich zuerst gelandet war. In die Seiten des vierkantigen Pfostens schnitt ich Tag für Tag mit dem Messer eine Kerbe; jede siebente Kerbe war doppelt so lang wie die übrigen und die von jedem Ersten eines Monats wiederum noch einmal so lang wie jene. So führte ich meinen Kalender oder meine wöchentliche, monatliche und jährliche Zeitrechnung.

Weiterhin muss ich berichten, dass ich unter den vielen Dingen, die ich bei meinen bereits erwähnten verschiedenen Fahrten zum Schiff aus diesem geborgen, auch einige bisher noch nicht erwähnte Sachen von geringerem Wert mitgebracht hatte, die mir jedoch nicht weniger nützlich waren, vor allem Federn, Tinte und Papier – davon mehrere Packen aus dem Besitz des Kapitäns, des Steuermanns, des Geschützmeisters und des Zimmermanns –, drei oder vier Kompasse, einige mathematische Instrumente, Sonnenuhren, Fernrohre, Seekarten und Schifffahrtsbücher, die ich alle zusammenwarf, ob ich sie nun brauchen konnte oder nicht; ich fand außerdem drei sehr gute Bibeln, die ich mit meiner Ladung aus England bekommen und zu meinen Sachen gepackt hatte, ferner einige portugiesische Bücher, darunter zwei, drei papistische Gebetsbände und mehrere andere Bücher, die ich alle sorgfältig aufhob. Ich darf auch nicht vergessen, dass wir einen Hund und zwei Katzen an Bord gehabt hatten, deren merkwürdige Geschichte ich vielleicht noch an geeigneter Stelle werde berichten können, denn ich nahm beide Katzen mit, und was den Hund betraf, so sprang er, am Tage nachdem ich meine erste Ladung an Land gebracht hatte, allein vom Schiff, schwamm zu mir ans Ufer und war mir viele Jahre lang ein treuer Diener; ich entbehrte nichts, was er mir nur heranholen, und auch keine Gesellschaft, die er mir ersetzen konnte, nur Gespräche fehlten mir, aber die vermochte er nicht mit mir zu führen. Wie bereits erwähnt, fand ich Feder, Tinte und Papier und ging äußerst sparsam damit um, und der Leser wird feststellen, dass ich, solange meine Tinte reichte, alles sehr genau niederschrieb; als sie aufgebraucht war, konnte ich das jedoch nicht mehr tun, denn mit keinem der Mittel, die ich mir auszudenken vermochte, gelang es mir, Tinte herzustellen.

Dadurch wurde mir bewusst, dass mir vieles fehlte, trotz allem, was ich zusammengerafft hatte; Tinte war das eine und dazu Spaten, Spitzhacke und Schaufel, um die Erde umzugraben und sie fortzuschaffen, sowie Nähnadeln, Stecknadeln und Zwirn. Was das Leinen betraf, so lernte ich bald, es ohne Schwierigkeit zu entbehren.

Dieser Mangel an Werkzeug ließ jede Arbeit, die ich unternahm, nur mühsam vorangehen, und es dauerte fast ein ganzes Jahr, bis ich meine kleine Umfriedung oder umzäunte Wohnung völlig fertiggestellt hatte; ich brauchte lange, um die Pfosten oder Pfähle, die so schwer waren, dass ich sie gerade noch heben konnte, im Walde zu fällen und zurechtzuhauen, und noch weit länger, um sie nach Hause zu schleppen. Manchmal vergingen zwei Tage, bis ich einen dieser Pfosten abgehauen und heimgeschafft hatte, und ein dritter war nötig, um den Pfahl in den Boden zu rammen. Zu diesem Zweck benutzte ich zuerst ein schweres Stück Holz, schließlich fielen mir die Brecheisen ein, und ich fand auch eins; aber das Einrammen der Pfosten und Pfähle damit blieb doch eine mühselige und langwierige Arbeit.

Was aber machte es mir aus, wie langwierig irgendeins meiner Unternehmen auch sein mochte, da ich ja Zeit genug dafür hatte und danach keine andere Beschäftigung auf mich wartete, zumindest, soweit ich es voraussehen konnte, außer die Insel zu durchstreifen, um Nahrung zu suchen, was ich mehr oder weniger jeden Tag tat.

Ich begann jetzt, über meine Lage und über die Umstände, unter denen ich leben musste, ernsthaft nachzudenken, und ich legte schriftlich nieder, wie die Dinge mit mir standen – nicht so sehr, um es denen zu hinterlassen, die nach mir kämen, denn höchstwahrscheinlich würde ich nur wenig Erben haben, als vielmehr, um mir den Kopf davon frei zu machen, denn ich brütete täglich darüber nach, was auf meinem Gemüt lastete, und da mein Verstand jetzt anfing, Herr über meine Mutlosigkeit zu werden, begann ich mich zu trösten, so gut ich konnte, und das Positive dem Negativen gegenüberzustellen, damit ich mein Schicksal von einem noch schlimmeren zu unterscheiden vermochte. Ganz unparteiisch registrierte ich wie Soll und Haben, welche Annehmlichkeiten ich genoss und unter welchen Übeln ich litt:

| *Böses* | *Gutes* |
|---|---|
| Ich bin auf eine scheußliche einsame Insel verschlagen worden, ohne alle Hoffnung auf Rettung. | Aber ich lebe und bin nicht ertrunken wie die übrige Mannschaft meines Schiffs. |
| Ich bin zu meinem Unglück ausgesondert und von allen Menschen getrennt worden. | Aber ich bin auch unter der ganzen Schiffsbesatzung ausgesondert worden, um dem Tode zu entgehen, und der, welcher mich auf so wunderbare Weise vom Tode errettet hat, kann mich auch aus dieser Lage befreien. |
| Ich bin fern der Menschheit, einsam, aus der menschlichen Gesellschaft verbannt. | Aber ich verhungere nicht und komme nicht um in einer wüsten Gegend, die mir keinen Unterhalt bietet. |
| Ich habe keine Kleidung, um mich zu bedecken. | Aber ich lebe in einem heißen Klima, wo ich Kleidung, wenn ich sie hätte, kaum tragen könnte. |
| Ich habe nichts, um mich gegen gewaltsame Angriffe von Menschen oder wilden Tieren verteidigen zu können. | Aber ich bin auf eine Insel verschlagen worden, wo ich keine wilden Tiere sehe, die mir etwas tun könnten, wie sie an der Küste von Afrika leben; wie wäre es mir ergangen, wenn ich dort Schiffbruch erlitten hätte? |

Ich habe keine Menschenseele, mit der ich sprechen oder bei der ich Trost finden kann.

Aber Gott hat das Schiff wunderbarerweise so nahe an den Strand gesandt, dass ich viele notwendige Dinge daraus holen konnte, die mich mit dem Unentbehrlichen ausrüsten oder mich in die Lage versetzen, es mir selbst zu beschaffen, solange ich lebe.

Alles in allem war es ein unzweifelhafter Beweis dafür, dass es bei kaum einem Zustand in der Welt, und sei er noch so elend, nicht neben dem Bösen auch etwas Gutes gibt, für das man dankbar sein muss; möge dies als Hinweis gelten von einem, der den elendsten Zustand der Welt aus Erfahrung kennt, nämlich, dass wir immer etwas darin finden, was uns Trost bietet und was wir bei einer Aufzählung des Positiven und des Negativen auf die Habenseite der Abrechnung setzen können.

Nachdem ich jetzt meinen Zustand günstiger beurteilte und nicht mehr pausenlos auf das Meer hinausblickte, um vielleicht ein Schiff zu erspähen, begann ich mich damit zu beschäftigen, mir mein Leben einzurichten und mir alles so bequem wie möglich zu machen.

Meine Wohnstätte habe ich schon beschrieben – ein Zelt neben einer Felswand, das von einem starken Zaun aus Pfosten und Kabeln umgeben war; diesen nenne ich aber jetzt besser einen Wall, denn ich befestigte ihn von außen mit etwa zwei Fuß starken Rasenstücken, und nach einiger Zeit, wohl nach etwa anderthalb Jahren, lehnte ich von diesem Wall aus Sparren gegen den Felsen und bedeckte sie mit Zweigen von den Bäumen und mit anderem, was ich finden konnte, um den Regen abzuhalten, der zu manchen Jahreszeiten sehr heftig fiel.

Ich habe bereits erwähnt, dass ich alle meine Güter in diese Umzäunung und in die Höhle brachte, die ich mir hinter meiner Behausung gebaut hatte; ich muss aber ebenfalls berichten, dass es zuerst ein Wirrwarr von Dingen war, die meinen ganzen Raum einnahmen, da sie ohne jede Ordnung durcheinanderlagen. Ich hatte kaum Platz, mich umzudrehen, und so machte ich mich daran, meine Höhle zu vergrößern und mich weiter in den Felsen hineinzugraben, denn er bestand aus lockerem, sandigem Gestein und gab der Anstrengung, die ich auf ihn verwandte, leicht nach. Als ich festgestellt hatte, dass ich vor Raubtieren ziemlich sicher war, arbeitete ich mich seitwärts nach rechts in den Felsen hinein, bog dann noch einmal nach rechts ab und arbeitete mich gänzlich hinaus ins Freie; so baute ich mir eine Öffnung außerhalb meiner Umzäunung oder Befestigung.

Dadurch gewann ich nicht nur einen Aus- und Eingang, da es die Hintertür zu meinem Zelt und meiner Vorratskammer war, sondern ich gewann auch Platz, meine Güter unterzubringen.

Und jetzt begab ich mich daran, mir die notwendigen Dinge herzustellen, die ich am meisten brauchte, vor allem einen Stuhl und einen Tisch, denn ohne sie war ich nicht in der Lage, die wenigen Annehmlichkeiten, die ich auf der Welt hatte, zu genießen; ohne einen Tisch konnte ich mit der richtigen Freude weder schreiben noch essen noch einiges andere tun.

So machte ich mich also an die Arbeit, und hier muss ich sagen, dass – ebenso wie der Verstand das Wesen und der Ursprung der Mathematik ist – jeder Mensch mit Hilfe seines Verstandes im Laufe der Zeit sämtliche mechanischen Künste meistern kann, indem er die Dinge feststellt, sie miteinander in Einklang bringt und alles vernunftgemäß beurteilt. Ich hatte noch nie in meinem Leben ein Werkzeug in der Hand gehabt, und trotzdem merkte ich, dass ich allmählich durch Arbeit, Fleiß und Findigkeit alles hätte herstellen können, was ich brauchte, besonders, wenn ich das richtige Gerät dazu gehabt hätte. Ich fertige aber auch ohne Werkzeug vielerlei Dinge an und manche, die vielleicht noch nie auf diese Weise hergestellt worden waren, mit keinem anderen Werkzeug als nur einem Beil und einer Axt, und das mit unendlich viel Mühe. Wenn ich zum Beispiel ein Brett benötigte, blieb mir nichts übrig, als einen Baum zu fällen, ihn hochkantig vor mir aufzustellen und ihn an beiden Seiten mit der Axt zu behauen, bis er so dünn geworden war wie ein Brett, und ihn dann mit dem Beil zu glätten. Freilich konnte ich mit dieser Methode aus einem ganzen Baum nur ein Brett fertigen, dabei half mir nur das Mittel der Geduld; ebensowenig ließ sich der riesige Aufwand an Zeit und Arbeitskraft umgehen, den es mich kostete, eine Bohle oder ein Brett herzustellen, aber meine Zeit und meine Arbeitskraft hatten nicht viel Wert, und so mochte ich sie ebensogut auf die eine wie auf die andere Art anwenden.

Zuallererst jedoch baute ich mir einen Tisch und einen Stuhl, wie ich bereits bemerkte, und das aus den kurzen Brettern, die ich mit meinem Floß vom Schiff geholt hatte; als dann aber nach der eben beschriebenen Weise einige Bretter fertig geworden waren, errichtete ich mir entlang einer ganzen Seitenwand meiner Höhle ein großes Regal mit anderthalb Fuß tiefen, übereinanderliegenden Fächern, um mein gesamtes Werkzeug, meine Nägel und mein Eisenzeug dort unterzubringen und um, mit einem Wort, sämtliche Dinge schön voneinander zu trennen, so dass alles leicht erreichbar wäre; in die Felswand schlug ich Stifte ein, an denen ich meine Flinten und was sich nur immer aufhängen ließ, aufhängen konnte.

Hätte jetzt jemand meine Höhle gesehen, dann wäre sie ihm wie ein allgemeines Warenlager sämtlicher lebensnotwendiger Dinge vorgekommen, ich aber hatte alles so greifbar bei der Hand, dass es mir großes Vergnügen bereitete, meine Güter so geordnet zu sehen, und vor allem, festzustellen, wie groß mein Vorrat an den notwendigen Gegenständen war.

Jetzt begann ich auch ein Tagebuch darüber zu führen, wie ich meine Zeit verbrachte, denn am Anfang hatte ich es zu eilig, und nicht nur zu eilig, meine Arbeit zu bewältigen, sondern ich war auch zu verwirrt, und mein Tagebuch hätte viel Langweiliges enthalten. Zum Beispiel hätte ich folgendes schreiben müssen: 30. September. Nachdem ich an Land gelangt und dem Tode durch Ertrinken entgangen war, rannte ich, sobald ich die große Menge Salzwasser, die in meinen Magen gedrungen war, ausgebrochen und mich ein wenig erholt hatte, anstatt Gott für meine Rettung zu danken, händeringend am Strand umher, schlug mir die Fäuste gegen den Kopf und ins Gesicht, jammerte über meine Not und schrie, ich sei verloren, verloren, bis ich mich, matt und erschöpft, auf den Boden niederlegen musste, um mich auszuruhen, aber nicht zu schlafen wagte, aus Angst, aufgefressen zu werden.

Einige Tage später, nachdem ich auf dem Schiff gewesen war und alles nur mögliche von dort geholt hatte, konnte ich mich jedoch nicht enthalten, zur Spitze eines kleinen Berges hinaufzusteigen und aufs Meer zu schauen, in der Hoffnung, ein Schiff zu erspähen. In meiner Einbildung erblickte ich weit in der Ferne ein Segel und wiegte mich in der Hoffnung, die es erweckte, um es dann, nachdem ich fast bis zur Erblindung unbeweglich darauf gestarrt hatte, aus den Augen zu verlieren; ich setzte mich nieder, weinte wie ein Kind und vergrößerte so noch meine Not durch meine Torheit.

Nachdem ich aber bis zu einem gewissen Grade über diese Dinge hinweggekommen war, meinen Hausrat untergebracht, meine Wohnung gebaut, mir Tisch und Stuhl angefertigt und alles rings um mich so wohnlich eingerichtet hatte, wie ich es nur konnte, begann ich Tagebuch zu führen, solange es mir möglich war, denn als ich keine Tinte mehr hatte, musste ich damit aufhören. Von diesem will ich dem Leser hier eine Abschrift geben, obwohl darin alle Einzelheiten noch einmal erzählt werden.

### Das Tagebuch

*30. September 1659.* Ich, der arme elende Robinson Crusoe, erlitt während eines fürchterlichen Sturms auf hoher See Schiffbruch und landete – nachdem die gesamte Besatzung des Schiffs ertrunken und ich selbst halbtot war – auf dieser unglückseligen öden Insel, die ich die Insel der Verzweiflung nannte.

Den Rest dieses Tages verbrachte ich in Selbstanklagen über die schlimme Lage, in die ich geraten war, denn ich hatte weder Essen noch Unterkunft, weder Kleidung noch Waffen und keinen Zufluchtsort; ich verzweifelte an meiner Rettung und sah nichts als den Tod vor mir; entweder würde ich von Raubtieren aufgefressen, von Wilden umgebracht, oder ich verhungerte. Als die Nacht hereinbrach, schlief ich aus Angst vor wilden Tieren auf einem Baum, und ich schlief fest, obgleich es die ganze Nacht über regnete.

*1. Oktober.* Am Morgen sah ich zu meiner großen Überraschung, dass die Flut das Schiff flottgemacht und nahe der Insel wieder aufs Land getrieben hatte. Während es mir einerseits ein Trost war, zu sehen, dass es noch aufrecht dalag und nicht auseinandergeborsten war, und ich hoffte, beim Abflauen des Windes an Bord gelangen und mir etwas Nahrung und andere lebensnotwendige Dinge zu meiner Hilfe daraus holen zu können, ließ es doch andererseits meinen Schmerz über den Verlust meiner Kameraden neu aufleben; wären wir sämtlich an Bord geblieben, so stellte ich mir vor, hätten diese vielleicht das Schiff gerettet oder zumindest nicht alle den Tod gefunden, wie jetzt, und wenn die Leute davongekommen wären, dann hätten wir vielleicht aus den Trümmern des Schiffs ein Boot bauen und zu einem anderen Teil der Welt fahren können. Ich verbrachte fast den ganzen Tag damit, mich mit solchen Gedanken zu quälen, als ich aber sah, dass das Schiff fest auf dem Trockenen lag, ging ich endlich auf dem Sand so nahe wie möglich heran und schwamm dann an Bord. Auch an diesem Tag regnete es, aber es war gänzlich windstill.

Vom 1. bis 24. Oktober. Habe alle diese Tage damit verbracht, immer wieder aufs Schiff zu gehen, um daraus zu holen, was zu holen war, und die Sachen jedes Mal bei Flut mit Flößen an Land zu bringen. Auch an diesen Tagen regnete es viel, es gab jedoch kurze Aufheiterungen; es schien aber die Regenzeit zu sein.

*20. Oktober.* Kenterte mit meinem Floß und allem, was ich darauf hatte. Da es aber im flachen Wasser geschah und fast sämtliche Dinge schwer waren, konnte ich viele davon bei Ebbe wieder herausholen.

*25. Oktober.* Es regnete die ganze Nacht und den ganzen Tag, mit einigen Windböen, und als der Wind noch etwas stürmischer wurde, zerbrach das Schiff in Stücke; nichts war mehr davon zu sehen als das Wrack, und auch das nur bei Ebbe. Ich verbrachte den Tag damit, die geborgenen Sachen zuzudecken und sie zu schützen, damit der Regen sie nicht verdarb.

*26. Oktober.* Ich ging fast den ganzen Tag am Strand umher, um einen Platz für meine Behausung zu suchen, denn ich war sehr darauf bedacht, mich vor einem nächtlichen Angriff wilder Tiere oder Menschen zu schützen. Gegen Abend entschied ich mich für eine geeignete Stelle unter einem Felsen und markierte meinen Lagerplatz in Form eines Halbkreises, den ich mit einem Bollwerk, einem Wall oder einer Befestigung aus doppelten Palisaden, die innen mit Kabeln ausgefüllt und von außen mit Rasenstücken beworfen werden sollten, verstärken wollte.

Vom 26. bis zum 30. arbeitete ich sehr hart, um alle meine Güter in die neue Behausung zu bringen, obgleich es zeitweise außerordentlich stark regnete.

Am Morgen des 31. ging ich mit meiner Flinte ins Innere der Insel, um Nahrung zu suchen und das Land zu erforschen; dabei tötete ich eine Ziege, und das Zicklein folgte mir nach Hause, aber später tötete ich es auch, weil es nicht fressen wollte.

*1. November.* Ich errichtete mein Zelt unter einem Felsen und schlief dort zum ersten Mal; ich spannte es so groß wie möglich und trieb Pfosten in den Boden, um meine Hängematte daran zu befestigen.

*2. November.* Ich stapelte alle meine Kisten und Bretter sowie die Hölzer aus meinen Flößen auf und baute damit einen Zaun um mich herum, ein wenig innerhalb der Stelle, die ich für meine Befestigungsanlage vorgesehen hatte.

*3. November.* Ich zog mit meiner Flinte los und schoss zwei Vögel, die wie Enten aussahen und ein wohlschmeckendes Essen abgaben. Am Nachmittag ging ich daran, einen Tisch zu bauen.

*4. November.* Heute morgen begann ich mir meine Zeit einzuteilen: für die Arbeit, für die Jagdspaziergänge, für den Schlaf und für die Unterhaltung, das heißt, ich ging jeden Morgen, wenn es nicht regnete, zwei oder drei Stunden lang mit der Flinte aus, machte mich darauf bis gegen elf an die Arbeit, aß dann, was ich als Nahrungsmittel hatte, legte mich wegen der Hitze von zwölf bis zwei Uhr zum Schlafen nieder und arbeitete am Abend nochmals. Die Arbeitszeit dieses und des nächsten Tages verwandte ich fast ausschließlich für die Anfertigung meines Tisches, denn ich war noch ein sehr stümperhafter Arbeiter, aber Zeit und Notwendigkeit machten bald darauf natürlicherweise einen vollendeten Handwerker aus mir, wie es wohl bei jedem der Fall gewesen wäre.

*5. November.* Ging an diesem Tag mit meiner Flinte und meinem Hund aus und tötete eine Wildkatze, die ein recht weiches Fell hatte, deren Fleisch jedoch nichts taugte; alle Tiere, die ich schoss, häutete ich ab und bewahrte das Fell auf. Als ich am Strand entlang zurücklief, sah ich vielerlei mir unbekannte Seevögel, überrascht und fast erschreckt wurde ich aber durch zwei oder drei Seerobben, da ich nicht genau wusste, was das für Tiere waren; während ich sie betrachtete, gingen sie ins Wasser und entkamen mir für diesmal.

*6. November.* Nach meinem Morgenspaziergang arbeitete ich wieder an meinem Tisch und stellte ihn fertig, obwohl er nicht so ausfiel, wie ich es wollte; es dauerte aber nicht lange, bis ich lernte, ihn zu verbessern.

*7. November.* Jetzt begann das Wetter schön und beständig zu werden. Den 7., 8., 9. und 10. sowie einen Teil des 12. (denn der 11. war ein Sonntag) benutzte ich fast ganz dazu, mir einen Stuhl zu bauen, und nach langem Hin und Her brachte ich eine einigermaßen vernünftige Form zustande, die mir aber nicht sehr gefiel, und schon beim Bauen zerlegte ich ihn mehrmals wieder in seine Einzelteile.

*Anmerkung:* Bald versäumte ich, die Sonntage einzuhalten, denn da ich es unterließ, sie auf meinem Pfosten einzukerben, wusste ich nicht mehr, welcher Wochentag es war.

*13. November.* An diesem Tag regnete es, was mich sehr erfrischte und die Erde abkühlte, aber der Regen war von furchtbarem Donner und von Blitzen begleitet, die mir große Angst um mein Pulver einjagten; sobald das Gewitter vorüber war, beschloss ich, meinen Pulvervorrat in möglichst viele kleine Päckchen zu teilen, damit er nicht in Gefahr geriet.

*14., 15., 16. November.* Die drei Tage verbrachte ich damit, kleine viereckige Truhen oder Kisten zu bauen, in denen jeweils ungefähr ein, höchstens zwei Pfund Pulver Platz hatten; ich füllte sie und verstaute sie an Orten, die die meiste Sicherheit boten und die weit voneinander entfernt waren. An einem dieser drei Tage schoss ich einen großen Vogel, der sehr schmackhaft war, ich wusste aber nicht, wie ich ihn nennen sollte.

*17. November.* An diesem Tag begann ich, mich hinter meinem Zelt in den Felsen hineinzugraben, um zu meiner größeren Bequemlichkeit Platz zu schaffen.

*Anmerkung:* Drei Dinge hätte ich für diese Arbeit äußerst nötig gebraucht: eine Spitzhacke, eine Schaufel und eine Karre oder einen Korb, und so hörte ich mit meiner Arbeit auf und begann zu überlegen, wie ich dem Mangel abhelfen und mir Werkzeug herstellen könnte. Anstelle der Spitzhacke benutzte ich die Brecheisen, die recht geeignet, aber schwer waren. Als nächstes brauchte ich jedoch eine Schaufel oder einen Spaten; dieser war absolut notwendig, und ich konnte ohne ihn nichts Vernünftiges tun, wusste aber nicht, woraus ich ihn anfertigen sollte.

*18. November.* Am nächsten Tag fand ich beim Suchen im Wald einen Baum von derselben oder ähnlicher Art, den sie in Brasilien wegen seiner außerordentlichen Härte Eisenholz nennen; von diesem hieb ich mit großer Anstrengung, wobei ich fast meine Axt zerbrach, ein Stück ab und schleppte es mit Mühe und Not nach Hause, denn es war sehr schwer.

Da das Holz so übermäßig hart war und ich keine andere Möglichkeit hatte, es zu bearbeiten, brauchte ich lange, um das Werkzeug herzustellen, denn ich hieb es nach und nach zur Form einer Schaufel oder eines Spatens; der Stiel sah genauso aus wie bei unseren Spaten in England, nur war das Blatt unten nicht mit Eisen beschlagen und würde nicht so lange halten, aber er war mir für meine Zwecke sehr dienlich, und ich glaube, dass noch nie ein Spaten auf diese Weise angefertigt wurde und seine Herstellung so lange gedauert hat.

Mir fehlte aber immer noch etwas, und zwar brauchte ich einen Korb oder eine Schubkarre; einen Korb konnte ich auf keinen Fall herstellen, denn ich hatte keine Zweige, die sich zum Flechten biegen ließen, oder zumindest bisher keine gefunden; und was die Schubkarre betraf, so dachte ich, ich könnte wohl alle Teile dafür herstellen außer dem Rad, davon aber hatte ich keine Vorstellung und wusste nicht, wie ich darangehen sollte; außerdem hatte ich auch keine Möglichkeit, die Eisenzapfen für die Welle oder Achse des Rades, auf der es laufen sollte, anzufertigen, und so gab ich es auf. Um die Erde, die ich aus der Höhle ausgrub, fortzuschaffen, machte ich mir etwas, was einer Mulde ähnlich war, wie sie die Handlanger der Maurer zum Mörteltragen benutzen.

Dies fiel mir leichter, als die Schaufel herzustellen, doch kostete es mich zusammen mit dieser und dem vergeblichen Versuch, eine Schubkarre zu bauen, nicht weniger als vier Tage; ich meine, immer ausgenommen den Morgenspaziergang mit meiner Flinte, den ich selten unterließ und von dem ich auch nur selten ohne etwas Essbares heimkehrte.

*23. November.* Meine andere Arbeit war zum Stillstand gekommen, während ich das Werkzeug herstellte; als es fertig war, setzte ich sie fort, arbeitete jeden Tag, soviel meine Kraft und die Zeit es erlaubten, achtzehn Tage verbrachte ich nur damit, meine Höhle zu erweitern und zu vertiefen, um meine Sachen bequem darin unterbringen zu können.

*Anmerkung:* Während dieser ganzen Zeit arbeitete ich, um den Raum oder die Höhle so zu vergrößern, dass sie mir als Lager oder Magazin, als Küche, Esszimmer und Keller dienen konnte; ich wohnte weiterhin im Zelt, außer wenn es in der nassen Jahreszeit so stark regnete, dass ich nicht trocken blieb, was mich später veranlasste, die ganze Fläche innerhalb meines Zauns mit langen Stangen in der Form von Sparren zu decken, die gegen den Felsen lehnten, und sie wie ein Strohdach mit flachen Steinen und großen Blättern von Bäumen zu belegen.

*10. Dezember.* Ich bildete mir jetzt ein, meine Höhle oder mein Gewölbe sei fertig, als ganz plötzlich (anscheinend hatte ich es zu groß gemacht) von oben und von einer Seite eine große Menge Erde herabstürzte – so viel, dass es mich, kurz gesagt, erschreckte, und nicht ohne Grund, denn wäre ich darunter gewesen, hätte ich keinen Totengräber gebraucht. Nach diesem Unglück stand mir noch einmal ein großer Teil Arbeit bevor, denn ich musste die lose Erde hinausschaffen und, was noch wichtiger war, die Decke abstützen, damit ich sicher sein konnte, dass nichts mehr herunterkam.

*11. Dezember.* An diesem Tag ging ich also daran, zwei Streben oder Pfosten senkrecht zur Decke aufzurichten und jeweils zwei Bretter kreuzweise darüberzulegen; damit wurde ich am nächsten Tag fertig und stellte weitere Pfosten mit Querbrettern darüber auf; nach etwa einer Woche hatte ich die ganze Decke abgesichert, und die in Reihen stehenden Pfosten dienten mir dazu, mein Haus zu unterteilen.

*17. Dezember.* Von diesem Tage an bis zum 20. legte ich Fächer an und schlug Nägel in die Pfosten, um alles aufzuhängen, was sich aufhängen ließ, und nun bekam ich im Innern allmählich einige Ordnung.

*20. Dezember.* Jetzt trug ich alles in die Höhle und begann mein Haus einzurichten; ich brachte einige Bretter an, ähnlich einem Tellerbord, um meine Nahrungsmittel daraufzustellen, aber Bretter begannen jetzt bei mir sehr knapp zu werden; ich baute mir auch noch einen zweiten Tisch.

*24. Dezember.* Viel Regen die ganze Nacht und den ganzen Tag über; rührte mich nicht hinaus.

*25. Dezember.* Den ganzen Tag Regen.

*26. Dezember.* Kein Regen und die Erde viel kühler und angenehmer als vorher.

*27. Dezember.* Tötete eine junge Ziege und schoss eine zweite lahm, so dass ich sie einfing und an einem Strick um den Hals nach Hause führte; dort angelangt, verband und schiente ich den Lauf, der gebrochen war.

*Anmerkung:* Ich pflegte sie so sorgfältig, dass sie am Leben blieb, der Lauf wieder heilte und so stark wurde wie zuvor; aber weil ich sie so lange betreut hatte, wurde sie zahm, graste auf dem kleinen Rasenfleck vor meiner Tür und wollte nicht fort. Da kam mir zum ersten Mal der Gedanke, einige zahme Tiere aufzuziehen, damit ich etwas zu essen hätte, wenn mein Schießpulver und mein Blei aufgebraucht wären.

*28., 29., 30. Dezember.* Große Hitze und kein Luftzug, so dass ich nicht aus dem Haus ging, außer am Abend, um mir Nahrung zu suchen; ich verbrachte die Zeit damit, drinnen alle meine Sachen zu ordnen.

*1. Januar.* Noch immer sehr heiß, ich ging aber am frühen Morgen und am späten Abend mit der Flinte hinaus und legte mich gegen Mittag hin. An diesem Abend wanderte ich weiter hinein in die Täler, die zum Innern der Insel führten, und stellte fest, dass es dort viele Ziegen gab, die aber sehr scheu waren und denen man sich nur schwer nähern konnte; ich beschloss jedoch zu versuchen, ob ich meinen Hund nicht dazu bringen könnte, sie zu jagen.

*2. Januar.* Am nächsten Tag ging ich also mit meinem Hund fort und hetzte ihn auf die Ziegen; aber ich hatte mich geirrt, denn sie kehrten sich alle zu ihm hin, und der Hund wusste nur zu gut, welche Gefahr ihm drohte, und wagte sich nicht in ihre Nähe.

*3. Januar.* Ich fing meinen Zaun oder Wall an, und da ich noch immer fürchtete, jemand könne mich angreifen, beschloss ich, ihn sehr dick und stark zu machen.

*Anmerkung:* Da ich den Wall bereits beschrieben habe, lasse ich absichtlich aus, was im Tagebuch darüber steht; es genügt zu bemerken, dass ich nicht weniger Zeit als vom 3. Januar bis 14. April dazu brauchte, an diesem Wall zu arbeiten, ihn zu vollenden und zu vervollkommnen, obwohl er nur vierundzwanzig Yard lang war, ein Halbkreis vor einem acht Yard langen Stück Felswand, in dessen Mitte sich der Eingang zur Höhle befand.

Während dieser ganzen Zeit arbeitete ich sehr schwer, wobei mich der Regen viele Tage lang, ja manchmal wochenlang behinderte; aber ich dachte, ich würde nie gänzlich in Sicherheit sein, solange ich den Wall nicht beendet hatte, und es ist kaum zu glauben, mit was für einer unendlichen Mühe alles getan werden musste, vor allem das Heranschaffen der Pfosten aus dem Wald und das Einrammen in den Boden, denn ich machte sie viel länger, als nötig gewesen wäre.

Als dieser Zaun vollendet und von außen zusätzlich noch mit einem aus Rasenstücken errichteten Wall umgeben war, überzeugte ich mich davon, dass, wenn irgendwelche Leute dort landen sollten, sie nichts, was auf eine Wohnung deutete, bemerken würden, und das war gut so, wie der Leser später bei einer erwähnenswerten Gelegenheit feststellen wird.

Währenddessen machte ich, wenn es der Regen zuließ, täglich meine Runden durch die Wälder, um Wild aufzuspüren, und entdeckte bei diesen Spaziergängen häufig das eine oder das andere Vorteilhafte für mich; vornehmlich fand ich eine Art wilder Tauben, die ihre Nester nicht wie Waldtauben in den Bäumen bauten, sondern in Felslöchern, eher wie die Haustauben. Ich nahm einige Junge heraus und bemühte mich, sie aufzuziehen und zu zähmen. Es gelang mir auch, aber als sie älter wurden, flogen sie davon, zuerst wahrscheinlich aus Mangel an Futter, denn ich hatte nichts für sie; ich entdeckte jedoch häufig ihre Nester und nahm die Jungen heraus, deren Fleisch sehr schmackhaft war.

Jetzt, da ich einen Haushalt führte, fehlte es mir an vielen Dingen, von denen ich zuerst dachte, ich könne sie unmöglich herstellen, und bei einigen stimmte das auch. Zum Beispiel gelang es mir nie, ein Fass zu machen und es mit Reifen zu versehen; ich hatte, wie schon erwähnt, eine oder zwei kleine Tonnen, aber ich brachte es nie zu der Fertigkeit, nach ihrem Muster eine herzustellen, obgleich ich mich viele Wochen lang darum bemühte; ich konnte weder die Böden einsetzen noch die Dauben so gut aneinanderfügen, dass sie wasserdicht waren, und so gab ich auch das auf.

Als nächstes brauchte ich dringend Kerzen; sobald es dunkel wurde, gewöhnlich gegen sieben Uhr, war ich gezwungen, zu Bett zu gehen. Mir fiel der Klumpen Bienenwachs ein, aus dem ich während meines afrikanischen Abenteuers Kerzen gemacht hatte, aber ich hatte jetzt keins, und das einzige, was ich tun konnte, war, den Talg von den getöteten Ziegen aufzuheben und mir mit Hilfe einer kleinen Schüssel, die ich aus Lehm geformt, in der Sonne getrocknet und mit einem aus etwas Werg gedrehten Docht versehen hatte, eine Lampe zu machen; sie gab mir Licht, wenn auch kein so helles und stetiges wie eine Kerze. Mitten in all meinen Arbeiten geschah es, dass ich beim Herumkramen in meinen Sachen einen kleinen Beutel fand, der, wie ich bereits erwähnt habe, mit Korn zum Füttern der Hühner gefüllt gewesen war, nicht für diese Reise, sondern vermutlich für die vorige, als das Schiff aus Lissabon kam; die geringe Menge Getreide, die noch im Beutel geblieben war, hatten die Ratten ganz aufgefressen, und ich sah nichts mehr darin als Hülsen und Staub, und da ich den Beutel zu etwas anderem benutzen wollte, wohl um Pulver hineinzufüllen, als ich es aus Angst vor den Blitzen teilte, oder zu etwas Ähnlichem, schüttete ich die Hülsen auf einer Seite meiner Befestigung unter dem Felsen aus.

Es war kurz vor der eben erwähnten Regenzeit, als ich das Zeug fortwarf und nicht mehr darauf achtete; ich erinnerte mich nicht einmal daran, irgend etwas dorthin geworfen zu haben, da sah ich ungefähr einen Monat später einige wenige Sprosse von etwas Grünem aus dem Boden schießen, und ich dachte, es sei vielleicht eine Pflanze, die ich noch nie gesehen hatte. Aber ich war überrascht und sehr erstaunt, als ich kurze Zeit darauf zehn oder zwölf Ähren hervorkommen sah, richtige grüne Gerste, von der gleichen Art wie unsere europäische, ja wie unsere englische Gerste.

Es ist mir unmöglich, mein Erstaunen und meine Verwirrung bei diesem Ereignis wiederzugeben; ich hatte bisher nach keinerlei religiösen Grundsätzen gehandelt, ich hatte sogar nur wenig Vorstellung von der Religion und alles, was mir begegnet war, kaum anders betrachtet als durch Zufall geschehen oder, wie man so leichthin sagt, nach Gottes Willen, ohne mich auch nur zu fragen, was wohl die

Absicht der Vorsehung bei diesen Dingen sein mochte oder worin der Plan bestand, nach dem Gott die Dinge der Welt regiert; als ich dort aber Gerste wachsen sah, in einem Klima, von dem ich wusste, dass es für Getreide ungeeignet ist, und besonders, da ich nicht wusste, wie es dorthin gekommen war, erschütterte mich das auf seltsame Weise; ich begann anzunehmen, Gott habe ein Wunder getan und dieses Korn dort wachsen lassen, ohne dass es gesät worden sei, und er habe es einzig und allein zu meinem Unterhalt an diesen wilden, öden Ort gesandt.

Dies rührte mein Herz ein wenig und ließ mir Tränen in die Augen steigen; ich fing an, mich für gesegnet zu halten, dass meinetwegen ein solches Wunder der Natur geschehen sei, und ich hielt es für um so merkwürdiger, als ich neben der Felswand noch weitere vereinzelte Halme entdeckte, die sich als Reishalme erwiesen, welche ich von Afrika her kannte, wo ich sie hatte wachsen sehen.

Ich glaubte nicht nur, die Vorsehung habe sie dort allein zu meinem Unterhalt hervorgebracht, sondern zweifelte auch nicht daran, dass es noch mehr gebe; ich durchstreifte den ganzen Teil der Insel, auf dem ich schon zuvor gewesen war, spähte in jeden Winkel und unter jeden Felsen, um noch weitere aufzuspüren, konnte aber nichts finden. Endlich fiel mir ein, dass ich dort einen Beutel, worin Hühnerfutter gewesen war, ausgeschüttet hatte, und nun begann das Wunder aufzuhören, eins zu sein, und ich muss gestehen, dass meine fromme Dankbarkeit für Gottes Vorsehung ebenfalls nachließ, als ich entdeckte, dass alles nichts weiter war als das übliche, obwohl ich für eine so merkwürdige und unvorhergesehene Fügung ebenso dankbar hätte sein müssen, als wenn es ein Wunder gewesen wäre; denn ich sah es tatsächlich als das Wirken der Vorsehung an, die es so angeordnet hatte, dass zehn oder zwölf Getreidekörner trotz der Ratten nicht verdarben, sowie auch, dass ich sie gerade an dieser Stelle fortgeworfen hatte, wo sie – wie vom Himmel gefallen – im Schatten eines hohen Felsens sogleich aufgingen, während sie verdorrt und zugrunde gegangen wären, wenn ich sie damals irgendwo anders hingeworfen hätte.

Wie man sich wohl vorstellen kann, bewahrte ich die Getreideähren sorgfältig, als es gegen Ende Juni soweit war; ich legte jedes Korn fort und beschloss, alles wieder auszusäen, denn ich hoffte, mit der Zeit genügend zu bekommen, um mich mit Brot versorgen zu können; aber erst im vierten Jahr durfte ich es mir erlauben, einige Körnchen von diesem Getreide zu essen, und auch dann musste ich noch sparsam sein, wie ich später an seinem Platz berichten werde, denn ich verlor alles, was ich in der ersten Saison aussäte, weil ich den richtigen Zeitpunkt nicht einhielt; ich säte es nämlich kurz vor der Trockenzeit aus, so dass es nicht aufging, zumindest nicht, wie es sonst aufgegangen wäre, doch davon zur gegebenen Zeit.

Außer der Gerste waren, wie ich schon sagte, zwanzig oder drei-ßig Reishalme gewachsen, und auch sie bewahrte ich mit ebensoviel Sorgfalt, um sie auf die gleiche Weise und zum gleichen Zweck zu benutzen, und zwar um mir Brot oder vielmehr Essen daraus zu ma-chen, denn ich fand einen Weg, es zu kochen anstatt zu backen, ob-wohl ich nach einiger Zeit auch dies tat. Aber kehren wir zu meinem Tagebuch zurück.

Ich arbeitete drei, vier Monate lang außerordentlich schwer, um meinen Wall fertigzustellen, und am 14. April schloss ich die letzte Lücke und richtete es so ein, nicht durch eine Tür hineinzugehen, sondern mit einer Leiter über den Wall, damit von draußen kein An-zeichen meiner Wohnung zu sehen war.

16. April. Ich wurde mit der Leiter fertig, bestieg darauf den Wall, zog sie nach und stieg innen wieder hinunter; ich war nun vollkommen eingefriedet, denn drinnen hatte ich Platz genug, und von außen konnte nichts zu mir gelangen, ohne zuerst meinen Wall zu erklimmen.

Einen Tag nach der Fertigstellung des Walls wäre meine gesamte Arbeit fast gänzlich zunichte geworden und ich beinahe umgekom-men; das trug sich folgendermaßen zu: Ich war drinnen gleich hinter meinem Zelt im Eingang der Höhle beschäftigt, als mich ein überra-schender und entsetzlicher Vorgang fürchterlich erschreckte, denn plötzlich fiel die Erde von der Decke meiner Höhle und über meinem Kopf vom Rande des Hügels herab, und zwei der Pfosten, die ich in der Höhle aufgestellt hatte, krachten auf beängstigende Weise. Ich war maßlos bestürzt, konnte mir aber die wirkliche Ursache nicht denken, sondern glaubte nur, die Decke meiner Höhle stürze ein, wie es teilweise schon einmal geschehen war; aus Furcht, darunter be-graben zu werden, lief ich nach vorn zu meiner Leiter, und da ich mich auch dort nicht sicher fühlte, stieg ich über meinen Wall, aus Angst, vom Hügel könnten Brocken auf mich herabrollen. Kaum hatte ich festen Boden betreten, sah ich, dass es ein furchtbares Erdbeben war, denn der Boden, auf dem ich stand, bebte dreimal, in Zwischenräumen von etwa acht Minuten, und zwar waren es drei Stöße, die das stärkste Gebäude der Welt, das man sich vorstellen kann, zum Einsturz gebracht hätten, und ein großes Stück vom Gipfel eines Felsens, der etwa eine halbe Meile entfernt von mir am Meer stand, fiel mit so furchtbarem Getöse herab, wie ich es in meinem Leben noch nicht gehört hatte. Ich sah auch, dass das Meer durch das Erdbeben in heftige Bewegung geraten war, und ich glaube, unter dem Wasser waren die Stöße noch stärker als auf der Insel.

Ich hatte noch nie etwas Ähnliches erlebt und auch mit keinem Menschen gesprochen, der so etwas mitgemacht hatte, darum bestürzte mich das Ereignis dermaßen, dass ich eher tot als lebendig und wie betäubt war; von der Bewegung des Bodens wurde mir übel, wie einem, der auf dem Meer fährt und durch die Wogen umhergeschleudert wird. Das Getöse der herabfallenden Felsen aber brachte mich zu mir, riss mich aus meiner Betäubung, erfüllte mich mit Schrecken, und ich dachte nichts anderes, als dass der Hügel auf mein Zelt und alle meine Haushaltsgüter fallen und mich plötzlich begraben werde, und es ließ mir das Herz zum zweiten Mal gleichsam bis in die Knie sinken.

Nachdem der dritte Stoß vorüber war und ich eine Zeitlang nichts mehr spürte, fasste ich Mut, wagte aber nicht, wieder über meinen Wall zu steigen, aus Angst, lebendig begraben zu werden; sehr niedergeschlagen und verzagt blieb ich still auf dem Boden sitzen, denn ich wusste nicht, was ich anfangen sollte; die ganze Zeit über hatte ich nicht den geringsten ernsthaften religiösen Gedanken – nichts als das übliche ›Herr, erbarme dich meiner!‹, und als alles vorüber war, verging auch das.

Während ich so dasaß, bemerkte ich, dass sich der Himmel bewölkte und verdüsterte, als wolle es regnen; bald darauf erhob sich ein Wind, und in kaum einer halben Stunde tobte ein furchtbarer Hurrikan. Das Meer war plötzlich schaumbedeckt, das Ufer von der Brandung überflutet, und der Sturm, der wirklich schrecklich war, entwurzelte die Bäume. Der Hurrikan dauerte etwa drei Stunden und ließ dann nach; zwei Stunden darauf war es völlig windstill und regnete heftig.

Die ganze Zeit über saß ich betrübt und verängstigt auf dem Boden, als mir plötzlich einfiel, dass Wind und Regen wohl die Folgen des Erdbebens waren; da dies aber nun abgeklungen und vorbei war, konnte ich mich also wieder in meine Höhle wagen. Bei diesem Gedanken begann sich meine Stimmung zu bessern, und auch der Regen trug dazu bei, mich zu überzeugen. Ich ging hinein und setzte mich in mein Zelt, aber der Regen war so heftig, dass es darunter fast zusammenbrach und ich gezwungen war, mich in meine Höhle zu begeben, obwohl ich es voller Unruhe und Angst tat, denn ich fürchtete, sie werde mir auf den Kopf fallen.

Der starke Regen zwang mich zu einer neuen Arbeit, und zwar musste ich ein Loch, ähnlich einer Abflussröhre, durch meine gerade errichtete Befestigung graben, um das Wasser abzuleiten, das sonst meine Höhle überschwemmt hätte. Nachdem ich einige Zeit in der Höhle verbracht hatte und noch immer keine weiteren Erdstöße gefolgt waren, wurde ich ruhiger, und um meine Stimmung zu heben, die es sehr nötig hatte, ging ich jetzt an meinen bescheidenen Vorrat und nahm einen kleinen Becher Rum zu mir, was ich jedoch bei dieser Gelegenheit wie stets nur sehr sparsam tat, denn ich wusste ja, dass ich keinen mehr bekäme, wenn er einmal aufgebraucht war.

Die ganze Nacht regnete es weiter und auch einen großen Teil des folgenden Tages, so dass ich nicht hinaus konnte; da ich aber nun etwas gefasster war, dachte ich darüber nach, was ich wohl tun sollte, und kam zu dem Schluss, dass ich nicht in einer Höhle wohnen konnte, da die Insel von Erdbeben heimgesucht wurde. Ich musste also daran denken, mir auf irgendeiner offenen Stelle eine kleine Hütte zu bauen und sie mit einem Wall zu umgeben, wie ich es hier getan hatte, um mich auf diese Weise vor wilden Tieren und Menschen zu schützen; wenn ich aber hier bliebe, so würde ich wohl früher oder später ganz sicher lebendig begraben.

Unter diesen Gedanken beschloss ich, mit meinem Zelt die Stelle zu verlassen, an der es stand, nämlich genau unter dem abschüssigen Hang des Hügels, der ganz gewiss bei einem nochmaligen Erdbeben auf mein Zelt herabfallen würde; die nächsten beiden Tage, den 19.

und 20., verbrachte ich damit, zu überlegen, wohin ich mit meiner Behausung ziehen sollte.

Die Furcht, lebendig von der Erde verschlungen zu werden, hatte zur Folge, dass ich niemals ruhig schlief, die Angst aber, ohne jede Umzäunung im Freien zu liegen, war fast ebenso groß, und wenn ich mich umblickte und sah, wie schön alles in Ordnung gebracht, wie gut ich verborgen war und wie sicher vor Gefahr, fand ich den Gedanken an einen Umzug unangenehm.

Inzwischen fiel mir ein, dass ich dazu sehr lange brauchen würde und dass ich das Risiko dort, wo ich war, auf mich nehmen musste, bis ich mir ein Lager eingerichtet und es genügend befestigt hatte, um einziehen zu können; bei dieser Folgerung beruhigte ich mich für eine Weile und beschloss, mich schleunigst an die Arbeit zu machen, mir mit Pfosten und Kabeln wie zuvor einen kreisrunden Wall zu bauen und dann mein Zelt darin aufzuschlagen; bis zur Fertigstellung und meinem endgültigen Umzug aber wollte ich es wagen, zu bleiben, wo ich war. Das war am 21. April.

*22. April.* Am nächsten Morgen begann ich über die Mittel nachzudenken, meinen Beschluss auszuführen, war aber in großer Verlegenheit wegen des Werkzeugs; ich besaß drei große Äxte und eine Menge Beile (denn wir hatten die Beile zum Tauschhandel mit den Indianern mitgenommen); da ich aber viel knorriges, hartes Holz damit geschlagen und behauen hatte, waren alle stumpf und voller Scharten, und obgleich ich einen Schleifstein besaß, konnte ich ihn nicht gleichzeitig drehen und mein Werkzeug schleifen. Dies kostete mich soviel Nachdenken, wie ein Staatsmann für eine entscheidende politische Frage oder ein Richter für ein Urteil über Leben oder Tod eines Menschen aufgewandt hätte. Schließlich dachte ich mir ein Rad aus, das ich vermittels einer Schnur mit dem Fuß in Bewegung setzen konnte, so dass ich beide Hände frei hatte.

*Anmerkung:* In England hatte ich noch nie so etwas gesehen oder zumindest nicht beachtet, wie es gemacht wurde; inzwischen aber habe ich beobachtet, dass es dort durchaus so üblich ist; freilich war mein Schleifstein sehr groß und schwer. Die Herstellung dieser Maschine kostete mich eine volle Woche Arbeit.

*28. und 29. April.* Während dieser beiden ganzen Tage schärfte ich mein Werkzeug, und meine Maschine zum Drehen des Schleifsteins funktionierte sehr gut.

*30. April.* Da ich festgestellt hatte, dass mein Brotvorrat schon seit einiger Zeit recht gering geworden war, machte ich eine Bestandsaufnahme und beschränkte mich auf täglich ein Stück Zwieback; das Herz wurde mir schwer dabei.

*1. Mai.* Als ich am Morgen aufs Meer hinausblickte, es war Ebbe, sah ich etwas ungewöhnlich Großes am Strand liegen, das aussah wie ein Fass; als ich hinkam, fand ich eine kleine Tonne und zwei oder drei Stücke vom Wrack des Schiffes, die der Hurrikan von neulich an Land getrieben hatte, und als ich zum Wrack selbst hinüberblickte, schien es mir weiter aus dem Wasser zu ragen als sonst. Ich untersuchte das Fass, das an den Strand getrieben war, und stellte bald fest, dass es sich um eine Tonne mit Schießpulver handelte; Wasser war jedoch eingedrungen und das Pulver so hart wie Stein. Ich rollte es aber trotzdem vorerst weiter an Land und ging am Strand so nahe an das Schiffswrack heran, wie ich nur konnte, um nach mehr Ausschau zu halten.

Als ich an das Schiff kam, fand ich seine Lage auffallend verändert; das vorher im Sand vergrabene Vorderdeck hatte sich um mindestens sechs Fuß gehoben, und das Heck, das, schon bald nachdem ich aufgehört hatte, es zu durchsuchen, durch die Gewalt des Meeres in Stücke geborsten war und sich vom übrigen Teil getrennt hatte, schien wie emporgeschleudert und lag auf der Seite; der Sand dort beim Heck war so hoch aufgeworfen, dass ich an der Stelle, wo sich vorher eine große Wasserfläche befunden hatte und ich das Wrack über die letzte Viertelmeile hinweg nur schwimmend erreichen konnte, jetzt imstande war, bei Ebbe bis ganz zu ihm zu gehen. Ich staunte zuerst darüber, schloss aber bald, dies müsse durch das Erdbeben gekommen sein, und da dessen Gewalt das Schiff noch weiter hatte aufbrechen lassen als zuvor, schwammen täglich viele Dinge an Land, welche die See freispülte und Wind und Wasser nach und nach an den Strand trieben.

Dies lenkte meine Gedanken völlig von der Absicht ab, meinen Wohnsitz zu verlegen; ich war den ganzen Tag über sehr beschäftigt, vor allem mit dem Versuch, ins Schiff einzudringen, aber ich musste feststellen, dass keine Aussicht dafür bestand, denn das ganze Innere des Wracks war mit Sand gefüllt; da ich aber gelernt hatte, niemals aufzugeben, beschloss ich, alles vom Schiff in Stücke zu zerlegen, was ich nur konnte, denn ich dachte, dass sämtliche Teile, die ich davon loszumachen vermochte, mir auf die eine oder andere Weise von Nutzen sein würden.

*3. Mai.* Ich begann mit der Säge und sägte einen Deckbalken durch, der, wie ich glaubte, ein Stück des oberen Teils oder des Achterdecks zusammenhielt, und als ich ihn durchgesägt hatte, befreite ich, so gut ich konnte, die höher gelegene Seite vom Sand; da aber die Flut kam, musste ich es für diesmal aufgeben.

*4. Mai.* Ich ging angeln, fing jedoch nicht einen Fisch, von dem ich zu essen gewagt hätte, bis ich meines Sports müde war; als ich eben damit aufhören wollte, angelte ich einen jungen Delphin. Ich hatte mir aus Kabelgarn eine lange Leine gemacht, besaß aber keine Haken; trotzdem fing ich häufig genügend Fische, soviel ich nur essen wollte. Ich trocknete sie alle in der Sonne und aß sie gedörrt.

*5. Mai.* Arbeitete an dem Wrack, sägte noch einen Deckbalken durch und löste drei große Fichtenplanken vom Deck; ich band sie aneinander und ließ sie bei einsetzender Flut an Land schwimmen.

*6. Mai.* Arbeitete am Wrack, holte einige eiserne Bolzen sowie anderes Eisenzeug heraus, plagte mich sehr, kam recht müde heim und dachte schon daran, es aufzugeben.

*7. Mai.* Ging wieder zum Wrack, aber ohne die Absicht, dort zu arbeiten; stellte jedoch fest, dass das Schiff durch sein eigenes Gewicht auseinandergebrochen war, weil ich die Deckbalken durchgesägt hatte, so dass verschiedene Stücke vom Schiff anscheinend lose dalagen; der Laderaum lag so weit bloß, dass ich hineinblicken konnte; er war jedoch fast gänzlich mit Wasser und Sand gefüllt.

*8. Mai.* Ging zum Wrack und nahm ein Stemmeisen mit, um das Deck aufzubrechen, das jetzt ganz frei von Wasser und Sand dalag; ich brach zwei Planken heraus und brachte sie wieder mit der Flut an den Strand; das Stemmeisen ließ ich für den nächsten Tag im Wrack.

*9. Mai.* Ging zum Wrack und öffnete mir mit dem Stemmeisen einen Weg in den Rumpf, stieß auf einige Fässer und lockerte sie mit dem Stemmeisen, konnte sie aber nicht aufbrechen; ich stieß auch auf die Rolle englisches Blei, und es gelang mir, sie zu bewegen, aber zum Fortschaffen war sie zu schwer.

*10., 11., 12., 13. und 14. Mai.* Ich ging jeden Tag zum Wrack und holte mir eine Menge Spanten, Bretter und Planken sowie zwei, drei Zentner Eisen.

*15. Mai.* Ich nahm zwei Beile mit, um zu sehen, ob ich nicht ein Stück von der Bleirolle abhacken konnte, indem ich die Schneide eines Beils aufsetzte und sie mit dem anderen hineintrieb; da die Rolle aber etwa anderthalb Fuß tief im Wasser lag, konnte ich keinen Schlag zum Hineintreiben des Beils anbringen.

*16. Mai.* Die ganze Nacht über hatte ein kräftiger Wind geweht, und das Wrack schien durch die Gewalt des Wassers noch weiter auseinandergeborsten zu sein; da ich jedoch lange im Wald blieb, um mir zum Essen Tauben zu jagen, hinderte mich die Flut an diesem Tag daran, zum Wrack zu gehen.

*17. Mai.* Ich erblickte in großer Entfernung, etwa zwei Meilen weit weg, einige auf den Strand getriebene Trümmer vom Wrack; ich beschloss nachzusehen und erkannte ein Stück vom Bug, das aber zu schwer für mich war, um es fortzuschaffen.

*24. Mai.* Arbeitete bis heute täglich auf dem Wrack und lockerte mit dem Stemmeisen mühsam einiges so weit, dass die erste starke Flut mehrere Fässer und zwei Seemannskisten herausschwemmte; da der Wind aber vom Ufer her wehte, schwamm an diesem Tag nichts an Land, außer einigen Stücken Holz und einem Oxhoft mit brasilianischem Schweinefleisch, das Salzwasser und Sand jedoch verdorben hatten.

Ich setzte diese Tätigkeit bis zum 15. Juni Tag für Tag fort und nahm mir nur Zeit für die notwendige Nahrungsbeschaffung, die ich während dieses Arbeitsabschnitts immer auf die Flut festlegte, damit ich bei einsetzender Ebbe bereit war; inzwischen hatte ich Spanten, Planken und Eisenzeug genug für ein gutes Boot, wenn ich nur gewusst hätte, wie man es baut; nach und nach holte ich mir auch stückweise fast einen Zentner von dem Bleiblech.

*16. Juni.* Als ich zum Meer hinunterging, fand ich eine große Schildkröte; es war die erste, die ich sah, aber das lag weder am Ort noch an ihrer Seltenheit, sondern anscheinend nur an meinem Missgeschick, denn wie ich später feststellte, hätte ich täglich Hunderte haben können, wenn ich mich zufällig auf der anderen Seite der Insel befunden hätte; vielleicht wären sie mir aber teuer zu stehen gekommen.

*17. Juni.* Verbrachte den ganzen Tag damit, die Schildkröte zu kochen; sie hatte ein Schock Eier im Leib, und ihr Fleisch war für mich damals das angenehmste und schmackhafteste, das ich je im Leben genossen hatte, denn seit ich auf dieser scheußlichen Insel gestrandet war, hatte ich nichts weiter als Ziegen- und Geflügelfleisch gegessen.

*18. Juni.* Es regnete den ganzen Tag, und ich blieb drinnen. Mir kam es vor, als sei der Regen diesmal kalt, und ich fröstelte, was in dem Klima ungewöhnlich war, wie ich wusste.

*19. Juni.* Sehr krank, Schüttelfrost, als sei es draußen kalt.

*20. Juni.* Die ganze Nacht über keine Ruhe gehabt; heftige Kopfschmerzen, Fieber.

*21. Juni.* Sehr krank, fast zu Tode geängstigt vor Besorgnis über meinen schlimmen Zustand, krank zu sein und keine Hilfe zu haben; zum ersten Mal seit dem Sturm bei Hull betete ich zu Gott, wusste aber kaum, was ich sagte, und auch nicht, warum ich es tat, denn meine Gedanken waren völlig wirr.

*22. Juni.* Etwas besser, aber furchtbare Angst vor der Krankheit.

*23. Juni.* Wieder sehr schlecht, Kältegefühl und Schüttelfrost, dazu heftige Kopfschmerzen.

*24. Juni.* Viel besser.

*25. Juni.* Sehr heftiges Fieber, der Anfall dauerte sieben Stunden, mir war abwechselnd kalt und heiß, danach Mattigkeit mit Schweißausbrüchen.

*26. Juni.* Besser, und da ich nichts zu essen hatte, nahm ich mein Gewehr, merkte aber, dass ich sehr schwach war; ich tötete jedoch eine Ziege und brachte sie unter großer Mühe nach Hause, briet mir ein Stück auf dem Rost und aß es. Lieber hätte ich es gekocht und eine Brühe gemacht, aber ich hatte keinen Topf.

*27. Juni.* Wieder so heftigen Fieberanfall, dass ich den ganzen Tag im Bett lag und weder aß noch trank. Ich starb fast vor Durst, war aber so elend, dass mir die Kraft fehlte, aufzustehen und mir Trinkwasser zu holen; ich betete von neuem zu Gott, mir war jedoch schwindelig, und wenn dies nachließ, fand ich in meiner Unwissenheit keine angemessenen Worte, ich lag nur da und rief: »Herr, sieh herab auf mich, Herr, sei mir gnädig! Herr, erbarme dich meiner!« Ich glaube, ich tat zwei, drei Stunden lang – bis zum Nachlassen des Anfalls – nichts anderes; dann schlief ich ein und erwachte erst spät in der Nacht wieder; als ich zu mir kam, fühlte ich mich sehr erholt, war aber schwach und hatte großen Durst. Da ich jedoch in meiner ganzen Wohnung kein Wasser hatte, musste ich bis zum Morgen daliegen und schlief wieder ein; während dieses zweiten Schlafs hatte ich folgenden schrecklichen Traum:

Ich glaubte, ich säße außerhalb meines Walls auf der Erde, dort, wo ich während des Sturms nach dem Erdbeben gesessen hatte, und sähe aus einer großen, schwarzen Wolke einen Mann in einem hellen Feuerschein herabkommen und auf dem Boden landen. Er war über und über so hell wie eine Flamme, so dass ich es kaum ertragen konnte, zu ihm hinzusehen. Sein Antlitz war unaussprechlich furchterregend, mit Worten nicht zu beschreiben; als seine Füße den Boden betraten, dachte ich, die Erde erzittere, so wie sie es zuvor während des Erdbebens getan hatte, und zu meinem Entsetzen schien die ganze Luft mit feurigen Blitzen erfüllt zu sein.

Kaum war er unten angelangt, als er auf mich zutrat; er trug einen langen Speer oder eine ähnliche Waffe in der Hand, um mich zu töten, und als er in einiger Entfernung auf eine Bodenerhöhung gekommen war, sprach er zu mir, denn ich hörte eine so schreckliche Stimme, dass sich ihre Schrecklichkeit gar nicht beschreiben lässt. Ich verstand weiter nichts als nur dies: »Da ich sehe, dass dich alle diese Dinge nicht zur Reue bewogen haben, sollst du nun sterben!« Und mir schien, er hebe bei diesen Worten den Speer in seiner Hand, um mich zu töten.

Keiner, der jemals diesen Bericht liest, wird von mir erwarten, dass ich das Grauen beschreibe, welches ich bei dieser furchtbaren Vision in tiefster Seele empfand; denn obwohl es nur ein Traum war, so träumte ich doch von diesem Grauen – und auch den Eindruck, den es in meinem Gemüt hinterließ, als ich erwachte und feststellte, dass es nur ein Traum gewesen war, vermag ich nicht zu schildern.

Leider hatte ich keinerlei Religion; das, was ich von den guten Unterweisungen meines Vaters mitbekommen hatte, war damals schon durch ein acht Jahre währendes gottloses Seefahrerleben und den ständigen Umgang mit ebensolchen gottlosen und sündhaften Menschen, wie ich einer war, verblasst. Ich erinnere mich keines einzigen Gedankens in dieser ganzen Zeit, der sich auch nur im entferntesten empor zu Gott oder aber nach innen gerichtet hätte zu einer Betrachtung meiner Lebensweise; vielmehr hatte mich ganz und gar eine gewisse Stumpfheit der Seele überkommen, ohne irgendein Verlangen nach dem Guten und ohne jedes Bewusstsein des Bösen, und ich war ein so verstockter, gedankenloser und sündhafter Mensch, wie man ihn sich unter unseren gewöhnlichen Matrosen nur vorstellen kann; weder empfand ich bei Gefahr das geringste Gefühl der Gottesfurcht noch bei der Rettung das der Dankbarkeit gegenüber Gott.

Dies wird um so glaubhafter, wenn ich dem bisherigen Teil meiner Geschichte noch hinzufüge, dass mir bei all den verschiedenen Arten des Unheils, die mir bis zu diesem Tag zustießen, niemals auch nur der Gedanke kam, es geschehe durch Gottes Wille oder es sei eine gerechte Strafe für die Sünde meines Aufbegehrens gegen meinen Vater oder für meine gegenwärtigen großen Sünden oder aber eine Bestrafung für mein gesamtes gottloses Leben. Als ich mich auf der verzweifelten Fahrt entlang der öden Küste Afrikas befand, dachte ich nicht ein einziges Mal daran, was aus mir werden sollte, und bei keiner Gelegenheit erwachte in mir der Wunsch, Gott möge mich auf meinem Weg leiten und mich vor den Gefahren, die mich sichtlich umgaben, behüten, nämlich vor raubgierigen Tieren und auch vor grausamen Wilden; es stellte sich jedoch keinerlei Gedanke an Gott oder die Vorsehung bei mir ein, und wie ein unvernünftiges Tier handelte ich einfach nach dem Trieb der Natur und dem Gebot des gesunden Menschenverstandes, und kaum das.

Als mich der portugiesische Kaufmann auf hoher See rettete und sich mir gegenüber so rechtschaffen, ehrenhaft und auch wohltätig verhielt, kam mir überhaupt nicht in den Sinn, Gott dafür dankbar zu sein, und als ich erneut schiffbrüchig, zugrunde gerichtet und in Gefahr war, vor dieser Insel zu ertrinken, war ich ebenso weit entfernt davon, Reue zu empfinden oder es als ein Gottesurteil anzusehen; ich sagte mir nur häufig, ich sei ein armer Hund und zu dauerndem Pech geboren.

Freilich, als ich damals hier an Land kam und feststellte, dass meine gesamte Schiffsmannschaft ertrunken und nur ich verschont geblieben war, erfasste mich eine Art Ekstase, eine Verzückung der Seele, die vielleicht, hätte die Gnade Gottes mir beigestanden, zu echter Dankbarkeit geworden wäre, aber es endete wie immer in einem gewöhnlichen Freudenausbruch oder vielmehr damit, dass ich froh war, am Leben zu sein, ohne auch nur im geringsten über die mich auszeichnende Güte jener Macht nachzudenken, die mich auserwählt hatte, um mich zu erhalten, während alle übrigen untergingen, und ohne mir die Frage zu stellen, weshalb sich die Vorsehung mir gegenüber so barmherzig gezeigt hatte. Es war einfach nur die ganz gewöhnliche Freude, welche die Seeleute, wenn sie nach einem Schiffbruch glücklich an Land gelangt sind, im Allgemeinen empfinden, die sie ganz und gar in der nächsten Schale Punsch ertränken und hinterher fast sogleich vergessen; diesem entsprach mein gesamtes übriges Leben.

Sobald ich nur eine Möglichkeit des Überlebens sah und nicht verhungern und umkommen musste, verging das Gefühl der Niedergeschlagenheit, sogar dann, als ich nach gebührendem Nachdenken erkannte, dass ich an diesen furchtbaren Ort verschlagen war, unerreichbar weit von allen Menschen, ohne jede Hoffnung auf Befreiung und ohne jede Aussicht auf Erlösung. Auch da begann ich wieder ganz unbesorgt zu sein, widmete mich gänzlich der für mein Leben und meinen Unterhalt notwendigen Arbeit und war weit davon entfernt, mich damit zu quälen, dass meine Lage durch ein Gericht des Himmels oder den Willen Gottes gegen mich verhängt sei – dies waren Gedanken, die mir nur selten in den Sinn kamen.

Das Sprießen des Getreides hatte zunächst, wie ich schon in meinem Tagebuch andeutete, einigen Einfluss auf mich und begann ernste Gedanken in mir zu wecken, solange ich glaubte, ein Wunder sei damit verbunden; sobald aber dieser Gedanke wieder vergangen war, verflog auch – wie bereits erwähnt – der Eindruck, den es bei mir hinterlassen hatte.

Selbst mit dem Erdbeben war es so – obgleich nichts furchtbarer in seiner Art sein kann oder unmittelbarer auf die unsichtbare Macht, die allein solche Dinge lenkt, hinzuweisen vermag; kaum war der erste Schreck vorüber, als auch der Eindruck, den es auf mich gemacht hatte, anfing zu verblassen. Ich glaubte kaum mehr an Gott oder sein Gericht und viel weniger noch an die Tatsache, dass meine gegenwärtige traurige Lage durch ihn herbeigeführt war, als wenn ich mich in den günstigsten Lebensumständen befunden hätte.

Jetzt aber, wo ich krank geworden war und in aller Ruhe das Bild des Todes vor mir erschien, als mein Mut unter der Last einer schweren Krankheit sank und die Natur unter der Heftigkeit des Fiebers erschöpft war, begann das Gewissen, das so lange geschlafen hatte, zu erwachen, und ich fing an, mir Vorwürfe zu machen über mein bisheriges Leben, in dem ich so offensichtlich durch außergewöhnliche Sündhaftigkeit die Gerechtigkeit Gottes herausgefordert hatte, mich durch außergewöhnliche Schläge niederzustrecken und in so nachtragender Weise mit mir zu verfahren.

Diese Überlegungen bedrückten mich vom zweiten oder dritten Tag meiner Krankheit an, und infolge der Heftigkeit des Fiebers und der schrecklichen Vorwürfe meines Gewissens rangen sie mir einige Worte ab, die einem Gebet zu Gott ähnelten, obgleich ich sie nicht für ein Gebet mit seinen Wünschen und Hoffnungen hielt; viel eher war es einfach nur die Stimme der Furcht und der Bedrängnis; meine Gedanken waren wirr, mein Schuldbewusstsein lag mir schwer auf der Seele, und das Grauen davor, unter so elenden Umständen zu sterben, machte mich melancholisch bei der bloßen Vorstellung; angesichts dieses Aufruhrs in meinem Gemüt wusste ich nicht, was meine Zunge sprach, aber es waren eher Ausrufe wie: »Herr, was bin ich doch für ein jammervolles Geschöpf! Wenn ich krank werde, sterbe ich ganz gewiss aus Mangel an Beistand, und was soll nur aus mir werden!« Dann strömten mir die Tränen aus den Augen, und eine ganze Weile vermochte ich nichts mehr zu sagen.

Während dieser Pause fielen mir die guten Ratschläge meines Vaters ein und gleich darauf auch seine Voraussage, die ich am Anfang dieser Geschichte erwähnt habe, nämlich, Gott würde mich nicht segnen, wenn ich diesen törichten Schritt täte, und ich würde später – wenn niemand da wäre, der mir helfen könnte, wieder auf die Beine zu kommen – Muße genug haben, darüber nachzudenken, dass ich seinen Rat in den Wind geschlagen hatte. »Jetzt haben sich die Worte meines lieben Vaters erfüllt«, so sagte ich laut, »Gottes Gerechtigkeit hat mich erreicht, und nun ist niemand da, der mir helfen oder mich hören kann; ich habe den Wink der Vorsehung, die mich auf so barmherzige Weise in eine Lage oder einen Lebensstand versetzt hatte, in dem ich glücklich und unbeschwert hätte sein können, absichtlich nicht beachtet und wollte auch von meinen Eltern nicht die Lehre annehmen, was für ein Segen dieser war. Trauernd über meine Torheit habe ich sie zurückgelassen, und jetzt ist es an mir, über die Folgen zu trauern; ich habe ihre Hilfe und ihren Beistand verschmäht, der mir in der Welt hätte voranhelfen können und mir alles leicht gemacht hätte, und jetzt muss ich gegen Schwierigkeiten ankämpfen, die selbst die Natur nicht zu überwinden vermag, und das ohne Beistand, ohne Hilfe, Trost und Rat.« Da rief ich: »Herr, sei meine Hilfe, denn ich bin in großer Not!«

Dies war das erste Gebet, wenn ich es so nennen kann, das ich seit Jahren gesprochen hatte. Aber zurück zu meinem Tagebuch.

*28. Juni.* Nachdem mich der Schlaf etwas erquickt hatte und der Anfall gänzlich vorüber war, stand ich auf; trotz der Furcht und des Entsetzens über meinen Traum überlegte ich mir doch, dass die Krankheit am nächsten Tag wiederkehren könne und es jetzt für mich an der Zeit sei, einiges zu meiner Erfrischung und Stärkung für einen möglichen neuen Anfall zu holen. Als erstes füllte ich eine große Korbflasche mit Wasser und stellte sie auf meinen Tisch, so dass ich sie vom Bett aus erreichen konnte; damit das Wasser seine Kälte oder seine Wirkung, Schüttelfrost zu erregen, verlor, tat ich ungefähr einen Achtelliter Rum hinein und mischte beides; dann holte ich mir ein Stück Ziegenfleisch und röstete es auf den Kohlen, vermochte jedoch nur wenig davon zu essen. Ich ging umher, war aber äußerst schwach und dazu sehr traurig und niedergedrückt durch das Bewusstsein meiner elenden Lage, denn ich fürchtete, dass meine Krankheit am nächsten Tag wiederkehren werde; abends machte ich mir eine Mahlzeit aus drei Schildkröteneiern, die ich in der Asche buk und sozusagen aus der Schale aß; dies war das erste von mir verzehrte bisschen Speise, bei dem ich, soweit ich zurückdenken konnte, jemals um Gottes Segen gebeten hatte.

Nachdem ich gegessen hatte, versuchte ich spazierenzugehen, aber ich fühlte mich so schwach, dass ich kaum meine Flinte tragen konnte (denn ich ging niemals ohne sie aus); daher entfernte ich mich nicht weit, setzte mich auf die Erde und blickte auf das vor mir liegende Meer, das sehr ruhig und glatt war. Während ich so dasaß, kamen mir folgende Gedanken:

Was sind denn Erde und Meer, wovon ich so viel gesehen habe? Wo liegt ihr Ursprung? Und wo kommen ich und alle die anderen Geschöpfe her, die wilden und die zahmen, die Menschen und die Tiere – wer sind wir? Gewiss entstammen wir alle irgendeiner geheimen Macht, welche die Erde und das Meer, die Luft und den Himmel geschaffen hat – und wer ist das?

Nun folgte ganz natürlich: Das alles hat Gott geschaffen. Ja, aber dann stellte sich ein seltsamer Gedanke ein: Wenn Gott alle diese Dinge geschaffen hat, dann lenkt und regiert er sie auch und beherrscht alles, was sie betrifft, denn das Wesen, das alles zu erschaffen vermochte, muss gewiss auch die Macht haben, es zu lenken und zu führen.

Wenn dem so ist, dann kann im großen Umkreis seiner Werke nichts ohne sein Wissen oder gegen seinen Willen geschehen.

Und wenn nichts ohne sein Wissen geschieht, dann weiß er auch, dass ich mich hier befinde und dass ich in einer schrecklichen Lage bin, und wenn nichts ohne seinen Willen geschieht, dann hat er gewollt, dass mir dies zustößt.

Nichts schien mir gegen diese Schlussfolgerungen zu sprechen, und deshalb durchdrang mich mit um so größerer Gewalt der Gedanke, Gott habe mir all dies absichtlich zugedacht und ich sei durch seine Fügung in diesen elenden Zustand geraten, da er ja nicht nur über mich, sondern auch über alles, was auf der Welt geschah, Macht besaß. Daraus folgte sogleich:

Warum hat mir Gott das angetan? Was habe ich verbrochen, dass er so mit mir verfährt?

Mein Gewissen verbot mir sogleich, diese Frage zu stellen, als habe ich eine Gotteslästerung begangen, und mir schien, es spreche zu mir, als habe es eine Stimme: Elender! Du fragst noch, was du verbrochen hast? Blick doch zurück auf ein entsetzlich vertanes Leben und frage dich: ›Was hast du denn nicht verbrochen? Frage dich doch, warum du nicht längst ausgelöscht wurdest? Warum bist du nicht in der Reede von Yarmouth ertrunken? Warum nicht im Kampf getötet worden, als der Freibeuter aus Salé das Schiff eroberte? Warum haben dich nicht die wilden Tiere an der Küste Afrikas verschlungen? Warum bist du nicht hier ertrunken, als außer dir die gesamte Mannschaft umkam? Und du fragst noch: Was habe ich verbrochen?‹

Bei diesen Überlegungen verschlug es mir vor Überraschung die Sprache, und ich fand nicht ein einziges Wort der Erwiderung für mich selbst; ich erhob mich vielmehr gedankenvoll und traurig, schritt zu meiner Unterkunft zurück und stieg über meinen Wall, als ob ich zu Bett gehen wollte. In meinen Gedanken herrschte aber ein schlimmes Durcheinander, und ich hatte keine Lust zu schlafen; ich setzte mich auf meinen Stuhl und zündete die Lampe an, denn es begann zu dunkeln. Jetzt, da mich die Befürchtung, die Krankheit werde wiederkehren, in große Angst versetzte, fiel mir ein, dass die Brasilianer gegen fast alle Krankheiten keine anderen Medikamente einnehmen als nur Tabak, und in einer der Kisten hatte ich ein Stück von einer Tabakrolle, die fertig gebeizt war, sowie auch grünen, noch nicht fertig gebeizten Tabak.

Ich ging hin, und ohne Zweifel lenkte mich der Himmel, denn ich fand Heilung für beides, für Seele und Körper; als ich die Kiste öffnete, sah ich das Gesuchte, nämlich den Tabak; da auch die paar Bücher, die ich gerettet hatte, darin lagen, nahm ich eine der zuvor erwähnten Bibeln heraus, in die hineinzublicken ich bisher weder Muße noch Lust gehabt hatte. Ich nahm diese Sachen also an mich und brachte sie zum Tisch.

Wie ich den Tabak gegen meine Krankheit anwenden sollte, wusste ich nicht und auch nicht, ob er mir helfen würde. Ich machte verschiedene Versuche damit, als sei ich entschlossen, auf diese oder jene Weise mein Ziel zu erreichen. Zuerst nahm ich das Stück eines Blattes in den Mund und kaute es, was mich tatsächlich zunächst fast taumelig machte, denn der Tabak war grün und stark, und ich war nicht sehr daran gewöhnt; danach nahm ich ein Stück, weichte es etwa zwei Stunden lang in Rum ein und beschloss, davon eine Dosis einzunehmen, bevor ich mich hinlegte; schließlich verbrannte ich ein wenig Tabak in einer Kohlenpfanne und hielt meine Nase dicht über den Rauch, solange ich ihn und die Hitze nur aushalten konnte, bis ich fast erstickte. – Zwischen diesen Tätigkeiten nahm ich die Bibel und begann zu lesen; mir schwindelte aber von dem Tabak der Kopf zu sehr, als dass ich fähig gewesen wäre zu lesen, zumindest nicht in diesem Augenblick. Als ich jedoch das Buch aufs Geratewohl aufgeschlagen hatte, fiel mein Blick als erstes auf folgende Zeilen: ›Rufe mich an in der Not, so will ich dich erretten, und du sollst mich preisen.‹

Diese Worte passten sehr gut auf meinen Fall und beeindruckten mich beim Lesen tief – später freilich noch tiefer, denn was das ›Erretten‹ betraf, so war das Wort sozusagen klanglos für mich – die Sache lag in so weiter Ferne und war nach meiner Beurteilung der Lage so unmöglich, dass ich wie die Kinder Israels, als sie das Versprechen erhielten, sie würden Fleisch zu essen haben, zu fragen begann: ›Kann Gott mitten in der Wüste den Tisch decken?‹ und ›Kann selbst Gott mich von diesem Ort erretten?‹ Da sich erst nach vielen Jahren eine Hoffnung zeigte, beherrschte mich dieser Gedanke lange Zeit; die Worte beeindruckten mich jedoch stark, und ich dachte sehr häufig über sie nach.

Es wurde allmählich spät, und der Tabak hatte meinen Kopf so benebelt, dass ich das Bedürfnis empfand zu schlafen; ich ließ also meine Lampe in der Höhle brennen, für den Fall, dass ich nachts irgendetwas brauchte, und ging zu Bett. Vorher aber tat ich, was ich in meinem ganzen Leben noch nicht getan hatte: Ich kniete nieder und betete zu Gott, er möge das mir gegebene Versprechen erfüllen und mich, wenn ich ihn in der Not anriefe, erretten. Nachdem mein gestammeltes und unvollkommenes Gebet beendet war, trank ich den Rum, in dem ich den Tabak eingeweicht hatte, und er schmeckte so stark nach diesem und so scharf, dass ich ihn kaum hinunterbekommen konnte. Ich ging sogleich zu Bett und fühlte bald danach, wie er mir mächtig in den Kopf stieg; ich fiel aber in einen tiefen Schlaf und wachte erst auf, als es nach dem Stand der Sonne schon bald drei Uhr nachmittags des nächsten Tages sein musste – nein, ich bin sogar bis zur Stunde fast davon überzeugt, dass ich den ganzen Tag und die folgende Nacht bis beinahe drei Uhr des übernächsten Tages durchschlief, denn sonst wüsste ich nicht, weshalb mir aus meiner Berechnung der Tage und Wochen ein Tag abhanden gekommen ist, wie sich einige Jahre später herausstellte; wäre er nämlich deshalb abhanden gekommen, weil ich den Äquator überquerte und wieder zurückfuhr, dann hätte mir mehr als nur ein Tag gefehlt – aus meiner

Berechnung aber war er verschwunden, und ich habe nie ausfindig gemacht, auf welche Weise.

Wie dem aber auch sein mochte – beim Erwachen fühlte ich mich außerordentlich erquickt, und meine Stimmung war froh und munter; als ich aufstand, stellte ich fest, dass ich kräftiger war als am Tage zuvor, und meinem Magen ging es besser, denn ich war hungrig – kurz, ich hatte am nächsten Tag keinen Anfall, sondern fühlte mich sehr viel wohler. Das war am 29.

Am 30. hatte ich auch einen guten Tag und ging mit der Flinte aus, ohne mich aber weit zu entfernen. Ich schoss ein paar Seevögel, eine Art Wildgänse, und brachte sie heim, hatte aber keinen großen Appetit auf sie; so aß ich noch ein paar von den Schildkröteneiern, die sehr gut schmeckten. Am Abend nahm ich wieder die Medizin ein, von der ich glaubte, dass sie mir am Tage zuvor gutgetan hatte, nämlich den in Rum eingeweichten Tabak – nur trank ich nicht so viel davon wie das letzte Mal, kaute auch kein Blatt und hielt den Kopf nicht über den Rauch; am nächsten Tag, dem 1. Juli, fühlte ich mich jedoch nicht so wohl, wie ich gehofft hatte und wie ich mich hätte fühlen sollen, denn ich hatte einen kleinen Rückfall mit Schüttelfrost, aber keinen schlimmen.

*2. Juli.* Ich wandte die Medizin wieder auf alle drei Arten an, nahm sie zuerst ein und verdoppelte die Menge, die ich trank.

*3. Juli.* Ich blieb nun endgültig ohne Anfall, kam aber erst nach einigen Wochen wieder ganz zu Kräften. Während ich mich so erholte, beschäftigten sich meine Gedanken sehr mit dem Bibelspruch ›... will ich dich erretten‹, und die Unmöglichkeit meiner Rettung bedrückte stark meine Sinne, die sich dagegen sträubten, diese je zu erhoffen; während ich mich aber mit solchen Gedanken entmutigte und so viel über meine Rettung aus der Hauptnot nachgrübelte, merkte ich, dass ich darüber die Rettung, die mir zuteil geworden war, ganz übersah; das zwang mich gewissermaßen, mir Fragen wie die folgenden zu stellen: War ich nicht von der Krankheit errettet worden, und das auf wunderbare Weise? War ich nicht aus der schlimmsten Lage errettet worden, die es nur geben konnte und die mich so geängstigt hatte? Und wie nahm ich es zur Kenntnis? Tat ich mein Teil? Gott hatte mich errettet, ich aber hatte ihn nicht gepriesen, das heißt, ich hatte es nicht als Rettung anerkannt und war nicht dankbar dafür gewesen – wie konnte ich da eine größere Rettung erhoffen?

Dies ging mir sehr zu Herzen; sogleich kniete ich nieder und dankte Gott laut für die Genesung von meiner Krankheit.

*4. Juli.* Am Morgen nahm ich die Bibel zur Hand, begann beim Neuen Testament und fing an, ernsthaft darin zu lesen. Ich erlegte mir auf, jeden Morgen und jeden Abend eine Weile zu lesen, ohne mich an eine bestimmte Anzahl von Kapiteln zu binden, sondern nur so lange, wie meine Gedanken bei der Sache waren. Nachdem ich mich entschlossen an diese Arbeit gemacht hatte, bedrückte bald die Sündhaftigkeit meines vergangenen Lebens mein Herz tiefer und aufrichtiger; das Bild meines Traumes wurde wieder lebendig, und die Worte: ›Alle diese Dinge haben dich nicht zur Reue bewogen!‹ gingen mir von neuem durch den Kopf. Ich flehte Gott ernsthaft an, er möge mir Reue verleihen, da stieß ich durch die Fügung der Vorsehung noch am selben Tag beim Lesen der Heiligen Schrift auf die Worte: ›Den hat Gott durch seine rechte Hand erhöht zu einem Fürsten und Heiland, zu geben Reue und Vergebung der Sünden.‹ Ich warf das Buch hin, erhob nicht nur meine Hände, sondern auch mein Herz in freudiger Ekstase zum Himmel und rief laut: »Jesus, du Sohn Davids, Jesus, der du zum Fürsten und Heiland erhöht wurdest, verleih mir Reue!«

Dies war das erste Mal in meinem Leben, dass ich im wahren Sinne des Wortes sagen konnte, ich hätte gebetet, denn jetzt betete ich im Bewusstsein meiner Lage und mit wahrer, der Bibel entsprechender Aussicht auf Hoffnung, die auf dem Trost durch Gottes Wort beruhte, und von da an, so kann ich feststellen, begann ich zu hoffen, Gott werde mich erhören.

Jetzt fing ich an, die oben erwähnten Worte ›Rufe mich an, und ich will dich erretten‹ in einem anderen Sinne auszulegen als je zuvor, bis dahin hatte ich nämlich unter Errettung nichts anderes verstanden als die Errettung aus meiner Gefangenschaft, denn obgleich ich auf der Insel zwar auf freiem Fuß lebte, war doch der Ort ganz gewiss für mich ein Gefängnis, und das im allerschlimmsten Sinne. Nun aber lernte ich das Wort in einer anderen Bedeutung aufzufassen. Ich blickte jetzt mit solchem Abscheu auf mein vergangenes Leben zurück, und meine Sünden erschienen mir so furchtbar, dass meine Seele weiter nichts von Gott zu erhalten wünschte als die Errettung von der Last der Schuld, die mich niederdrückte und die mir alle Ruhe raubte. Was die Einsamkeit meines Lebens betraf, so war diese belanglos, ich betete nicht einmal darum, von ihr befreit zu werden, und dachte auch nicht daran – sie war von keinerlei Wichtigkeit im Vergleich zu dem anderen; und ich füge diesen Teil hier hinzu, um dem Leser folgendes anzudeuten –: Wenn man dahin gelangt, die Dinge wirklich zu begreifen, dann findet man, dass die Errettung aus der Sünde ein viel größerer Segen ist als die Errettung aus der Not.

Aber ich lasse das jetzt und kehre zu meinem Tagebuch zurück. Meine Lage begann nun trotz meiner nicht weniger armseligen Lebensweise doch für mein Gemüt leichter erträglich zu werden, und weil meine Gedanken durch ständiges Lesen der Heiligen Schrift und durch Gebete zu Gott auf Höheres gelenkt wurden, empfand ich innerlich großen Trost, der mir bisher unbekannt gewesen war; als nun meine Gesundheit und meine Kraft wiederkehrten, regte ich mich, um mich mit allem, was ich brauchte, zu versorgen und um mein Leben so geordnet wie nur möglich zu gestalten.

Vom 4. bis zum 14. Juli war ich hauptsächlich damit beschäftigt, mit der Flinte in der Hand spazierenzugehen – immer nur ein kurzes Stück, wie es ein Mensch tut, der nach ausgestandener Krankheit wieder Kräfte sammelt, denn es ist kaum vorstellbar, wie mitgenommen und schwach ich war. Die von mir angewandte Medizin war völlig neu und hatte vielleicht noch niemals zuvor eine Krankheit geheilt, ich kann auch niemandem empfehlen, mein Experiment zu wiederholen, und obwohl sie die Anfälle vertrieb, trug sie doch zu meiner Schwäche bei, denn ich hatte noch eine Zeitlang häufig Nerven- und Gliederkrämpfe.

Ich lernte daraus vor allem, dass es äußerst schädlich für meine Gesundheit war, mich in der Regenzeit im Freien aufzuhalten, besonders, wenn der Regen mit Sturm und Orkan auftrat, denn da er in der Trockenzeit fast immer von solchen Stürmen begleitet wurde, stellte ich fest, dass er viel gefährlicher war als der Niederschlag im September und Oktober.

Ich befand mich jetzt schon seit über zehn Monaten auf dieser unglückseligen Insel: jede Möglichkeit einer Befreiung aus meiner

Lage schien ausgeschlossen zu sein, und ich glaubte, dass kein menschliches Geschöpf jemals den Fuß hierhergesetzt hatte. Da ich nun meine Wohnung meines Erachtens völlig gesichert hatte, empfand ich großes Verlangen, die Insel besser zu erforschen und zu sehen, was sie sonst noch alles hervorbrachte, wovon ich bisher nichts wusste.

Am 15. Juli war es, als ich begann, die Insel näher zu besichtigen. Ich ging zuerst an dem Wasserlauf hinauf, wo ich, wie bereits erwähnt, meine Flöße an Land gebracht hatte. Nachdem ich etwa zwei Meilen aufwärts gegangen war, stellte ich fest, dass die Flut nicht mehr hinaufstieg und der Wasserlauf nichts weiter als ein Bächlein war, sehr frisch und klar, aber jetzt zur Trockenzeit floss stellenweise kaum noch Wasser, zumindest nicht so viel, dass es irgendwelche Strömung gab, die ich hätte bemerken können.

An den Ufern dieses Bachs fand ich viele liebliche Savannen oder Wiesen, die glatt, eben und dicht mit Gras bewachsen waren; weiter oben, wo der Boden höher lag und vermutlich niemals vom Wasser überflutet wurde, fand ich eine Menge Tabakpflanzen – grün und mit hohen, sehr starkwüchsigen Stängeln; es gab auch noch verschiedene andere Pflanzen, von denen ich nicht wusste, wozu sie gut sein mochten – vielleicht hatten sie ihre Tugenden, die ich nicht feststellen konnte.

Ich suchte nach der Kassawawurzel, aus der die Indianer in diesen gesamten Breiten ihr Brot bereiten, konnte jedoch keine finden. Ich sah große Aloepflanzen, kannte sie aber damals nicht. Ich sah mehrere Zuckerrohrpflanzen, jedoch wild und unvollkommen, da sie nicht veredelt waren. Für diesmal begnügte ich mich mit meinen Entdeckungen, und auf dem Heimweg grübelte ich darüber nach, was ich wohl unternehmen könnte, um die guten Eigenschaften und Vorteile der Früchte und Pflanzen kennenzulernen, die ich noch entdecken mochte, kam aber zu keinem Schluss, denn, um es kurz zu sagen, ich hatte während meines Aufenthalts in Brasilien so wenig beobachtet, dass ich nicht viel über die Pflanzen des Feldes wusste, zumindest nicht so viel, dass es mir jetzt in meiner Not irgendwie nutzen konnte.

Am nächsten Tag, dem 16., ging ich wieder denselben Weg hinauf, und nachdem ich etwas weiter als am Tage zuvor gewandert war, merkte ich, dass der Bach und die Savannen endeten und die Gegend waldiger wurde. Hier fand ich verschiedene Früchte, besonders Melonen am Boden im Überfluss und Weintrauben auf den Bäumen. Die Trauben waren eben in voller Reife, saftig und köstlich. Das war eine überraschende Entdeckung, und ich war sehr froh darüber; meine Erfahrung aber mahnte mich, nur mäßig davon zu essen, denn ich erinnerte mich, dass in der Berberei mehrere von unseren Engländern, die dort als Sklaven lebten, durch das Essen von Trauben starben, weil sie Durchfall und Fieber davon bekommen hatten. Ich fand jedoch eine ausgezeichnete Verwendung für diese Trauben, und zwar sie in der Sonne zu trocknen oder zu dörren und sie dann als Rosinen aufzubewahren, denn ich glaubte, und es erwies sich auch, dass sie gesund und schmackhaft wären, wenn es keine Weintrauben mehr gab.

Ich verbrachte den ganzen Abend dort und kehrte nicht zu meiner Wohnung zurück, und das war, nebenbei gesagt, die erste Nacht, in der ich nicht zu Hause schlief, wenn ich es so nennen kann.

In dieser Nacht nahm ich Zuflucht zu meinem Anfangsmanöver und stieg auf einen Baum, wo ich gut schlief; am nächsten Morgen setzte ich meine Entdeckungsreise fort und wanderte beinah vier Meilen weit, nach der Länge des Tales zu urteilen. Ich hielt mich noch immer genau nach Norden, südlich sowie nördlich von mir lag je eine Hügelkette.

Am Ende dieses Marsches kam ich zu einer Lichtung, wo das Land gegen Westen hin abzufallen schien, und eine kleine Quelle mit frischem Wasser, die aus dem Hügel neben mir entsprang, floss in entgegengesetzter Richtung, also genau nach Osten, und die Gegend erschien so frisch, so grün, so üppig, alles in ständigem Sprießen und Frühlingsblühen, dass es aussah wie ein von Menschen angelegter Garten.

Ich stieg ein Stück in das liebliche Tal hinab und betrachtete es mit geheimem Vergnügen (in das sich jedoch andere, betrübende Gedanken mischten), als ich überlegte, dass all das mir gehörte, dass ich der unanfechtbare König und Herr über das gesamte Land war und das Recht auf seinen Besitz hatte, und wäre es mir möglich gewesen, es fortzuschaffen, dann hätte ich es als Erbgut haben können, so uneingeschränkt wie nur irgendein Grundherr eines herrschaftlichen Guts in England. Ich sah im Überfluss Kakao-, Apfelsinen-, Limetten- und Zitronenbäume, aber alle wild, und nur wenige trugen Früchte, zumindest jetzt nicht; die grünen Limetten jedoch, die ich sammelte, waren nicht nur sehr angenehm zu essen, sondern auch sehr gesund, und ich mischte später ihren Saft mit Wasser, was ihn sehr bekömmlich, kühl und erfrischend machte.

Ich fand jetzt, ich hätte genügend einzusammeln und heimzutragen, und ich beschloss, mir einen Vorrat anzulegen, sowohl von Trauben als auch von Limetten und Zitronen, um mich für die Regenzeit zu versorgen, die, wie ich wusste, nahe bevorstand.

Zu diesem Zweck sammelte ich an einer Stelle einen großen Berg Trauben, an einer anderen einen weniger großen und an einem dritten Ort eine beträchtliche Menge Limetten und Zitronen, nahm von allem einiges mit mir und begab mich auf den Heimweg, entschlossen, wiederzukommen und eine Tasche oder einen Sack mitzubringen oder was ich sonst anfertigen konnte, um den Rest nach Hause zu tragen.

Nachdem ich also drei Tage mit dieser Wanderung verbracht hatte, kehrte ich heim (so muss ich jetzt mein Zelt und meine Höhle nennen); bevor ich aber dort anlangte, waren meine Weintrauben verdorben, denn die Prallheit der Früchte und das Gewicht des Saftes hatten die Beeren zerplatzen lassen und sie zerdrückt; jetzt taugten sie nur noch wenig oder gar nichts. Was die Limetten betraf, so waren sie gut, aber ich hatte nur wenige mitbringen können.

Am nächsten Tag, dem 19., kehrte ich dorthin zurück, nachdem ich mir zwei kleine Säcke angefertigt hatte, um meine Ernte heimzubringen. Bei meinem Haufen Trauben angekommen, war ich überrascht – ich fand sie, die so saftig und schön gewesen waren, als ich sie eingesammelt hatte, weithin verstreut, zertreten, umhergeschleift, einige dorthin, einige hierhin, und viele waren angefressen oder vertilgt. Hieraus schloss ich, dass es dort wohl einige wilde Tiere geben musste, die das getan hatten, aber was für Tiere, wusste ich nicht.

Da ich jedoch feststellte, dass ich weder die Trauben in Haufen legen noch sie im Sack heimtragen konnte, denn auf die eine Weise würden sie vernichtet und auf die andere durch ihr eigenes Gewicht zerdrückt, wandte ich eine andere Methode an: Ich pflückte eine große Menge Trauben und hängte sie an den Zweigen der Bäume auf, damit sie in der Sonne trockneten und dörrten. Was die Limetten und die Zitronen betraf, so schleppte ich so viele davon mit, wie ich nur tragen konnte.

Als ich nach diesem Ausflug wieder heimgekehrt war, dachte ich voller Freude an die Fruchtbarkeit jenes Tals, an seine angenehme Lage, die auf dieser Inselseite Schutz vor Stürmen bot, und an den Wald; ich kam zu dem Schluss, dass ich für die Wahl meines Wohnsitzes an einen Platz geraten war, der in dem bei weitem schlechtesten Teil des ganzen Landes lag. Alles in allem begann ich mir zu überlegen, ob ich nicht umziehen und mir einen Platz suchen sollte, der ebenso sicher wie mein jetziger Wohnsitz war und möglichst in jenem lieblichen, obstreichen Gebiet der Insel lag.

Dieser Gedanke ging mir oft durch den Kopf, und eine Zeitlang gefiel er mir außerordentlich, denn die Anmut des Ortes lockte mich; als ich mir die Sache aber gründlicher überlegte, dachte ich daran, dass ich jetzt in Küstennähe wohnte, wo wenigstens eine Möglichkeit bestand, dass etwas geschehe, was zu meinem Vorteil war und dass das gleiche böse Schicksal, das mich hierhergeführt hatte, auch andere Unglückselige an denselben Ort verschlagen mochte, und obwohl es kaum wahrscheinlich war, dass so etwas jemals passierte, so hieße es doch, meiner Befreiung entgegenzuwirken und ein solches Ereignis nicht nur unwahrscheinlich, sondern ganz unmöglich zu machen, wenn ich mich zwischen den Hügeln und Wäldern im Zentrum der Insel einschlösse; deshalb durfte ich um keinen Preis umziehen.

Ich war aber so verliebt in diesen Ort, dass ich den Rest des Julis meist dort verbrachte; und obwohl ich nach einigem Nachdenken beschlossen hatte, nicht umzuziehen, baute ich mir doch eine Art kleinen Landsitz und umgab ihn in einiger Entfernung mit einem starken Zaun, einer doppelten Hecke aus Pfählen und Strauchwerk, die so hoch war, wie ich reichen konnte. Hier schlief ich sicher, manchmal zwei oder drei Nächte lang; ich stieg wie bisher immer mit einer Leiter ein, so dass ich mir vorstellte, ich hätte jetzt ein Landhaus und ein Haus an der Küste; diese Arbeit nahm mich bis Anfang August in Anspruch.

Ich hatte meinen Zaun gerade erst fertiggestellt und begann mich am Ergebnis meiner Arbeit zu erfreuen, als die Regenzeit einsetzte und mich veranlasste, in der Nähe meiner ersten Wohnung zu bleiben, denn obwohl ich mir ein gleiches Zelt aus einem Stück Segel errichtet, das ich sehr sorgfältig ausgebreitet hatte, genoss ich doch nicht den Schutz eines Hügels, der den Sturm von mir abhielt, und hatte hinter mir auch keine Höhle, in die ich mich bei außergewöhnlich starkem Regen zurückziehen konnte.

Gegen Anfang August hatte ich also meinen Landsitz fertig und begann mich dort wohl zu fühlen. Am 3. August stellte ich fest, dass die Trauben, die ich aufgehängt hatte, gänzlich trocken und durch die Sonne zu ausgezeichneten Rosinen geworden waren; so nahm ich sie also von den Bäumen, und das war gut so, sonst hätte der nun folgende Regen sie verdorben, und dann wäre ich um den Hauptteil meines Wintervorrats gekommen, denn ich besaß über zweihundert große Rosinentrauben. Kaum hatte ich sie heruntergenommen und das meiste davon nach Hause in meine Höhle getragen, als es zu regnen begann, und von da an, es war der 14. August, regnete es fast jeden Tag bis Mitte Oktober, und manchmal so heftig, dass ich mich mehrere Tage lang nicht aus meiner Höhle rühren konnte.

In dieser Jahreszeit überraschte mich ein Familienzuwachs sehr. Ich hatte mir über den Verlust einer meiner Katzen Sorgen gemacht, die mir fortgelaufen oder, wie ich glaubte, tot war; ich sah und hörte nichts mehr von ihr, bis sie zu meinem Erstaunen gegen Ende August mit drei Jungen nach Hause zurückkehrte. Dies fand ich um so merkwürdiger, als ich zwar mit der Flinte eine Wildkatze, wie ich sie nannte, getötet hatte, sie aber für eine ganz andere Art als die europäische hielt; die Jungen waren jedoch die gleichen Haustiere wie die Alte, und da meine beiden Katzen Weibchen waren, erschien mir das sehr seltsam. Infolge dieser drei Katzen aber wurde ich später so von Katzen geplagt, dass ich gezwungen war, sie wie Ungeziefer oder wilde Tiere zu töten und sie, so gut ich konnte, aus dem Haus zu vertreiben.

Vom 14. bis zum 26. August unaufhörlich Regen, so dass ich mich nicht fortrühren konnte; ich achtete jetzt sorgfältig darauf, mich nicht zu sehr durchnässen zu lassen. Während dieser Gefangenschaft machte sich ein allmählicher Lebensmittelmangel bemerkbar; als ich mich aber zweimal hinauswagte, tötete ich an dem einen Tag eine Ziege, und an dem andern, es war der 26., fand ich eine sehr große

Schildkröte – für mich ein Leckerbissen –, und auf diese Weise waren meine Mahlzeiten folgendermaßen geregelt: Zum Frühstück aß ich eine Traube Rosinen, zum Mittagessen ein Stück geröstetes Ziegen- oder Schildkrötenfleisch (denn zu meinem großen Pech hatte ich kein Gefäß, in dem ich irgend etwas kochen oder dünsten konnte) und zum Abendbrot zwei oder drei Schildkröteneier.

Während mich der Regen in meiner Unterkunft gefangenhielt, arbeitete ich täglich zwei oder drei Stunden daran, meine Höhle zu vergrößern, und nach und nach grub ich mich an einer Seite weiter durch, bis ich aus dem Hügel hinausgelangte und mir so eine Tür oder einen Ausgang außerhalb meiner Umfriedung schuf; hier ging ich nun hinein und hinaus, obwohl mir nicht ganz wohl dabei war, dass der Eingang so offen dalag, denn wie ich mich zuvor eingerichtet hatte, war ich vollständig umzäunt gewesen, während ich mich jetzt, wie ich dachte, Gefahren aussetzte. Freilich konnte ich nicht feststellen, dass ich irgendein Lebewesen zu fürchten hätte, denn das größte Geschöpf, das ich auf der Insel erblickt hatte, war eine Ziege gewesen.

*30. September.* Das war nun der unglückselige Jahrestag meiner Landung auf der Insel; ich zählte die Kerben in meinem Pfosten zusammen und errechnete, dass ich seit dreihundertfünfundsechzig Tagen an Land war. Ich beging den Tag feierlich mit Fasten und bestimmte ihn zu frommen Übungen, warf mich mit ernsthafter Demut zu Boden, beichtete Gott, erkannte sein gerechtes Urteil gegen mich an und betete zu ihm, er möge mir Barmherzigkeit erweisen durch Jesus Christus, und nachdem ich zwölf Stunden lang, bis zum Sonnenuntergang, nicht die geringste Stärkung zu mir genommen hatte, aß ich einen Zwieback und eine Rosinentraube; dann ging ich zu Bett und beendete den Tag, wie ich ihn begonnen hatte.

Die ganze Zeit über hatte ich keinen Sonntag gehalten, denn da mir zuerst jeder religiöse Sinn fehlte, hatte ich nach einiger Zeit aufgehört, die Wochen zu unterscheiden, wobei ich für den Sonntag eine längere Kerbe als gewöhnlich machte, und so wusste ich gar nicht, welcher Wochentag es war; nachdem ich aber jetzt, wie gesagt, die Tage zusammengezählt hatte, errechnete ich, dass ich seit einem Jahr dort war, teilte die Zeit in Wochen ein und wählte jeden siebenten Tag als Sonntag aus, obwohl ich zum Schluss meiner

Rechnung feststellte, dass mir ein oder zwei Tage abhanden gekommen waren.

Bald darauf begann meine Tinte knapp zu werden, und so begnügte ich mich damit, sie sparsamer zu verwenden und nur die bemerkenswertesten Ereignisse meines Lebens niederzuschreiben; ich hörte somit auf, die übrigen Geschehnisse täglich festzuhalten.

Regen- und Trockenzeit erschienen mir jetzt in regelmäßiger Folge, und ich lernte allmählich, mit ihnen zu rechnen, so dass ich jeweils entsprechend vorsorgen konnte. Für alle Erfahrungen, die ich sammelte, musste ich jedoch Lehrgeld zahlen, und das, was ich jetzt berichten will, war eines der entmutigendsten Experimente, die ich überhaupt machte. Ich erwähnte bereits, dass ich die paar Ähren Gerste und Reis aufbewahrt hatte, die ich so überraschend von selbst, wie ich glaubte, hatte sprießen sehen; ich denke, es werden wohl etwa dreißig Reis- und zwanzig Gerstenhalme gewesen sein, und jetzt, nach dem Regen, da sich die Sonne in Richtung Süden von mir entfernte, hielt ich die Zeit für günstig, sie auszusäen.

Ich grub also ein Stück Boden um, so gut ich es mit meinem hölzernen Spaten konnte, teilte es in zwei Teile und säte mein Korn aus; während ich damit beschäftigt war, fiel mir aber ein, dass ich nicht alles auf einmal in den Boden tun sollte, da ich ja die richtige Zeit dafür nicht kannte, und so säte ich nur etwa zwei Drittel der Körner aus und behielt von jeder Sorte ungefähr eine Handvoll zurück.

Es tröstete mich später sehr, dass ich dies getan hatte, denn von dem zu dieser Zeit ausgesäten Getreide ging nicht ein Korn auf, weil es danach nicht regnete und die Feuchtigkeit für sein Wachstum fehlte; so ging das Getreide bis zur nächsten Regenzeit überhaupt nicht auf, dann aber wuchs es, als wäre es frisch gesät. – Als ich sah, dass meine erste Saat nicht aufging – ich konnte mir ohne weiteres denken, dass die Dürre schuld daran war –, suchte ich mir ein feuchteres Stück Erde, um es noch einmal zu versuchen; ich grub in der Nähe meines neuen Landsitzes ein Stück Boden um und säte den Rest meines Getreides im Februar, kurz vor der Frühlings-Tagundnachtgleiche aus, und da es die regenreichen Monate März und April zu seiner Bewässerung hatte, schoss es sehr schön in die Höhe und brachte eine gute Ernte; weil ich aber nur noch einen Teil des Korns besaß und nicht wagte, es ganz auszusäen, hatte ich schließlich nur einen geringen Gewinn, und meine gesamte Ernte überstieg nicht ein Achtelscheffel von jeder Sorte.

Durch diese Erfahrung wurde ich jedoch zu einem Meister auf meinem Gebiet und wusste nun genau, wann die richtige Jahreszeit für die Aussaat gekommen und dass ich damit rechnen konnte, zweimal im Jahr zu säen und zu ernten.

Während das Korn wuchs, machte ich eine kleine Entdeckung, die mir später Nutzen brachte. Sobald die Regenzeit vorbei und das Wetter schön war, also etwa im Monat November, ging ich landeinwärts und stattete meinem Landsitz einen Besuch ab; obgleich ich einige Monate lang nicht dort gewesen war, fand ich doch alles genau so, wie ich es verlassen hatte. Die von mir gebaute Umkreisung oder Doppelhecke war nicht nur fest und unbeschädigt, sondern die Stecken, von einigen in der Nähe wachsenden Bäumen gehauen, hatten ausgeschlagen und lange Zweige getrieben, wie es Weiden gewöhnlich im ersten Jahr tun, nachdem man sie gestutzt hat. Ich wusste nicht, wie die Bäume hießen, von denen ich die Stecken gehauen hatte. Ich war überrascht, dabei aber sehr erfreut, die jungen Bäume wachsen zu sehen. Ich beschnitt sie und lenkte ihren Wuchs, so gut ich nur konnte, damit sie möglichst einer wie der andere wurden, und es ist kaum zu glauben, wie schön sie nach drei Jahren gewachsen waren; obwohl die Hecke einen Kreis von fünfundzwanzig Yard Durchmesser bildete, überdachten ihn doch schon bald die Bäume, so konnte ich sie nun nennen, und spendeten so dichten Schatten, dass ich während der ganzen Trockenzeit darunter wohnen konnte.

Dies brachte mich zu dem Entschluss, noch mehr von diesen Stecken zu schneiden und mir eine ebensolche Hecke im Halbkreis um meinen Wall zu pflanzen, ich meine, um meine erste Wohnung; ich setzte also die Bäume oder Stecklinge in einer Doppelreihe etwa acht Yard von meinem ersten Zaun entfernt, und sie wuchsen bald. Zuerst bildeten sie ein prächtiges Dach über meiner Wohnung, und später dienten sie mir auch zur Verteidigung, wie ich zu gegebener Zeit berichten werde.

Ich hatte nun herausgefunden, dass die Jahreszeiten im Allgemeinen nicht wie in Europa in Sommer und Winter, sondern in Regen-

und Trockenzeiten einzuteilen waren, und zwar gewöhnlich folgendermaßen:

| | | |
|---|---|---|
| zweite Hälfte | Februar | |
| | März | regnerisch; die Sonne in oder nahe der Tagundnachtgleiche |
| erste Hälfte | April | |
| zweite Hälfte | April | |
| | Mai | |
| | Juni | trocken; die Sonne nördlich vom Äquator |
| | Juli | |
| erste Hälfte | August | |
| zweite Hälfte | August | |
| | September | regnerisch; die Sonne wieder im alten Stand |
| erste Hälfte | Oktober | |
| zweite Hälfte | Oktober | |
| | November | |
| | Dezember | trocken; die Sonne südlich vom Äquator |
| | Januar | |
| erste Hälfte | Februar | |

Die Regenzeit dauerte manchmal ein wenig länger, manchmal auch kürzer, je nachdem, wie die Winde gerade wehten, so aber beobachtete ich es im Allgemeinen. Nachdem ich durch Erfahrung festgestellt hatte, was für böse Folgen es nach sich zog, wenn ich mich bei Regen im Freien aufhielt, versorgte ich mich rechtzeitig mit Vorräten, damit ich nicht gezwungen war auszugehen, und saß während der nassen Monate soviel wie möglich drinnen.

Währenddessen fand ich vielerlei Beschäftigung (dieser Zeit auch sehr angemessen), denn ich benötigte eine große Anzahl von Dingen, die ich mir nicht anders verschaffen konnte als durch harte Arbeit und ständigen Fleiß. Vor allem versuchte ich auf die verschiedensten Arten, mir einen Korb herzustellen, aber alle Zweige, die ich mir zu diesem Zweck holen konnte, erwiesen sich als so spröde, dass nichts mit ihnen anzufangen war. Jetzt zeigte sich, wie vorteilhaft es für mich war, dass ich als Junge großen Spaß daran gehabt hatte, in einer Korbmacherei meiner Vaterstadt herumzustehen und zuzusehen, wie das Flechtwerk angefertigt wurde; und da ich, wie Jungen gewöhnlich sind, voller Diensteifer bereit gewesen war zu helfen und scharf beobachtet hatte, wie die Leute es machten, und ihnen manchmal auch zur Hand gegangen war, hatte ich auf diese Weise eine so gute Kenntnis der Arbeitsmethoden erhalten, dass ich nun nichts weiter brauchte als nur das Material. Da fiel mir ein, dass die Zweige des Baumes, von dem ich meine jetzt angewachsenen Stecklinge geschnitten hatte, vielleicht so bruchfest sein mochten wie die Salweide, die Dotterweide und die Korbweide in England, und ich beschloss, es zu versuchen.

Am Tag darauf ging ich deshalb zu meinem Landhaus, wie ich es nannte, schnitt ein paar von den dünneren Zweigen ab und fand sie für meinen Zweck so geeignet, wie ich es mir nur wünschen konnte; daraufhin kehrte ich am nächsten Tag, mit einem Beil ausgerüstet, wieder, um mir eine größere Anzahl Äste abzuhacken, die ich bald gefunden hatte, denn es gab sehr viele; ich hängte sie innerhalb meiner kreisförmigen Hecke zum Trocknen auf, und als sie verwendbar waren, trug ich sie in meine Höhle; hier beschäftigte ich mich während der nächsten Jahreszeit damit, eine Menge Körbe (so gut ich konnte) zu flechten, sowohl, um Erde darin fortzuschaffen, als auch, um nach Bedarf alles andere darin zu transportieren oder aufzubewahren; obwohl ich sie nicht sehr sorgfältig arbeitete, gerieten sie mir doch für meinen Zweck recht brauchbar, und deshalb achtete ich von nun an darauf, dass mein Vorrat davon nie ausging, und wenn meine Korbwaren abgenützt waren, machte ich neue; ich stellte vor allem starke, tiefe Körbe her, um mein Getreide anstatt in Säcken darin aufzubewahren, sobald ich eine größere Menge davon haben sollte.

Nachdem ich diese Schwierigkeit gemeistert und eine Unmenge Zeit damit verbracht hatte, machte ich mich daran, nach Möglichkeit zwei Bedürfnissen abzuhelfen. Ich hatte kein Gefäß für Flüssigkeiten außer zwei noch fast gefüllten Rumfässchen und einigen Glasflaschen – ein paar von der üblichen Größe und ein paar viereckige Korbflaschen zur Aufbewahrung von Wasser, Spirituosen und so weiter. Ich besaß nicht einmal einen Topf zum Kochen, mit Ausnahme eines großen Kessels, den ich aus dem Schiff gerettet hatte und der zu groß war für die Zwecke, zu denen ich ihn gern benutzt hätte, nämlich, um Brühe zu machen und mir etwas Fleisch zu ko-

chen. Die zweite Sache, die ich gern gehabt hätte, war eine Tabak-
pfeife; es war mir aber unmöglich, eine herzustellen. Endlich fand
ich jedoch auch dafür eine Lösung.

Ich war den ganzen Sommer oder vielmehr die Trockenzeit über
damit beschäftigt, meine zweite Reihe Pfähle zu pflanzen und das
Korbwerk anzufertigen – da beanspruchte plötzlich eine andere Tätigkeit mehr von meiner Zeit, als ich eigentlich entbehren konnte.

Ich erwähnte bereits, dass ich große Lust hatte, die ganze Insel zu
besichtigen; ich war den Bach hinauf und weiter bis zu dem Ort auf
der anderen Inselseite gewandert, wo ich meinen Landsitz gebaut
und einen Ausblick auf das Meer hatte. Jetzt beschloss ich, direkt bis
zur dortigen Küste zu wandern. Ich nahm also meine Flinte, meine
Axt, meinen Hund und eine etwas größere Menge Pulver und Schrot,
legte zwei Zwiebäcke und ein großes Bündel Rosinen als Vorrat in
meinen Beutel und begann meine Wanderung. Als ich das Tal, in
dem mein Landsitz stand, hinter mir gelassen hatte, erblickte ich das
Meer in westlicher Richtung, und da der Tag sehr klar war, erspähte
ich ganz deutlich Land – ob es sich dabei jedoch um eine Insel oder
um Festland handelte, vermochte ich nicht zu sagen; es lag aber sehr
hoch und zog sich in weiter Ferne von West nach Westsüdwest;
meiner Schätzung nach war es nicht weniger als fünfzehn bis zwanzig Seemeilen entfernt.

Ich vermochte nicht zu sagen, was für ein Teil der Welt das wohl
war, ich wusste nur, dass es zu Amerika gehören und, wie ich aus
allen meinen Beobachtungen schloss, in der Nähe der spanischen
Besitzungen liegen musste; vielleicht war es gar von Wilden bewohnt, und ich hätte mich dort, wenn ich da gelandet wäre, in einer
schlimmeren Lage befunden als jetzt; darum fügte ich mich in den
Willen der Vorsehung, die ich jetzt anzuerkennen begann und von
der ich nun glaubte, sie habe alles zu meinem Besten geordnet; damit
beruhigte ich mich also und quälte mich nicht mehr länger mit dem
fruchtlosen Wunsch, lieber dort zu sein.

Außerdem überlegte ich mir, nachdem ich eine Weile über die
Sache nachgegrübelt hatte, dass ich – sollte dies die spanische Küste
sein – ganz bestimmt früher oder später ein Schiff in die eine oder
die andere Richtung fahren sehen musste; geschah das aber nicht,
dann war es die wilde Küste zwischen den spanischen Ländern und

Brasilien, wo tatsächlich die schlimmsten Wilden lebten, nämlich Kannibalen oder Menschenfresser, und diese scheuen sich nicht, alle Menschen, die ihnen in die Hände fallen, zu ermorden und aufzufressen.

Mit diesen Gedanken spazierte ich gemächlich weiter. Ich fand die Seite der Insel, auf der ich jetzt war, viel angenehmer als meine, die offenen Savannen lieblicher, mit Blumen und Gras geschmückt, und überall schöne Wälder. Ich sah eine Menge Papageien und hätte mir gern einen eingefangen, möglichst gezähmt und ihm beigebracht, mit mir zu sprechen. Nach einiger Mühe fing ich auch tatsächlich einen jungen Papagei, den ich mit einem Stock herunterschlug, und nachdem ich ihn mir geholt hatte, nahm ich ihn mit nach Hause; es dauerte jedoch ein paar Jahre, bevor ich ihn zum Sprechen bringen konnte. Endlich aber lehrte ich ihn, mich sehr vertraulich beim Namen zu rufen; der Zwischenfall, der sich daraus ergab, wird, obwohl er nur geringfügig ist, an seinem Ort den Leser belustigen.

Meine Wanderung bereitete mir großes Vergnügen; in den Niederungen fand ich Hasen – dafür hielt ich sie jedenfalls – und Füchse, aber die waren ganz anders als alle Arten, die ich bisher gesehen hatte, und ich konnte mich nicht dazu entschließen, sie zu essen, obgleich ich einige erlegte; ich hatte es jedoch nicht nötig, ein Risiko einzugehen, denn es fehlte mir nicht an Nahrung, und zwar sehr guter, vor allem von jenen drei Sorten: Ziegen-, Tauben- und Schildkrötenfleisch; dazu kamen noch meine Weintrauben, so dass der Markt von Leadenhall mir den Tisch nicht besser und den Gästen nicht angemessener hätte decken können, als ich es vermochte; und obwohl meine Lage bedauernswert war, hatte ich doch Ursache, dankbar dafür zu sein, dass ich keine Not litt, sondern eher Nahrung im Überfluss und sogar Süßigkeiten besaß.

Während dieser Reise legte ich nie mehr als ungefähr zwei Meilen am Tag zurück, aber ich machte so viele Umwege und Schleifen, um festzustellen, was es zu entdecken gab, dass ich müde genug war, wenn ich zu der Stelle kam, wo ich mich für die Nacht niederlassen wollte, und dann legte ich mich entweder auf einem Baum zur Ruhe, oder ich umgab mich mit einer Reihe von Stecken, die ich aufrecht in die Erde schlug, entweder von einem Baum zum anderen oder auf eine solche Weise, dass kein wildes Tier zu mir gelangen konnte, ohne dass ich aufwachte.

Sobald ich die Küste erreicht hatte, sah ich zu meiner Überraschung, dass mich mein Los auf die schlechteste Seite der Insel verschlagen hatte, denn hier war der Strand mit unzähligen Schildkröten bedeckt, während ich auf der anderen Seite in anderthalb Jahren nur drei gefunden hatte. Hier gab es auch eine unendliche Anzahl von Vögeln aller Art, von denen ich manche noch nie gesehen hatte; viele von ihnen waren sehr wohlschmeckend, aber ich kannte sie nicht bei Namen, außer die Pinguine.

Ich hätte eine beliebige Anzahl schießen können, aber ich ging mit Pulver und Blei sehr sparsam um, und es lag mir deshalb mehr daran, wenn möglich eine Ziege zu töten, denn sie würde mich ausgiebiger ernähren; aber obwohl es hier viele Ziegen gab, mehr als auf der anderen Seite der Insel, fand ich es doch viel schwerer, mich ihnen zu nähern, weil die Gegend flach und eben war und sie mich viel früher als auf den Hügeln erblickten.

Ich gebe zu, dass dieser Teil des Landes bei weitem angenehmer war als meiner, aber ich hatte trotzdem nicht die geringste Lust umzuziehen, denn da ich mich nun mal an jenem Platz niedergelassen hatte, war er mir vertraut geworden, und während meiner ganzen Zeit hier kam es mir so vor, als sei ich auf einer Reise und fern von zu Hause. Ich wanderte aber ungefähr zwölf Meilen am Ufer entlang nach Osten; dann stellte ich eine große Stange am Strand als Markierung auf und beschloss, wieder heimzukehren und meine nächste Reise auf die andere Seite der Insel zu unternehmen, östlich von meiner Wohnung, und so ringsherum zu gehen, bis ich wieder zu meinem Pfosten käme; doch davon zu seiner Zeit.

Zurück ging ich einen anderen Weg als den, auf dem ich gekommen war, denn ich dachte, ich könnte mühelos die ganze Insel überblicken und meine alte Wohnung nach dem Aussehen der Landschaft wiederfinden; ich hatte mich jedoch geirrt, denn nachdem ich etwa zwei oder drei Meilen hinter mir hatte, befand ich mich unten in einem sehr großen Tal; es war aber so von Hügeln, und zwar dichtbewaldeten, umgeben, dass ich meinen Weg nur mit Hilfe der Sonne finden konnte, und auch dies nur, wenn ich ihren Stand zur jeweiligen Tageszeit genau kannte.

Zu meinem weiteren Pech war das Wetter drei oder vier Tage lang, während ich in diesem Tal weilte, dunstig, und da ich die Sonne nicht sehen konnte, wanderte ich sehr beunruhigt umher und war schließlich gezwungen, die Küste ausfindig zu machen, meinen Pfosten zu suchen und auf demselben Weg zurückzukehren, auf dem ich gekommen war; dann wanderte ich in nur kurzen Tagesmärschen heimwärts, denn es herrschte außerordentlich große Hitze, und meine Flinte, die Munition, meine Axt und die anderen Dinge waren sehr schwer.

Auf dieser Wanderung überraschte mein Hund ein junges Zicklein und packte es; ich rannte herbei, um es zu greifen, bemächtigte mich seiner und rettete es vor dem Hund. Ich wollte es, wenn ich konnte, sehr gern mit nach Hause nehmen, denn ich hatte oft darüber nachgedacht, ob es mir nicht möglich sei, ein oder zwei Zicklein zu fangen und so eine Zucht von zahmen Ziegen anzulegen, die mich mit Nahrung versorgen könnten, wenn mir Pulver und Blei ausgegangen wären.

Ich machte ein Halsband für das Tierchen, stellte aus Kabelgarn, das ich immer bei mir trug, einen Strick her und führte es unter einigen Schwierigkeiten mit mir, bis ich zu meinem Landsitz kam; dort schloss ich es ein und ließ es da, denn ich hatte es eilig, nach Hause zu gelangen, weil ich über einen Monat fort gewesen war.

Ich kann gar nicht beschreiben, wie ich mich freute, wieder in meine alte Hütte zu kommen und mich in meinem Hängemattenbett auszustrecken. Diese kleine Fußreise ohne feste Unterkunft war für mich so unangenehm gewesen, dass mir mein eigenes Haus, wie ich es bei mir nannte, im Vergleich damit als vollkommener Wohnsitz erschien, und alles ringsum kam mir so gemütlich vor, dass ich beschloss, nie mehr weit fortzugehen, solange es mein Schicksal wäre, auf der Insel zu bleiben.

Ich ruhte mich hier eine Woche aus, um mich von meiner langen Reise zu erholen und zu schmausen; dabei verbrachte ich die meiste Zeit mit der gewichtigen Angelegenheit, einen Käfig für meinen Papageien herzustellen, der jetzt schon ganz zu einem Hausgenossen und äußerst zutraulich geworden war. Dann fiel mir das arme Zicklein ein, das ich in meiner kleinen Einfriedung eingeschlossen hatte, und ich beschloss, es heimzuholen und ihm Futter zu geben; ich machte mich also auf den Weg und fand es, wo ich es gelassen hatte, denn es konnte ja nicht hinaus, aber es war vor Mangel an Futter fast verhungert. Ich ging sogleich und schnitt von Bäumen und Sträuchern an Ästen und Zweigen ab, was ich nur finden konnte, und warf sie ihm hinüber; nachdem ich es gefüttert hatte, band ich es – wie zuvor – wieder an die Leine, um es fortzuführen, aber es war vor Hunger so zahm, dass ich es hätte gar nicht anzubinden brauchen, denn es folgte mir wie ein Hund, und als ich es weiter regelmäßig fütterte, wurde das Tier so anhänglich, sanft und zärtlich, dass es seitdem ebenfalls zu meinen Hausgenossen gehörte und mich danach nie mehr verlassen wollte.

Die Regenzeit der Herbst-Tagundnachtgleiche war nun gekommen, und ich beging den 30. September auf die gleiche feierliche Weise wie zuvor, denn er war ja der Jahrestag meiner Landung auf der Insel, auf der ich mich nun schon zwei Jahre befand, ohne mehr Aussicht auf Befreiung zu haben als am Tage meiner Ankunft. Ich verbrachte den ganzen Tag in demütiger und dankbarer Würdigung der vielen wunderbaren Gnadenbezeigungen, von denen meine Einsamkeit begleitet war und ohne die ich in einer unendlich elenderen Lage gewesen wäre. Ich dankte Gott demütig und von Herzen, weil es ihm gefallen hatte, mir zu enthüllen, dass ich in dieser Einsamkeit sogar glücklicher zu sein vermochte, als ich es in der Freiheit durch menschliche Gesellschaft und inmitten der Freuden der Welt gewesen wäre, dass er mir für die Entbehrungen in meiner Einsamkeit und den Mangel an menschlicher Gesellschaft genügend Ersatz bieten konnte durch seine Gegenwart und indem er meine Seele an seiner Gnade teilhaben ließ, mich stützte, tröstete und ermutigte, hier auf seine Fürsorge zu vertrauen und hernach auf seine ewige Gegenwart zu hoffen.

Jetzt war der Zeitpunkt gekommen, wo ich deutlich zu empfinden begann, wieviel glücklicher mein jetziges Leben trotz seines ganzen Elends war als das verwerfliche, verdammte, verabscheuungswürdige, das ich früher stets geführt hatte; nun wandelten sich meine Sorgen wie auch meine Freuden, sogar meine Wünsche veränderten sich, meine Neigungen wechselten, und die Dinge, an denen ich Vergnügen fand, unterschieden sich völlig von denen der Zeit meiner Ankunft und sogar auch der vergangenen beiden Jahre.

Wenn ich früher, um zu jagen oder um das Land zu erforschen, spazieren ging, überfiel mich oftmals die Seelenangst meiner Lage, und das Herz erstarb mir bei dem Gedanken an die mich umgebenden Wälder, Berge und Einöden und an die Tatsache, dass ich ein Gefangener war, eingeschlossen von den ewigen Schranken und Riegeln des Ozeans in einer unbewohnten Wildnis, ohne Aussicht auf Erlösung. Inmitten der größten Gemütsruhe überkam es mich wie ein Sturm, so dass ich die Hände rang und weinte wie ein Kind. Manchmal packte es mich mitten bei der Arbeit, dann setzte ich mich sogleich nieder, seufzte und starrte ein bis zwei Stunden lang auf den Boden, und das war für mich noch schlimmer, denn wenn ich in Tränen ausbrechen oder mir mit Worten Luft machen konnte, dann ging es vorüber, und der Kummer schwand, nachdem er sich erschöpft hatte.

Jetzt aber begann ich mich in neuen Gedanken zu üben – ich las täglich das Wort Gottes und wandte alle seine Tröstungen auf meinen gegenwärtigen Zustand an. Eines Morgens, als ich sehr traurig war, öffnete ich die Bibel bei den Worten: ›Niemals will ich dich verlassen noch dich aufgeben!‹ Sogleich kam mir der Gedanke, diese Worte seien an mich gerichtet, denn warum sonst sollten sie mir gerade in dem Moment vor Augen kommen, da ich über meine Lage trauerte und mir von Gott und den Menschen verlassen vorkam? »Nun also«, sagte ich, »wenn mich Gott nicht verlässt, was kann es dann schaden und was macht es aus, wenn mich die ganze Welt verlässt, da ja, wenn ich hingegen die ganze Welt besäße, aber Gottes Gnade und seinen Segen verlöre, der Verlust überhaupt nicht zu vergleichen wäre?«

Von diesem Augenblick an kam ich zu dem Schluss, dass es für mich möglich sei, in dem verlassenen, einsamen Zustand glücklicher zu sein, als ich wahrscheinlich jemals in irgendeiner anderen Lebenslage der Welt gewesen wäre, und bei dem Gedanken wollte ich Gott dafür danken, dass er mich an diesen Ort gebracht hatte.

Ich weiß nicht, was es war, aber irgendetwas sträubte sich in mir gegen diese Vorstellung, und ich wagte nicht, es in Worte zu fassen. »Wie kannst du nur ein derartiger Heuchler sein«, sagte ich sogar laut, »und so tun, als seist du dankbar für einen Zustand, bei dem du doch lieber von Herzen beten möchtest, aus ihm befreit zu werden, sosehr du dich auch bemühen magst, damit zufrieden zu sein.« Ich hielt also inne; aber obgleich ich nicht sagen konnte, ich hätte Gott für meinen Aufenthaltsort gedankt, so dankte ich ihm doch ganz aufrichtig, weil er mir – durch welche harten Schicksalsschläge auch immer – geholfen hatte, meine frühere Lebensweise zu erkennen, so dass ich über meine Sündhaftigkeit trauerte und sie bereute. Nie öffnete oder schloss ich die Bibel, ohne von ganzer Seele Gott dafür zu preisen, dass er meine Freundin in England geleitet hatte, dieses Buch ohne meine Anweisung zu meinen Waren zu packen, und dass er mir später beigestanden hatte, es aus dem Schiffswrack zu bergen.

Auf die Art und in der hier beschriebenen Stimmung begann ich mein drittes Jahr; und obgleich ich den Leser diesmal nicht mit einem ähnlich ausführlichen Bericht wie über meine Arbeiten im ersten Jahr behelligen möchte, darf ich doch ganz allgemein bemerken, dass ich selten müßig war; ich hatte meine Zeit ständig eingeteilt, je nach den verschiedenen Tagesbeschäftigungen, die vor mir lagen; so als erstes, meine Pflicht gegenüber Gott zu tun und in der Bibel zu lesen, wofür ich regelmäßig dreimal täglich etwas Zeit bestimmte. Zweitens, mit dem Gewehr auszugehen, um Nahrung zu suchen, was gewöhnlich jeden Morgen drei Stunden in Anspruch nahm, wenn es nicht regnete. Drittens, das, was ich zu meiner Nahrung geschossen oder gefangen hatte, vorzubereiten, einzusalzen, zu konservieren und zu kochen. Mit alldem ging der größte Teil des Tages dahin; man muss auch bedenken, dass die Mittagshitze, wenn die Sonne im Zenit stand, so groß war, dass ich nicht hinaus konnte und nur am Nachmittag etwa vier Stunden zu arbeiten vermochte, es sei denn, ich vertauschte meine Jagd- und Arbeitszeit zuweilen, arbeitete morgens und ging nachmittags mit der Flinte aus.

Neben dieser wenigen Zeit, die mir für meine Arbeit zur Verfügung stand, möchte ich auch die große Mühseligkeit meiner Tätigkeit zu bedenken geben, die vielen Stunden meiner Zeit, die es mich aus Mangel an Werkzeug, Hilfe und Kenntnissen kostete, alles mögliche herzustellen. Zum Beispiel brauchte ich volle zweiundvierzig Tage, um mir ein Brett für ein langes Sims zu machen, das ich in meiner Höhle haben wollte, während zwei Brettschneider mit ihrem Werkzeug und einer Sägegrube aus demselben Baum an einem halben Tag sechs Bretter geschnitten hätten.

Die Sache war die: Der Baum, den ich umhieb, musste dick sein, denn ich wollte ein breites Brett haben. Ich brauchte drei Tage, um ihn zu fällen, und zwei weitere, um die Äste abzuhacken und ihn zu einem Stamm oder Schaft zu machen. Mit endlosem Hacken und Hauen zerhieb ich die beiden Seiten zu Spänen, bis der Stamm leicht genug war, sich bewegen zu lassen, dann drehte ich ihn um und bearbeitete eine Seite so lange, bis sie von einem Ende bis zum anderen so glatt und flach war wie ein Brett; ich wendete sie nach unten und behieb die andere Seite, bis ich die Planke ungefähr drei Zoll dick und zu beiden Seiten glatt gemacht hatte. Jeder wird beurteilen können, wieviel von meiner Hände Arbeit in einem solchen Stück steckte, aber harte Arbeit und Geduld ließen mich dies und vieles andere schaffen. Ich beschreibe das nur so ausführlich, weil ich erklären will, weshalb ich soviel von meiner Zeit auf sowenig Arbeit verwandte, das heißt, was mit einiger Hilfe und dem richtigen Werkzeug schnell hätte fertig sein können, war eine Riesenarbeit und kostete unendlich viel Zeit, da ich sie allein und ausschließlich mit den Händen tat.

Nichtsdestoweniger aber brachte ich mit Geduld und Arbeit vielerlei zustande, ja tatsächlich alles, was meine Umstände von mir erforderten, wie sich im Folgenden zeigen wird.

Es waren jetzt die Monate November und Dezember, und ich erwartete meine Gerste- und Reisernte. Das Stück Boden, das ich dafür bearbeitet und umgegraben hatte, war nicht groß, denn ich hatte ja, wie bereits bemerkt, nicht mehr als nur einen Achtelscheffel von jedem, da ich durch das Säen in der Trockenzeit eine Ernte verloren hatte; jetzt aber versprach sie sehr gut zu werden, als ich plötzlich feststellte, dass ich in Gefahr war, wieder alles durch mehrere Arten von Feinden zu verlieren, die ich kaum davon fernhalten konnte: so einmal durch die Ziegen und dann durch eine Wildart, die ich Hasen nannte. Nachdem sie einmal gekostet hatten, wie süß die Sprosse schmeckten, lagen sie Tag und Nacht darin, sobald das Getreide aufgegangen war, und fraßen es so dicht am Boden ab, dass es keine Zeit hatte, zu Halmen aufzuschießen.

Hiergegen sah ich kein anderes Mittel, als es mit einer Hecke einzufrieden; es bereitete mir viel Mühe, und das umso mehr, als es mit großer Eile geschehen musste, denn die Geschöpfe verdarben mir jeden Tag Getreide. Da mein Ackerland aber nur klein war, meinem Getreide angemessen, gelang es mir, es in etwa drei Wochen gänzlich zu umzäunen; tagsüber schoss ich einige der Tiere, und nachts ließ ich meinen Hund Wache halten, indem ich ihn am Eingangstor an einen Pflock band, wo er die ganze Nacht stand und bellte, so dass die Feinde bald darauf den Ort aufgaben und das Getreide kräftig und gut wuchs; es begann schon bald zu reifen.

Aber ebenso wie die Vierfüßer sich zuvor angeschickt hatten, mein Korn zugrunde zu richten, als es sprosste, machten die Vögel Miene, jetzt, wo es in Ähren stand, das gleiche zu tun, denn als ich dort vorbeiging, um zu sehen, wie es gedieh, sah ich mein kleines Stück Saat von wer weiß wie vielen Vögeln umgeben, die sich dort aufhielten, als lauerten sie darauf, dass ich wieder fortginge. Ich pfefferte sofort eine Ladung unter sie, denn ich trug mein Gewehr immer bei mir. Kaum hatte ich geschossen, da stieg aus dem Getreide selbst eine kleine Wolke von Vögeln auf, die ich überhaupt nicht gesehen hatte.

Dies ging mir sehr zu Herzen, denn ich sah voraus, dass sie in ein paar Tagen alle meine Hoffnungen auffressen würden, so dass ich hungern musste und niemals in der Lage wäre, überhaupt irgendwelches Korn zum Wachsen zu bringen, und ich wusste nicht, was ich tun sollte; ich beschloss jedoch, mir, wenn irgend möglich, mein Getreide nicht nehmen zu lassen, und wenn ich Tag und Nacht darüber wachen musste. Als erstes ging ich hin, um nachzusehen, wieviel Schaden durch die Vögel bereits entstanden war, und stellte fest, dass sie schon etliches vernichtet hatten, es war jedoch noch zu grün für sie und deshalb der Schaden nicht allzu groß; der Rest versprach eine gute Ernte zu werden, wenn ich ihn retten konnte.

Ich blieb stehen, um mein Gewehr zu laden, und beim Fortgehen sah ich ganz deutlich die Diebe ringsum auf allen Bäumen sitzen, als warteten sie nur darauf, dass ich mich entfernte – und so war es auch, denn nachdem ich so getan hatte, als wollte ich davongehen, da fielen sie, kaum dass ich ihnen aus den Augen war, einer nach dem anderen wieder über mein Korn her. Ich war so erzürnt, dass ich nicht die Geduld hatte zu warten, bis noch mehr von ihnen herbeikamen, denn ich wusste ja, dass jedes Korn, das sie jetzt fraßen, in der Folge für mich sozusagen ein Viertelscheffelbrot bedeutete; und so trat ich zur Hecke, schoss von neuem und erlegte drei der Tiere. Das war auch meine Absicht gewesen; ich nahm sie hoch und hängte sie – wie in England die notorischen Diebe – zur Abschreckung anderer gleichsam in Ketten auf. Man würde es kaum für möglich halten, was für eine Wirkung das hatte, denn das Federvieh blieb nun nicht nur dem Getreidefeld fern, sondern es verließ, kurz gesagt, sogar diesen ganzen Teil der Insel, und ich erblickte dort keins mehr, solange meine Vogelscheuchen da hingen.

Hierüber war ich sehr froh, wie man sich denken kann, und gegen Ende Dezember, der zweiten Erntezeit des Jahres, brachte ich mein Getreide ein.

Ich brauchte dringend eine Sense oder eine Sichel, um es zu schneiden, und mir blieb weiter nichts übrig, als, so gut ich konnte, aus einem der breiten Schwerter oder Säbel, die ich aus dem Schiff geborgen hatte, eine zu fertigen. Da meine Ernte jedoch nur gering war, bereitete es mir nicht viel Schwierigkeiten, sie einzubringen – kurz, ich schnitt sie auf meine Weise, denn ich mähte nur die Ähren ab, trug sie in einem der großen, von mir geflochtenen Körbe fort und rieb sie mit den Händen aus. Als meine Ernte beendet war, stellte ich fest, dass ich aus meinem Achtelscheffel Saatgut beinahe zwei Scheffel Reis und über zweieinhalb Scheffel Gerste gewonnen hatte – das heißt nach meiner Schätzung, denn ich hatte damals keinerlei Maß.

Dies war sehr ermutigend für mich, und ich sah voraus, dass es Gott mit der Zeit gefallen würde, mich mit Brot zu versorgen; aber hier stand ich wieder vor einem Problem, denn ich wusste weder, wie ich mein Korn mahlen oder es zu Grobmehl zerreiben, noch wie ich es von der Spreu reinigen und aussondern sollte, auch verstand ich nicht, wenn es einmal gemahlen war, Brotteig daraus zu machen, und brächte ich dies doch fertig, wusste ich immer noch nicht, wie ich ihn backen sollte. Diese Fragen und dazu mein Wunsch, eine beträchtliche Vorratsmenge zu haben, um eine ständige Versorgung zu gewährleisten, ließen mich zu dem Entschluss kommen, von dieser Ernte nichts zu verzehren, sondern sie gänzlich für die nächste Aussaat aufzubewahren; inzwischen wollte ich alle meine Überlegungen und meine gesamte Arbeitszeit der einen großen Aufgabe widmen, mich mit Korn und Brot zu versehen.

Jetzt konnte man wirklich sagen, dass ich für mein Brot arbeitete. Es ist schon ein Wunder, und ich glaube, nur wenige Menschen haben groß darüber nachgedacht, was für eine Unzahl von geringfügigen Dingen für die Herstellung dieses einen Artikels Brot nötig sind: vom Bestellen des Feldes über das Säen und Ernten, das Dreschen und Mahlen bis hin zum Backen.

Ich, der ich in den reinen Naturzustand zurückversetzt worden war, stellte dies zu meiner täglichen Entmutigung fest und wurde mir dessen stündlich bewusster, auch nachdem ich mein erstes bisschen Saatgetreide hatte, das, wie bereits berichtet, unerwartet und tatsächlich zu meiner Überraschung aufgegangen war.

Zuerst hatte ich keinen Pflug besessen, um die Erde umzubrechen, und auch keinen Spaten und keine Schaufel, sie umzugraben. Nun, dem war ich begegnet, indem ich mir, wie schon gesagt, einen hölzernen Spaten herstellte, der aber seine Arbeit nur auf recht hölzerne Weise tat, und obwohl mich seine Anfertigung viele Tage gekostet hatte, nutzte er sich, weil er nicht aus Eisen war, nicht nur schneller ab, sondern es arbeitete sich damit auch schwerer, und das Ergebnis fiel nicht so gut aus.

Ich ertrug jedoch auch das, war froh, dass ich es mit Geduld schaffte, und gab mich mit der mangelhaften Güte des Ergebnisses zufrieden. Nach der Aussaat des Korns musste ich, da ich keine Egge besaß, selbst über das Feld gehen und einen langen, schweren Ast darüberschleifen, um die Erde, anstatt sie zu harken oder zu eggen, aufzukratzen, wie man es nennen kann.

Als das Getreide aufgegangen war und wuchs, hätte ich – wie schon bemerkt – viele Dinge benötigt, nämlich, um es einzuzäunen, zu schützen, zu mähen oder abzuernten, es zu trocknen und heimzutragen, zu dreschen, von der Spreu zu sondern und um es aufzubewahren. Dann hätte ich eine Mühle gebraucht, um es zu mahlen, Siebe, um es zu säubern, Hefe und Salz, um Brotteig daraus zu machen, und einen Ofen, um es darin zu backen; ich behalf mich ohne all das, wie man noch sehen wird; andererseits war das Korn auch ein unschätzbarer Trost und Vorteil für mich. Aber alles forderte, wie gesagt, viel Mühe und Arbeit von mir; dagegen ließ sich jedoch nichts machen, und die aufgewendete Zeit war auch kein so großer Verlust für mich, denn da ich sie eingeteilt hatte, war an jedem Tag ein gewisser Teil davon diesen Arbeiten gewidmet, und weil ich beschlossen hatte, von dem Korn keines für Brot zu verwenden, bis ich eine größere Menge beiseite gelegt hatte, standen mir die nächsten sechs Monate zur Verfügung, um mich ganz der Aufgabe zu widmen, mir mit Hilfe von Fleiß und Erfindungsgeist die passenden Geräte für all die Vorgänge zu beschaffen, die notwendig waren, um das Korn, wenn ich es einmal hatte, für mich verwendbar zu machen.

Zuerst aber musste ich noch mehr Boden vorbereiten, denn ich besaß jetzt genügend Saat für ungefähr einen Acre Land. Bevor ich damit begann, kostete es mich mindestens eine Woche Arbeit, um mir einen Spaten herzustellen, der aber wirklich sehr jämmerlich ausfiel und dazu sehr schwer war; mit ihm zu arbeiten bedeutete doppelte Mühe. Ich schaffte aber auch das und säte mein Saatgut auf zwei große, ebene Stücke Land, die so nahe bei meiner Wohnung lagen, wie ich sie, meinen Wünschen entsprechend, finden konnte, umzäunte sie mit einer guten Hecke, für die ich alle Stecklinge von jenem schon früher benutzten Holz geschnitten hatte, das, wie ich wusste, wachsen würde, so dass ich in einem Jahr eine lebende Hecke hätte, die nur wenig ausgebessert zu werden brauchte. Diese Arbeit war nicht so geringfügig, dass sie weniger als drei Monate gedauert hätte, da ein großer Teil der Zeit in die nasse Periode des Jahres fiel, wo ich nicht aus dem Haus konnte.

Drinnen, das heißt, wenn es regnete und ich nicht hinausgehen konnte, nahm mich folgende Beschäftigung in Anspruch – dabei muss ich erwähnen, dass ich mich während der Arbeit ständig damit belustigte, mit meinem Papageien zu reden und ihm das Sprechen beizubringen; ich lehrte ihn schon bald, auf seinen Namen ›Poll‹ zu hören und diesen schließlich auch laut auszusprechen; und das war das erste Wort, das ich je auf der Insel aus einem anderen Munde als meinem eigenen hörte. Dies war freilich keine Arbeit, sondern half mir nur dabei, denn jetzt musste ich mich, wie gesagt, einer wichtigen Beschäftigung widmen: Ich hatte nämlich schon lange darüber nachgedacht, wie ich mir auf die eine oder andere Weise irdenes Geschirr herstellen konnte, das ich wirklich dringend brauchte, ohne aber zu wissen, wie ich dazu kommen sollte. Angesichts des heißen Klimas zweifelte ich jedoch nicht daran, dass ich, wenn ich nur geeigneten Ton fände, recht und schlecht irgendeinen Topf zurechtpfuschen könnte, der nach dem Trocknen in der Sonne hart und widerstandsfähig genug wäre, dass sich damit hantieren ließe; in diesen könnte ich dann allerlei einfüllen, was trocken war und es auch bleiben sollte; und da ich so etwas benötigte, um Getreide, Mehl und dergleichen aufzubewahren, wie ich es vorhatte, beschloss ich, mir einige möglichst große Gefäße zu machen, die nur wie Krüge dazustehen und alles zu fassen brauchten, was ich hineinschüttete.

Der Leser würde mich bedauern oder vielmehr über mich lachen, wenn ich erzählen wollte, wie viele ungeschickte Versuche ich unternahm, um die Lehmpaste herzustellen, und was für seltsame, missgestaltete, hässliche Dinger ich machte, wie viele davon in sich zusammen- und wie viele auseinanderfielen, da der Ton nicht fest genug war, um sein eigenes Gewicht zu tragen, wie viele durch die übermäßige Sonnenhitze zersprangen, da ich sie ihr zu früh aussetzte, und wie viele in Stücke zerfielen, wenn ich sie nur bewegte, sowohl vor als auch nach dem Trocknen – mit einem Wort, wie ich, nachdem ich mit großer Mühe den Ton gefunden, ausgegraben, gemischt, heimgeschafft und bearbeitet hatte, in etwa zweimonatiger Arbeit nur zwei große hässliche irdene Dinger zustande brachte – Krüge kann ich sie nicht nennen.

Nachdem die Sonne diese beiden sehr trocken und hart gebrannt hatte, hob ich sie ganz vorsichtig auf und stellte sie in zwei große Weidenkörbe, die ich extra für sie gemacht hatte, damit sie nicht zerbrachen; und da zwischen dem Gefäß und dem Korb jeweils ein wenig Platz vorhanden war, stopfte ich ihn mit Reis- und Gerstenstroh aus. Und weil diese beiden Krüge immer trocken bleiben sollten, dachte ich, ich könnte mein getrocknetes Getreide und vielleicht, nachdem es zerrieben war, mein Grobmehl darin aufbewahren.

Obwohl ich mit meiner Absicht, große Behälter herzustellen, sowenig Erfolg gehabt hatte, gelangen mir doch einige kleinere Gefäße besser, wie kleine runde Kasserollen, flache Schüsseln, Kannen und Töpfchen und was mir sonst von der Hand ging, und die Sonne brannte sie erstaunlich hart.

All das entsprach aber nicht meinem Ziel, ein irdenes Gefäß zu haben, das wasserdicht und feuerfest wäre, denn das war keins von diesen. Einige Zeit später fachte ich ein ziemlich großes Feuer an, um mein Fleisch zu rösten, und als ich danach hinging, um es auszumachen, fand ich ein Bruchstück von einem meiner Tongefäße im Feuer, so hart gebrannt wie Stein und rot wie Ziegel. Ich war angenehm überrascht, das zu sehen, und sagte mir, wenn man sie in zerbrochenem Zustand brennen konnte, dann gewiss auch in ganzem.

Dies brachte mich dazu, mir zu überlegen, wie ich mein Feuer regulieren musste, damit es mir ein paar Töpfe brannte. Ich hatte weder eine Vorstellung von einem Brennofen, wie ihn die Töpfer zum Brennen benutzen, noch vom Glasieren mit Blei, obwohl ich das Blei dazu hatte; ich stellte jedoch zwei größere Töpfchen und zwei oder drei Kasserollen übereinander zu einem Stapel, schichtete ringsum mein Feuerholz auf, legte darunter viel Glut und nährte das Feuer von außen sowie von oben mit neuem Brennmaterial, bis die Töpfe durch und durch rotglühend waren und ich feststellte, dass sie keineswegs zersprangen. Nachdem ich sie so hellrot hatte, ließ ich sie fünf oder sechs Stunden in der Hitze stehen, bis ich bemerkte, dass einer, obgleich er nicht barst, doch zerlief, denn der Sand, mit dem der Ton gemischt war, begann durch die starke Hitze zu schmelzen und wäre zu Glas geworden, wenn ich ihn weiter erhitzt hätte. So ließ ich denn mein Feuer nach und nach herunterbrennen, bis die Töpfe allmählich ihre rote Farbe verloren, und ich blieb die ganze Nacht wach, damit das Feuer nicht zu rasch ausging. Am Morgen hatte ich drei sehr gute, ich will nicht sagen schöne Töpfchen und zwei andere irdene Kochgefäße, die so hart gebrannt waren, wie ich es mir nur wünschen konnte, und eins war durch den zerschmolzenen Sand vollkommen glasiert.

Ich brauche wohl nicht zu erwähnen, dass ich nach diesem Versuch keinerlei Mangel an irgendeiner Sorte von Tongeschirr litt, ich muss jedoch bemerken, dass sein Aussehen, wie man sich vorstellen kann, sehr mäßig war, denn ich verstand es nicht anders zu formen als Kinder ihre Schlammkuchen oder als eine Frau, die nie gelernt hat, Teig aufgehen zu lassen, ihr Gebäck.

Nie hat sich jemand so über eine geringfügige Sache gefreut wie ich, als ich feststellte, dass ich feuerfeste irdene Töpfe hergestellt hatte; ich brachte kaum die Geduld auf, zu warten, bis sie erkaltet waren, um einen davon mit etwas Wasser wieder aufs Feuer zu setzen und mir ein bisschen Fleisch zu kochen, was hervorragend gelang; mit einem Stück Ziegenfleisch bereitete ich mir eine ausgezeichnete Brühe, obgleich es mir an Hafermehl und einigen anderen Zutaten fehlte, die erforderlich gewesen wären, um sie so gut zu machen, wie ich sie gern gehabt hätte.

Meine nächste Sorge war, mir einen steinernen Mörser zu beschaffen, um darin etwas Korn zu zerstampfen oder zu zerschlagen, denn was eine Mühle betraf, so bestand keine Aussicht, es mit einem einzigen Paar Händen zu der dazu nötigen Kunstfertigkeit zu bringen. Ich wusste durchaus nicht, wie ich diesen Mörser bauen sollte, denn von allen Handwerksberufen der Welt lag mir der eines Steinmetzen am wenigsten, und ich hatte auch kein entsprechendes Werkzeug. Ich verbrachte viele Tage mit der Suche nach einem großen Stein, der genügend Umfang hätte, dass sich ein Hohlraum hineinschlagen und er sich zu einem Mörser machen ließe; außer im festen Felsen, von wo ich ihn nicht herausgraben oder -schlagen konnte, fand ich keinen; die Felsen auf der Insel waren außerdem nicht hart genug, denn sie bestanden alle aus einem mürben, sandigen Gestein, das weder das Gewicht eines schweren Stößels aushalten noch das Korn zerreiben würde, ohne es mit Sand zu vermischen, und so gab ich es auf, nachdem ich viel Zeit mit der Suche nach einem Stein verloren hatte, und beschloss, mich nach einem großen Klotz aus hartem Holz umzusehen, was sich tatsächlich auch als leichter herausstellte; nachdem ich mir einen geholt hatte, der so groß war, dass ich ihn gerade zu bewegen vermochte, rundete ich ihn ab, behieb ihn außen mit der Axt und dem Beil und versah ihn dann unter unendlichen Mühen und der Zuhilfenahme von Feuer mit einem Hohlraum, so wie die Indianer in Brasilien ihre Kanus herstellen. Danach fertigte ich aus dem sogenannten Eisenholz einen großen, schweren Stößel oder Stampfer; beides bereitete ich vor und legte es für meine nächste Getreideernte beiseite, nach der ich mein Korn oder mein Grobmehl zermahlen oder vielmehr zerstampfen wollte, um mir Brot zu machen.

Meine nächste Schwierigkeit bestand darin, ein Sieb anzufertigen, um mein Grobmehl zu säubern und Kleie und Hülsen auszusondern, denn sonst sah ich keine Möglichkeit, Brot backen zu können. Das war eine äußerst komplizierte Sache – schon allein das Nachdenken darüber, denn natürlich besaß ich nichts Brauchbares für seine Herstellung, ich meine feine Leinwand oder Stoff, um das Grobmehl durchzusieben. Und hier kam ich viele Monate lang nicht weiter und wusste auch nicht, was ich tun sollte; Leinen hatte ich keins mehr außer Lumpen; ich hatte wohl Ziegenhaar, wusste aber nicht, wie ich es weben oder spinnen sollte, und hätte ich es gewusst, fehlte mir hier das notwendige Werkzeug. Der einzige Ausweg für mich war, mich schließlich daran zu erinnern, dass sich unter der Matrosenkleidung, die ich aus dem Schiff gerettet hatte, ein paar Halstücher aus Kattun oder Musselin befanden; aus einigen stellte ich drei kleine Siebe her, die jedoch für meine Arbeit gut genug waren, und so behalf ich mich einige Jahre lang. Wie ich es später machte, werde ich an seinem Platz berichten.

Worüber ich nun nachdenken musste, war die Teigbereitung und das Backen des Brotes, wenn ich einmal Korn hätte; denn erstens besaß ich keine Hefe, ein Mangel, dem sich überhaupt nicht abhelfen ließ und worüber ich mir deshalb nicht lange den Kopf zerbrach. Was aber den Ofen betraf, so war ich in großer Verlegenheit. Endlich fand ich auch dafür eine Lösung, nämlich folgende: Ich fertigte ein paar sehr breite, flache Tongefäße an, das heißt etwa zwei Fuß im Durchmesser und nicht mehr als neun Zoll tief; diese brannte ich wie die anderen im Feuer und stellte sie beiseite. Als ich backen wollte, zündete ich auf dem Herd, den ich mir mit einigen selbstgeformten und -gebrannten Ziegeln, welche ich jedoch nicht viereckig nennen möchte, ausgelegt hatte, ein großes Feuer an.

Als das Holz zu glimmender Holzkohle heruntergebrannt war und recht schön glühte, breitete ich es über den Herd, so dass es ihn ganz bedeckte, und ließ es dort liegen, bis der Ofen ganz heiß geworden war; dann fegte ich die ganze Glut fort, legte meinen Laib Brot oder meine Laibe dorthin, stülpte den Tontopf darüber und häufte die Glut ringsum an der Außenseite des Topfes auf, um die Hitze darin zu halten und sie zu verstärken; so buk ich meine Gerstenbrote wie im besten Ofen der Welt und wurde mit der Zeit auch noch ein guter Kuchenbäcker, denn aus dem Reis bereitete ich mir mehrfach Kuchen und Puddings. Pasteten freilich buk ich nicht, da ich ja, selbst wenn ich sie mir gemacht hätte, außer Vogel- und Ziegenfleisch nichts besaß, um sie zu füllen.

Der Leser braucht sich nicht darüber zu wundern, dass mich diese Tätigkeit während fast des ganzen dritten Jahres meines dortigen

Aufenthaltes beschäftigte, er muss bedenken, dass ich zwischendurch meine neue Ernte und meinen Haushalt zu besorgen hatte, denn ich mähte mein Getreide zu seiner Zeit, brachte es ein, so gut ich konnte, und lagerte die Ähren in meinen großen Körben, bis ich Muße hatte, sie auszureiben, weil ich ja weder eine Tenne noch einen Flegel zum Dreschen besaß.

Und da sich nun mein Getreidevorrat tatsächlich vergrößerte, musste ich auch meine Scheunen erweitern; ich brauchte einen Platz, wo ich das Korn aufbewahren konnte, denn es vermehrte sich jetzt so sehr, dass ich ungefähr zwanzig Scheffel Gerste und fast noch mehr Reis besaß; deshalb beschloss ich, es nun uneingeschränkt zu nutzen, denn mein Brot war schon lange aufgebraucht. Ich wollte auch ausprobieren, welche Menge mir für ein ganzes Jahr genügen würde, um jährlich nur einmal zu säen.

Alles in allem stellte ich fest, dass die vierzig Scheffel Gerste und Reis viel mehr waren, als ich in einem Jahr verzehren konnte, und so beschloss ich, jedes Jahr soviel auszusäen wie im letzten, in der Hoffnung, dass diese Menge ausreichen würde, um mich mit Brot und ähnlichem zu versorgen.

Währenddessen befassten sich meine Gedanken, wie sich der Leser vorstellen kann, häufig mit dem Land, das ich von der anderen Seite der Insel aus gesehen hatte, und insgeheim empfand ich den Wunsch, dorthin zu gelangen, denn ich bildete mir ein, wenn ich nur das Festland und eine bewohnte Gegend zu Gesicht bekäme, würde ich schon den einen oder den anderen Ausweg finden, und vielleicht auch die Möglichkeit zu entkommen.

Dabei rechnete ich aber keineswegs mit den Gefahren eines solchen Unternehmens und dass ich in die Hände von Wilden fallen könnte, die mir möglicherweise noch viel schlimmer als die Löwen und Tiger in Afrika erscheinen würden, und dass es, wenn ich mich erst einmal in ihrer Macht befand, tausend zu eins für mich stände, von ihnen getötet und vielleicht sogar aufgegessen zu werden; ich hatte nämlich gehört, die Menschen an der karibischen Küste wären Kannibalen oder Menschenfresser, und aus meinen Berechnungen wusste ich, dass ich nicht weit von dieser Küste entfernt sein konnte; und selbst wenn sie keine Kannibalen waren, würden sie mich vielleicht töten, wie sie es mit vielen Europäern, die ihnen in die Hände gefallen waren, getan hatten, sogar zehn oder zwanzig auf einmal – um so viel eher würden sie sich also an mir vergreifen, der ich nur ein einzelner Mensch und nur wenig oder gar nicht in der Lage war, mich zu verteidigen. Wie gesagt, all das, was ich hätte gründlich bedenken müssen und was mir später zu Bewusstsein kam, fiel mir zuerst nicht ein, und meine Gedanken beschäftigten sich ausschließlich damit, wie ich an jene Küste hinübergelangen könnte.

Jetzt wünschte ich, ich hätte meinen jungen Xury und das Großboot mit dem Gleksegel bei mir, mit dem ich über tausend Meilen an der Küste Afrikas entlanggesegelt war, aber das nützte nichts. Dann fiel mir ein, nach dem Beiboot von unserem Schiff zu sehen, das der Sturm, wie ich bereits erwähnte, weit auf den Strand getrieben hatte, nachdem wir damals hinausgeschleudert worden waren. Es lag noch beinahe an derselben Stelle; die Gewalt der Wellen und des Windes hatten es fast mit dem Boden nach oben gedreht, und es befand sich neben einem hohen Wall aus grobem Ufersand; aber in seiner Nähe war kein Wasser mehr wie zuvor.

Wenn ich Hilfe gehabt hätte, um es wieder instand zu setzen und ins Wasser zu bringen, wäre das Boot sehr gut zu gebrauchen gewesen, und ich hätte darin leicht nach Brasilien zurücksegeln können, aber es war offensichtlich, dass es mir ebensowenig gelingen würde, es umzudrehen und wieder auf den Kiel zu setzen, wie ich die Insel hätte versetzen können. Ich lief jedoch in den Wald, hieb mir Hebel und Rollen zurecht, brachte sie zum Boot und war entschlossen, mein möglichstes zu versuchen; ich redete mir ein, ich könnte den Schaden, den es erlitten hatte, ohne Schwierigkeit ausbessern, wenn ich es nur umzuwenden vermochte, und dann wäre es ein sehr gutes Boot, mit dem ich ohne weiteres zur See fahren konnte.

Ich sparte bei dieser sinnlosen Plackerei tatsächlich keine Mühe und brachte wohl drei, vier Wochen damit zu; endlich aber überzeugte ich mich, dass es unmöglich war, das Boot mit meinem bisschen Kraft hochzuheben; ich begann den Sand darunter fortzugraben und es zu unterhöhlen, damit es umfiel, dann schob ich Holzlatten darunter, um es beim Fallen in die richtige Lage zu schieben und zu lenken.

Nachdem ich das geschafft hatte, war es mir jedoch unmöglich, es wieder aufzurichten oder darunter zu gelangen, viel weniger noch, es vorwärts, zum Wasser hin zu bewegen, und so musste ich die Sache aufgeben; obgleich ich aber die Hoffnung auf das Boot aufgab, wurde doch mein Wunsch, mich aufs Festland hinüber zu wagen, eher noch größer als geringer, weil es so aussichtslos schien.

Dies brachte mich endlich auf den Gedanken, ob es nicht möglich sei, mir ein Kanu oder eine Piroge zu bauen, wie es die Eingeborenen in jenen Breiten machen – auch ohne Werkzeug oder, wie ich sagen konnte, ohne Hilfsmannschaft –, nämlich aus dem Stamm eines großen Baumes. Das hielt ich nicht nur für möglich, sondern sogar für leicht, und es schmeichelte mir, dass ich es unter besseren Bedingungen als alle Neger und Indianer herstellen sollte, aber ich dachte nicht im geringsten an das, worin ich schlechter dran war als die Indianer, nämlich den Mangel an Hilfskräften, um es nach der Fertigstellung ins Wasser zu schieben – ein Hindernis, das für mich viel schwerer zu überwinden war, als aller Mangel an Werkzeug es für jene sein konnte; denn was nützte es mir, wenn ich im Wald einen großen Baum ausgewählt und ihn mit viel Mühe umgehauen hatte, mit Hilfe meines Werkzeuges die Außenseite in die richtige Bootsform zurechtgehauen und geglättet und die Innenseite ausgebrannt oder -gemeißelt hatte, um den Stamm auszuhöhlen und ein Boot daraus zu machen – was nützte es, wenn ich es nach alldem einfach an Ort und Stelle liegenlassen musste und nicht imstande war, es ins Wasser zu bringen?

Man könnte meinen, ich hätte beim Bauen dieses Bootes ein bisschen über meine Lage nachgedacht, sonst hätte ich ja sofort überlegen müssen, wie ich es ins Wasser bekäme; aber meine Gedanken waren so besessen von dieser beabsichtigten Reise über das Meer, dass ich mir überhaupt nicht den Kopf darüber zerbrach, wie ich es vom Lande fortschaffen sollte; und dabei war es eigentlich leichter für mich, es fünfundvierzig Meilen weit über die See zu steuern, als es von der Stelle, wo es lag, über ungefähr fünfundvierzig Faden Land zum Wasser zu schaffen, um es flottzumachen.

Bei diesem Boot ging ich mehr wie ein Narr an die Arbeit als ein Mensch, der seiner fünf Sinne mächtig ist. Ich hatte meine Freude an dem Plan und prüfte gar nicht nach, ob ich ihn auch jemals würde ausführen können – wohl war mir die Schwierigkeit, mein Boot zum Wasser zu bringen, häufig durch den Kopf gegangen, aber ich gebot meinen Gedanken darüber Einhalt mit der törichten Antwort, die ich mir selber gab: Lass es mich nur erst mal machen, ich wette, ich finde auch irgendeinen Weg, es später von der Stelle zu schaffen.

Das war eine höchst unsinnige Methode, aber meine ungeduldige Phantasie behielt die Oberhand; so machte ich mich ans Werk und fällte eine Zeder – und ich zweifle sehr daran, ob Salomo für den Bau des Tempels von Jerusalem jemals eine solche Zeder zur Verfügung hatte. Der Durchmesser vom unteren Ende des Stammes betrug fünf Fuß zehn Zoll, und nach der Länge von zweiundzwanzig Fuß war der Durchmesser vier Fuß elf Zoll; danach wurde sie etwas schlanker und teilte sich schließlich in Äste. Ich fällte diesen Baum mit unendlich viel Mühe; zwanzig Tage verbrachte ich damit, am unteren Ende herumzuhacken und herumzuhauen, und vierzehn weitere, um Äste und Zweige sowie die weit ausladende Krone zu entfernen, die ich mit meiner Axt und meinem Beil auf mühsamste Weise abschlug und abhackte. Danach brauchte ich einen Monat, um ihn in Form zu hauen, ihn ebenmäßig zu glätten und ihm etwas wie den Kiel eines Bootes zu geben, damit er so aufrecht schwämme, wie es sich gehörte. Ich brauchte fast drei weitere Monate dazu, die Innenseite auszuhöhlen und sie auszuarbeiten, um ein richtiges Boot aus dem Stamm zu machen; ich tat dies ohne Feuer, nur mit Hammer und Meißel und mittels harter Arbeit, bis ich eine sehr hübsche Piroge zustande gebracht hatte, die groß genug war, um sechsundzwanzig Mann aufzunehmen, und infolgedessen auch groß genug für mich und meine gesamte Ladung.

Als ich diese Arbeit fertig hatte, war ich ganz entzückt davon; das Boot war wirklich viel größer als alle aus einem Baumstamm gefertigten Kanus oder Pirogen, die ich je im Leben gesehen hatte, und es hatte mich so manchen Kampf gekostet, dessen mag man gewiss sein; jetzt musste ich es nur noch ins Wasser bringen, und zweifellos hätte ich, wäre mir das gelungen, die verrückteste und unwahrscheinlichste Reise begonnen, die je einer unternommen hat.

Aber alle meine Hilfsmittel, es ins Wasser zu schaffen, versagten, obgleich auch sie mir unendlich viel Mühe machten. Das Boot lag nicht mehr als etwa hundert Yard vom Wasser entfernt, aber die erste Schwierigkeit war schon, dass es zum Wasserlauf bergan ging. Um dieses Hindernis zu überwinden, beschloss ich, die Erde abzutragen und einen Abhang zu schaffen; ich begann damit, und es kostete mich ungeheuer viel Anstrengung, aber wer scheut Anstrengungen, wenn er die Aussicht auf seine Befreiung vor sich sieht? Als ich aber die Arbeit geschafft und diese Schwierigkeit beseitigt hatte, war ich nicht viel weiter als zuvor, denn ich vermochte das Kanu ebensowenig von der Stelle zu schaffen wie das andere Boot.

Da maß ich die Entfernung aus und beschloss, eine Rinne oder einen Kanal zu graben, um das Wasser zu dem Kanu hinzuführen, da ich sah, dass ich das Kanu nicht zum Wasser bringen konnte; ich begann also mit dieser Arbeit, und als ich mich richtig damit beschäftigte und ausrechnete, wie tief und wie breit ich graben und wieviel Erde ich hinauswerfen müsste, stellte ich fest, dass ich bei der Anzahl von Hilfskräften, über die ich verfügte, nämlich nur über meine eigene Kraft, zehn oder zwölf Jahre dazu gebraucht hätte, denn der Strand lag hoch, und deshalb hätte der Graben am oberen Ende mindestens zwanzig Fuß tief sein müssen; so gab ich schließlich, wenn auch sehr widerstrebend, diesen Versuch ebenfalls auf.

Das ging mir sehr zu Herzen, und jetzt sah ich – freilich zu spät – ein, was für ein Wahnsinn es war, eine Arbeit zu beginnen, ohne vorher den Aufwand zu berechnen und ohne richtig einzuschätzen, ob die eigene Kraft auch ausreichte, sie zu bewältigen.

Mitten in dieser Arbeit beendete ich hier mein viertes Jahr, und ich beging den Jahrestag mit der gleichen Andacht und schöpfte daraus ebensoviel Trost wie nur je, denn durch stets fleißiges und ernsthaftes Studium von Gottes Wort und dank seiner gnädigen Hilfe hatte ich jetzt eine ganz andere Vorstellung als zuvor und ganz andere Ansichten über die Dinge; die Welt erschien mir nun sehr weit entfernt, weder hatte ich etwas mit ihr zu tun, noch erwartete ich etwas von ihr, noch gelüstete es mich nach ihr – mit einem Wort, ich hatte nichts mit ihr zu schaffen und würde es höchstwahrscheinlich auch niemals haben, und so betrachtete ich sie, wie man sie vielleicht aus dem Jenseits ansehen mag, nämlich als einen Ort, an dem ich gelebt, den ich aber verlassen hatte, und ich hätte wohl sagen können wie Vater Abraham zum Reichen: ›Zwischen uns und euch ist eine große Kluft befestiget.‹

Vor allem war ich hier fern aller Sündhaftigkeit der Welt. Mich plagte weder die Lust des Fleisches noch die der Augen, noch ein

Leben des Hochmuts. Es gab nichts, was meine Begierde weckte, ich hatte alles, was ich jetzt zu genießen vermochte: Ich war Herr des gesamten Besitzes oder konnte mich, wenn ich wollte, auch König oder Kaiser des ganzen Landes nennen, das ich besaß; ich hatte keine Rivalen, keine Konkurrenten, niemanden, der sich mit mir um die Herrschaft oder die Befehlsgewalt stritt; ich hätte ganze Schiffsladungen Getreide zum Wachsen bringen können, aber ich hatte keine Verwendung dafür, und so ließ ich nur so viel wachsen, wie es mir für meinen Bedarf auszureichen schien; ich hatte genug Schildkröten, aber ich konnte nur hin und wieder eine gebrauchen; ich hatte genügend Bauholz für eine ganze Schiffsflotte; ich hatte genug Trauben, für so viel Wein oder so viel Rosinen, dass ich diese Flotte damit hätte beladen können, wenn ich sie gebaut hätte.

Aber nur das, was ich davon verbrauchen konnte, war für mich von Wert; ich hatte genügend zu essen und genug, um meinen Bedarf zu befriedigen, und was bedeutete mir alles Übrige? Wenn ich mehr Wild tötete, als ich verzehren konnte, dann mussten es entweder der Hund oder die Würmer fressen; wenn ich mehr Korn aussäte, als ich essen konnte, dann musste es verderben. Die Bäume, die ich fällte, lagen faulend auf dem Boden, ich konnte sie nur für Brennholz verwenden, und auch das brauchte ich nur dazu, um mir Nahrung zu bereiten.

Mit einem Wort, Natur und eigene Erfahrung lehrten mich bei reichlicher Überlegung, dass alle guten Dinge der Welt nur insofern gut für uns sind, als wir sie gebrauchen können, und dass wir, wieviel wir auch für andere anhäufen mögen, nur das genießen, was wir selber nutzen können, und nicht mehr. Der habsüchtigste, geldgierigste Geizhals der Welt wäre vom Laster der Habsucht geheilt worden, wenn er sich an meiner Stelle befunden hätte, denn ich besaß unendlich viel mehr, als ich gebrauchen konnte. Mir blieb kein Raum für Wünsche, außer nach Dingen, die ich nicht hatte, und das waren nur Kleinigkeiten, wenn auch für mich sehr nützliche. Ich besaß, wie ich schon angedeutet habe, einen Haufen Geld in Gold und Silber, ungefähr sechsunddreißig Pfund Sterling; aber ach! Da lag das üble, jämmerliche, unnütze Zeug, und ich wusste nichts damit anzufangen; häufig dachte ich, dass ich eine Handvoll davon für ein Gros Tabakspfeifen oder für eine Handmühle zum Mahlen meines

Korns gegeben hätte – nein, alles hätte ich hingegeben für etwas Rüben- oder Möhrensamen im Werte von sechs Pence aus England oder für eine Handvoll Erbsen und Bohnen und eine Flasche Tinte; so aber hatte ich nicht den geringsten Vorteil oder Nutzen von dem Geld, sondern es lag in einer Schublade und wurde schimmlig von der Feuchtigkeit der Höhle während der nassen Jahreszeit, und hätte ich die ganze Schublade voll von Diamanten gehabt, es hätte keinen Unterschied gemacht, und sie wären für mich ohne Wert gewesen, weil sie nutzlos waren.

Ich hatte jetzt erreicht, dass meine Lebensumstände sehr viel leichter erträglich waren als zuerst, und zwar sowohl für mein Gemüt als auch für meinen Körper. Ich setzte mich häufig dankerfüllt zu meinem Mahl nieder und bewunderte die göttliche Vorsehung, die meinen Tisch in der Wildnis auf diese Weise gedeckt hatte. Ich lernte, mehr die helle als die düstere Seite meiner Lage zu betrachten und an das zu denken, was ich genoss, anstatt an das, was mir fehlte, und das gab mir häufig so viel geheimen Trost, dass ich es gar nicht ausdrücken kann, und ich erwähne es hier, weil ich es unzufriedenen Menschen zu bedenken geben will, die nicht mit Behagen zu genießen vermögen, was Gott ihnen gegeben hat, weil sie etwas vor Augen haben und begehren, was er ihnen nicht gegeben hat: mir schien, unsere ganze Unzufriedenheit über das, was uns fehlt, rührt daher, dass wir nicht dankbar sind für das, was wir haben.

Eine andere Überlegung war mir sehr dienlich und wäre es zweifellos jedem gewesen, der in eine solche Not wie die meine geraten war, nämlich der Vergleich meiner gegenwärtigen Lage mit der, die ich anfangs erwartet hatte und wie sie ja auch gewesen wäre, wenn Gottes Fürsorge es nicht wunderbarerweise so gefügt hätte, dass das Schiff in die Nähe der Küste trieb, wo ich es nicht nur erreichen, sondern auch das, was ich daraus barg, an Land bringen konnte, um mir das Leben leichter und erträglicher zu machen, sonst hätte es mir an Werkzeug für die Arbeit, an Waffen zu meiner Verteidigung und an Schießpulver und Blei zur Beschaffung meiner Nahrung gefehlt.

Ich verbrachte ganze Stunden, ja sogar Tage damit, mir in den lebhaftesten Farben auszumalen, wie ich hätte handeln müssen, wenn ich nichts aus dem Schiff geborgen hätte, dass ich nicht einmal Nahrung hätte beschaffen können außer Fisch und Schildkröten, und da ich diese erst nach langer Zeit fand, hätte ich vorher umkommen müssen, und wenn ich nicht umgekommen wäre, hätte ich dann doch wie ein bloßer Wilder gelebt – und dass ich selbst dann, wenn es mir auf irgendeine Weise gelungen wäre, eine Ziege oder einen Vogel zu erlegen, keine Möglichkeit gehabt hätte, sie abzuhäuten oder sie zu öffnen, das Fleisch von Haut und Eingeweiden zu trennen und es zu zerschneiden, sondern es mit den Zähnen hätte benagen und mit den Klauen zerreißen müssen wie ein Tier. Diese Überlegungen brachten mir die Güte der Vorsehung sehr zu Bewusstsein und erfüllten mich mit Dankbarkeit für meine gegenwärtige Lage, trotz aller ihrer Härten und Prüfungen. Und auch diese Überlegungen kann ich nur denjenigen empfehlen, die im Elend geneigt sind zu sagen: ›Gibt es eine größere Not als die meine?‹ Sie mögen darüber nachdenken, wieviel schlimmer es manchen Menschen ergeht und wie es ihnen hätte ergehen können, wenn die Vorsehung es so gewollt hätte.

Es gab noch eine andere Überlegung, die mir ebenfalls Hoffnung und Trost gab, nämlich die, meine gegenwärtige Lage mit der zu vergleichen, die ich verdient hatte und die ich deshalb von der Vorsehung eigentlich erwarten musste. Ich hatte ein schlimmes Leben geführt, ganz ohne alle Gottesfurcht und Religion. Mein Vater und meine Mutter hatten mich das Rechte gelehrt und auch nicht versäumt, mir frühzeitig Ehrfurcht vor Gott, ein gewisses Pflichtgefühl und eine Empfindung dafür, was das Leben von mir forderte, beizubringen. Aber da ich mich leider schon früh dem Seemannsleben ergab, dem es von allen Arten des Lebens am meisten an Gottesfurcht mangelt, obgleich einem seine Schrecken immer vor Augen sind – da ich mich also schon zeitig dem Seemannsleben ergab und in die Gesellschaft von Seeleuten geriet, wurde das bisschen religiöse Empfindung, das ich hatte, von meinen Kameraden hinweggelacht und verschwand infolge einer hartgesottenen Verachtung der Gefahr und der inzwischen angenommenen Gewohnheit, dem Tod ins Auge zu blicken, sowie durch den Mangel an Gelegenheit, mit anderen außer mit solchen, die so wie ich waren, zu sprechen oder irgend etwas zu hören, was gut war oder danach strebte, es zu sein.

Ich hatte so wenig Gutes in mir und war mir so wenig dessen bewusst, was ich war oder sein sollte, dass ich bei der größten Erlösung, die mir zuteil wurde, wie bei meiner Flucht aus Salé, meiner

Aufnahme durch den portugiesischen Kapitän, meiner so glücklichen Ansiedlung in Brasilien, dem Empfang meiner Ware aus England und dergleichen, nicht ein einziges Mal die Worte ›Gott sei gedankt!‹ auch nur dachte oder aussprach, und nicht einmal in der größten Not war es mir in den Sinn gekommen, zu beten oder auch nur zu sagen: ›Herr, erbarme dich meiner!‹ Nein, ich hatte den Namen Gottes niemals erwähnt, es sei denn, um zu fluchen und um ihn zu lästern.

Viele Monate lang quälten mich, wie bereits erwähnt, furchtbare Vorstellungen wegen meines sündigen und gleichgültigen Lebens in der Vergangenheit, und wenn ich mich umsah und darüber nachdachte, welch besondere Fügung mir seit meiner Ankunft hier zuteil geworden war und wie gütig sich Gott mir gegenüber stets gezeigt hatte – er hatte mich ja für meinen Frevel nicht nur weniger hart bestraft, als ich es verdiente, sondern auch sehr reichlich für mich gesorgt –, so erfüllte mich dies mit der großen Hoffnung, Gott habe meine Reue angenommen und noch Gnade für mich bereit.

Mit diesen Gedanken brachte ich mich dazu, mich bei meiner gegenwärtigen Situation nicht nur dem Willen Gottes zu fügen, sondern auch aufrichtig dankbar für meine Lage zu sein und einzusehen, dass ich, der ich am Leben war, mich nicht beklagen durfte, da ich für meine Sünden nicht die volle Strafe erhalten hatte, dass ich so viele Gnadenbeweise genoss, die ich an diesem Ort nicht hatte erwarten können, dass ich über meine Lage niemals mehr murren, sondern mich darüber freuen und jeweils danken sollte für das tägliche Brot, welches nur eine Reihe von Wundern hatte herbeibringen können – wobei ich daran denken musste, dass ich durch ein nicht geringeres Wunder gespeist worden war als Elias durch die Raben –, und dass ich in diesem unbewohnten Teil der Welt kaum einen Ort hätte nennen können, an den verschlagen zu werden für mich vorteilhafter gewesen wäre – einen Ort, wo ich zu meinem Kummer zwar keine Gesellschaft genoss, aber doch auch keine wilden Bestien, keine reißenden Wölfe oder Tiger angetroffen hatte, die mein Leben bedrohen könnten, keine giftspeienden oder giftigen Tiere, die ich zu meinem Schaden hätte verzehren können, keine Wilden, die mich ermorden und auffressen würden.

Mit einem Wort – mein Leben war einerseits wohl ein Leben voller Kummer, andererseits aber auch eines voller Gnade, und da es mir an nichts fehlte, um es behaglich zu machen, brauchte ich nur noch die Fähigkeit, das Bewusstsein von Gottes Güte und seiner mir bewiesenen Fürsorge in dieser Lage zu meinem täglichen Trost werden zu lassen – und nachdem ich hierin die rechten Fortschritte gemacht hatte, war ich nicht mehr länger traurig.

Ich befand mich jetzt schon so lange auf der Insel, dass vieles, was ich zu meiner Hilfe an Land gebracht hatte, entweder ganz aufgebraucht oder sehr abgenutzt und beinahe dahin war.

Meine Tinte war, wie schon erwähnt, bereits seit einiger Zeit fast zu Ende, ich besaß nur noch einen kleinen Rest, den ich mit Wasser immer wieder verlängerte, bis er so blass war, dass er kaum noch eine Spur auf dem Papier hinterließ. Solange er vorhielt, benutzte ich ihn, um die Tage des Monats aufzuzeichnen, an denen ich irgend etwas Bemerkenswertes erlebte, und ich erinnere mich, dass sich bei der Zusammenstellung der vergangenen Ereignisse eine merkwürdige Übereinstimmung der Tage ergab, an denen mir die verschiedenen Fügungen des Geschicks begegnet waren, und wenn ich dazu geneigt hätte, bestimmte Tage auf abergläubische Weise als jeweils verhängnisvoll oder glücklich anzusehen, dann hätte ich wohl Ursache gehabt, diese Übereinstimmung mit viel Aufmerksamkeit zu betrachten.

Ich hatte erstens beobachtet, dass mich am gleichen Tage, an dem ich meinem Vater und meinen Freunden davongelaufen und nach Hull gefahren war, um zur See zu gehen, später das Kriegsschiff aus Salé gefangennahm und zum Sklaven machte.

Am gleichen Tag, an dem ich von dem sinkenden Schiff aus der Reede von Yarmouth entkommen war, flüchtete ich ein Jahr später mit dem Boot aus Salé.

Am gleichen Tag, an dem ich geboren wurde, nämlich am 20. September, wurde sechsundzwanzig Jahre später mein Leben auf so wunderbare Weise gerettet, als mich das Schicksal an die Küste dieser Insel verschlug, so dass mein sündhaftes und auch mein einsames Leben an ein und demselben Tag begannen.

Das nächste, was nach meiner Tinte zu Ende ging, war mein Brot, ich meine den Zwieback, den ich mir aus dem Schiff geholt hatte.

140

Mit ihm war ich höchst sparsam umgegangen und hatte mir ungefähr ein Jahr lang täglich nur ein Stück zu essen gestattet, und doch war ich während eines ganzen Jahres ohne Brot, bevor ich mein eigenes Korn einbrachte, und ich hatte alle Ursache, dankbar dafür zu sein, dass ich überhaupt etwas hatte, denn dass ich es bekam, grenzte, wie schon gesagt, an ein Wunder.

Auch meine Kleidung begann sehr zu zerschleißen; was das Leinen betrifft, so besaß ich schon lange keins mehr, bis auf die karierten Hemden, die ich in den Kisten der anderen Seeleute gefunden und sorgfältig aufgehoben hatte, denn häufig mochte ich keine andere Kleidung als nur ein Hemd tragen, und es war für mich eine große Hilfe, dass ich bei der gesamten Kleidung der Männer vom Schiff fast drei Dutzend Hemden hatte. Auch einige dicke Matrosenwachmäntel waren darunter gewesen und übriggeblieben, aber sie waren zu warm, als dass ich sie hätte anziehen können; und obwohl eine so ungeheure Hitze herrschte, dass ich eigentlich gar keine Kleidung brauchte, konnte ich doch nicht ganz nackt umhergehen – nein, auch nicht, wenn ich Lust dazu gehabt hätte, was nicht der Fall war, nicht einmal den Gedanken daran konnte ich ertragen, obgleich ich ganz allein war.

Einer der Gründe, weshalb ich nicht ganz nackt umhergehen konnte, war der, dass ich die Sonnenhitze besser vertrug, wenn ich etwas Kleidung anhatte – die Hitze verursachte mir nämlich häufig Blasen auf der Haut; trug ich aber ein Hemd, dann bewegte sich die Luft ein wenig, und wenn sie unter das Hemd zog, war sie doppelt so kühl. Ebensowenig vermochte ich mich in der Sonnenglut ohne Mütze oder Hut zu bewegen; die Sonne, die dort sehr heftig herniederbrennt, verursachte mir bald Kopfschmerzen, wenn sie mir so direkt auf den Scheitel schien, so dass ich es nicht aushalten konnte; setzte ich jedoch eine Kopfbedeckung auf, dann verschwanden die Schmerzen bald.

Deshalb also begann ich daran zu denken, wie ich meine paar Lumpen, die ich Kleidung nannte, einigermaßen in Ordnung bringen konnte; ich hatte alle meine Westen abgetragen, und meine Aufgabe war jetzt, zu versuchen, ob ich nicht aus den großen Wachmänteln, die ich bei mir hatte, und aus anderem Material, über das ich verfügte, Jacken anfertigen konnte; so machte ich mich also ans Schneidern oder vielmehr ans Pfuschen, denn was ich zustande brachte, war jämmerlich. Immerhin stümperte ich zwei oder drei Westen zusammen, die mir, so hoffte ich, lange dienen würden; was die Hosen betraf, so gelang mir vorerst nur ein trauriges Machwerk.

Ich erwähnte bereits, dass ich die Felle aller erlegten Tiere – ich meine der Vierfüßer – aufbewahrt und auf Stöcke gespannt zum Trocknen in die Sonne gehängt hatte. Dadurch waren einige so steif und hart geworden, dass sie zu nichts zu gebrauchen waren; andere aber waren anscheinend sehr verwendbar. Als erstes fertigte ich aus diesen eine große Kappe für meinen Kopf, mit dem Fell nach außen, um den Regen abzuweisen, und sie gelang mir so gut, dass ich danach einen ganzen Anzug aus solchen Fellen herstellte, das heißt eine Weste und eine kniefreie Hose, beides sehr lose, denn sie sollten mich eher kühl als warm halten. Ich kann nicht umhin, zu gestehen, dass sie scheußlich gemacht waren, denn wenn ich schon ein schlechter Tischler war, so war ich ein noch schlechterer Schneider. Immerhin fielen sie doch so aus, dass ich mich recht gut mit ihnen behelfen konnte, und wenn ich im Freien war und es zu regnen begann, blieb ich schön trocken, da die Haare von Weste und Kappe außen waren.

Danach verwandte ich viel Zeit und Mühe darauf, mir einen Schirm herzustellen; ich brauchte ihn wirklich dringend und wollte mir sehr gern einen anfertigen; in Brasilien hatte ich gesehen, wie sie gemacht wurden; bei der dort herrschenden großen Hitze sind sie sehr nützlich, und ich empfand die Hitze hier als mindestens ebenso groß, wenn nicht noch größer, da ich dem Äquator näher war, zudem musste ich viel Zeit im Freien verbringen, und so könnte er mir sehr dienlich sowohl gegen den Regen als auch gegen die Hitze sein. Ich gab mir unendlich viel Mühe, und es dauerte sehr lange, bevor ich irgend etwas Haltbares zustande brachte; ja, als ich schon dachte, jetzt hätte ich es vollbracht, verdarb ich zwei oder drei, bis mir endlich einer gelang, der einigermaßen meinen Vorstellungen entsprach. Die Hauptschwierigkeit war für mich, ihn so zu machen, dass er sich zuklappen ließ; dass ich ihn aufspannen konnte, brachte ich zuwege, aber wenn er sich nicht auch zuklappen und zusammenfalten ließ, konnte ich ihn nicht anders als über meinem Kopf tragen, und das genügte nicht. Endlich aber gelang mir, wie gesagt, einer nach

Wunsch; ich überzog ihn mit Fellen, die Haarseite nach oben, so dass der Regen wie von einem Wetterdach davon ablief und mich der Schirm wirksam vor der Sonne schützte, so dass ich auch bei heißestem Wetter mit weniger Beschwerden ausgehen konnte als zuvor beim kühlsten, und wenn ich ihn nicht brauchte, konnte ich ihn schließen und unter dem Arm tragen.

So lebte ich recht behaglich, und mein Gemüt war völlig ruhig, da ich mich in den Willen Gottes ergeben und mich der Fügung seiner Vorsehung unterworfen hatte; dies machte mein Leben besser, als es in Gesellschaft gewesen wäre, denn wenn ich anfing den Mangel an Unterhaltung zu bedauern, fragte ich mich, ob es nicht besser sei, Zwiesprache mit meinen eigenen Gedanken und – wie ich wohl hoffentlich sagen darf – durch Stoßseufzer und Gebete mit meinem Schöpfer zu führen als die größte Freude in der Welt an menschlicher Gesellschaft zu haben?

Ich kann nicht sagen, dass mir in den nächsten fünf Jahren danach irgendetwas Außergewöhnliches geschehen ist; ich lebte in derselben Weise, in derselben Lage und am selben Ort so weiter wie zuvor. Neben meiner jährlichen Arbeit, Gerste und Reis zu pflanzen und Trauben zu trocknen, von welchen Fruchtarten ich immer gerade einen für ein Jahr ausreichenden genügend großen Vorrat hielt – also neben dieser jährlichen Arbeit und der täglichen, mit meiner Flinte auszugehen, beschäftigte ich mich noch damit, mir ein Kanu zu bauen, das ich endlich vollendete, so dass ich es, nachdem ich einen Kanal von sechs Fuß Breite und vier Fuß Tiefe gegraben hatte, fast eine halbe Meile weit bis zu der Bucht hinabbringen konnte. Was das erste Boot betraf, so war es so riesig groß gewesen, weil ich es angefertigt hatte, ohne vorher zu überlegen – was ich doch hätte tun sollen –, auf welche Weise ich es vom Stapel lassen konnte; da ich nun weder vermochte, es ins Wasser zu schaffen, noch das Wasser zu ihm hinzuleiten, so war ich gezwungen, es dort liegenzulassen, wo es lag, als ein Mahnmal, das mich lehren sollte, beim nächsten Mal klüger zu sein. Und obgleich ich auch beim nächsten Mal keinen geeigneten Baum ausfindig machen konnte außer an einem Ort, wo ich das Wasser, wie gesagt, nicht weniger als fast eine halbe Meile weit zu ihm hinführen musste, gab ich nicht auf, da ich schließlich sah, dass es durchführbar war; und obwohl ich beinah zwei Jahre dazu brauchte, war es mir nicht leid um meine Arbeit, da ich hoffte, bald ein Boot zu haben, mit dem ich endlich zur See fahren konnte.

Obgleich meine kleine Piroge jetzt fertig war, entsprach ihre Größe jedoch keineswegs dem Zweck, den ich beim Bau der ersten im Sinn gehabt hatte – ich meine, mich über vierzig Meilen weit auf das Festland hinüber zu wagen; deshalb trug das geringe Ausmaß meines Bootes dazu bei, dass ich diese Absicht aufgab und nun nicht mehr daran dachte. Weil ich aber ein Boot hatte, bestand mein nächster Plan darin, einen Ausflug um die Insel zu unternehmen, denn da ich mich bereits an einer Stelle auf der anderen Seite befunden hatte, nachdem ich, wie schon beschrieben, quer über die Insel gewandert war, hatten die bei dieser Reise gemachten Entdeckungen die Lust in mir geweckt, auch die anderen Teile der Küste kennenzulernen, und jetzt, wo ich ein Boot besaß, dachte ich an nichts anderes als nur daran, rund um die Insel zu segeln.

Zu diesem Zweck und damit alles mit Umsicht und Überlegung geschah, stellte ich in meinem Boot einen kleinen Mast auf und machte dafür ein Segel aus ein paar Stücken der Schiffssegel, von denen ich noch einen großen Vorrat liegen hatte.

Nachdem ich Mast und Segel befestigt und das Boot ausprobiert hatte, fand ich, dass es sehr gut segelte. Danach brachte ich an jedem Ende meines Boots kleine Kästen und Schubladen an, um Vorräte, Gegenstände, die ich brauchte, Munition und dergleichen unterzubringen und sie sowohl vor dem Regen als auch vor der Gischt des Meeres trocken zu halten; im Innern des Boots schnitt ich mir eine schmale lange Höhlung für meine Flinte und brachte darüber eine Klappe an, damit sie trocken blieb. Auch meinen Schirm befestigte ich am Heck in einer Klampe, wie einen Mast, so dass er über meinem Kopf stand und mich wie ein Sonnendach vor der Glut schützte; so unternahm ich hin und wieder eine kleine Fahrt aufs Meer, fuhr aber nie weit hinaus und entfernte mich auch kaum von der schmalen Bucht. Endlich aber war ich so begierig darauf, den Umkreis meines kleinen Königreichs zu besichtigen, dass ich mich zu meiner Fahrt entschloss und mein Schiff dementsprechend mit Proviant ausrüstete: Ich legte zwei Dutzend meiner Gerstenbrote (Kuchen konnte ich sie kaum nennen), einen irdenen Krug mit geröstetem Reis (ein

Gericht, das ich häufig aß), eine kleine Flasche Rum, eine halbe Ziege sowie Pulver und Blei, um mehr Ziegen zu erlegen, und zwei weite Wachmäntel aus den Seemannskisten hinein; auf dem einen wollte ich liegen und mich mit dem anderen nachts zudecken.

Am 6. November im sechsten Jahr meiner Herrschaft oder Gefangenschaft, wie man will, trat ich diese Reise an, und sie wurde viel länger, als ich erwartet hatte, denn obgleich die Insel selbst nicht sehr groß war, fand ich doch an ihrer Ostseite ein großes Felsenriff, das etwa zwei Meilen – teils über, teils unter dem Wasser – in die See hinausragte, und davor eine trocken liegende Sandbank von wiederum einer halben Meile, so dass ich genötigt war, sehr weit aufs Meer hinauszufahren, um diese Landzunge zu umschiffen.

Als ich sie entdeckte, wollte ich zuerst mein Unternehmen aufgeben und wieder zurückkehren, da ich nicht wusste, wie weit ich aufs Meer hinausfahren musste, und vor allem nicht sicher war, wie ich wieder zurückkommen sollte; so ging ich vor Anker, denn ich hatte mir aus einem Stück von einem zerbrochenen Bootshaken, den ich vom Schiff hatte, etwas Ankerähnliches hergestellt.

Nachdem ich mein Boot festgemacht hatte, nahm ich meine Flinte und ging an Land; ich stieg auf einen Hügel, der einen Überblick über diese Landzunge zu bieten schien; von dort sah ich, wie weit sie sich erstreckte, und beschloss, die Fahrt zu wagen.

Als ich so von dem Hügel, auf dem ich stand, über das Meer blickte, bemerkte ich eine starke, ja reißende Strömung, die nach Osten führte, und zwar ganz nahe an dieser Landzunge vorbei. Ich betrachtete sie um so aufmerksamer, als ich sah, dass sie gefährlich werden könnte, denn wenn ich hineingeriete, würde ich vielleicht durch ihre Gewalt aufs offene Meer hinausgetrieben und könnte die Insel nicht mehr erreichen. Und tatsächlich: Wäre ich nicht zuerst auf diesen Hügel gestiegen, dann wäre es, glaube ich, wohl so gekommen, denn auf der anderen Seite der Insel gab es die gleiche Strömung, nur dass sie in größerer Entfernung vom Ufer verlief. Ich sah auch, dass es in Ufernähe eine starke Gegenströmung gab, ich brauchte also nur aus der ersten Strömung hinauszugelangen und wäre dann bald in einer Gegenströmung. Ich blieb jedoch zwei Tage lang hier liegen, denn da der Wind ziemlich kräftig wehte (aus Ostsüdost, der erwähnten Strömung genau entgegengesetzt), verursachte er an der Landzunge eine recht heftige Brandung; so war es für mich einmal gefährlich, zu nahe am Ufer zu bleiben wegen der Brandung, und zum anderen hinderte mich die Strömung, zu weit hinauszufahren.

Am Morgen des dritten Tages war das Meer ruhig. Der Wind hatte sich in der Nacht gelegt, und so wagte ich mich hinaus, aber ich bin auch hierbei ein warnendes Beispiel für alle voreiligen und unwissenden Lotsen, denn kaum gelangte ich an die Landzunge und war knapp eine Bootslänge vom Ufer entfernt, da befand ich mich schon in sehr tiefem Wasser und in einer Strömung, die einer Mühlenschleuse glich. Sie riss mein Boot mit einer solchen Gewalt fort, dass ich es trotz aller Bemühungen nicht einmal an ihrem Rand halten konnte, sondern ich wurde immer weiter von der Gegenströmung auf der linken Seite fortgetrieben. Nicht der leiseste Wind wehte, um mir zu helfen, und was ich mit meinen Paddeln zu tun vermochte, nützte gar nichts; jetzt begann ich mich als verloren aufzugeben, denn da die Strömung zu beiden Seiten der Insel verlief, wusste ich, dass sie sich nach einigen Meilen Entfernung wieder vereinen musste, und dann war ich unrettbar verloren. Eine Möglichkeit, es zu vermeiden, aber sah ich nicht, und so lag vor mir nur die Aussicht umzukommen – nicht durch das Meer, denn das war ziemlich ruhig, sondern durch den Hunger. Ich hatte zwar am Strand eine Schildkröte gefunden, die so groß war, dass ich sie kaum zu heben vermochte, und sie ins Boot geworfen, und außerdem hatte ich einen großen Krug frisches Wasser bei mir, das heißt eines von meinen irdenen Gefäßen, aber was war all das, wenn ich in den weiten Ozean hinausgetrieben wurde, wo es gewiss mindestens tausend Meilen weit kein Ufer, weder Festland noch eine Insel gab?

Und jetzt sah ich ein, wie leicht es für die göttliche Vorsehung ist, auch die elendste Lage, in der sich Menschen befinden können, zu einer noch schlimmeren zu machen. Jetzt blickte ich auf meine verlassene, einsame Insel als auf den angenehmsten Ort der Welt zurück, und mein Herz wünschte sich kein anderes Glück als nur wieder dort zu sein. Mit sehnsüchtigem Verlangen streckte ich die Hände nach ihr aus und sagte: »O du glückliche Einöde, ich werde dich nie wiedersehen! O ich elendes Geschöpf, wohin treibt es mich?« Dann warf ich mir meinen undankbaren Charakter und die

Tatsache vor, dass ich über meine Einsamkeit gemurrt hatte – was würde ich jetzt darum geben, wieder dort an Land zu sein? So sehen wir niemals unsere wahre Lage, bis sie uns durch ihr Gegenteil klar wird, und wir wissen das, was wir genießen, nur dann zu schätzen, wenn wir es entbehren. Man kann sich kaum die Bestürzung vorstellen, die mich jetzt erfasste, als ich von meiner geliebten Insel fortgetrieben wurde (denn so erschien sie mir nun), in den riesigen Ozean hinaus, schon fast zwei Meilen weit und gänzlich an der Hoffnung zweifelnd, die Insel jemals wieder zu erreichen; trotzdem aber arbeitete ich hart, bis meine Kraft fast erschöpft war, und hielt mein Boot so weit nördlich, das heißt zu der Seite der Strömung hin, wo sich die Gegenströmung befand, wie ich nur irgend konnte. Da war mir gegen Mittag, während die Sonne den Zenit überschritt, als spüre ich eine leichte Brise im Gesicht, die von Südsüdost aufkam. Das ermunterte mich wieder ein wenig, und besonders, da nach etwa einer halben Stunde schon ein hübscher kleiner Wind wehte. Zu der Zeit war ich bereits erschreckend weit von der Insel fortgetrieben und wäre, wenn nur das geringste trübe oder neblige Wetter aufgekommen wäre, auch aus einem anderen Grunde nicht zu retten gewesen, denn ich hatte keinen Kompass an Bord und hätte nicht gewusst, wie ich die Insel hätte ansteuern sollen, wenn ich sie nur einmal aus den Augen verloren hätte; da das Wetter aber auch weiterhin klar blieb, machte ich mich daran, meinen Mast wieder aufzustellen und mein Segel zu setzen, während ich mich so weit wie möglich nach Norden hielt, um aus der Strömung hinauszugelangen.

Gerade als ich Mast und Segel gesetzt hatte und das Boot in Fahrt kam, sah ich an der Klarheit des Wassers, dass sich die Strömung in der Nähe verändert hatte, denn dort, wo sie in voller Stärke floss, war das Wasser trübe; als ich aber nun bemerkte, dass es klar wurde, stellte ich fest, dass die Strömung nachließ, und bald darauf sah ich im Osten, in ungefähr einer halben Meile Entfernung, wie das Meer gegen ein paar Klippen brandete; diese veranlassten die Strömung, sich wieder zu teilen; während ihr einer Arm nun weiter nach Süden verlief und die Klippen im Nordosten ließ, wurde der andere durch den Felsen zurückgetrieben und bildete eine starke Gegenströmung, die mit großer Kraft nach Nordwesten zurückfloss.

Derjenige, der weiß, was es bedeutet, auf der Leiter zum Galgen die Begnadigung zu erhalten oder vor Räubern gerettet zu werden, die sich gerade anschicken, ihn zu ermorden, oder der sich schon in einer ähnlichen äußersten Not befunden hat, kann erraten, wie groß meine freudige Überraschung war, wie gern ich mein Boot in diese Gegenströmung lenkte und, da auch der Wind auffrischte, mein Segel setzte und fröhlich vor dem Wind mit einer starken Drift oder Gegenströmung unter mir dahinsegelte.

Sie trug mich etwa eine Meile weit zurück und direkt auf die Insel zu, aber ungefähr zwei Meilen nordwärts von der Stelle, wo die Strömung war, die mich abgetrieben hatte, so dass ich mich, als ich in die Nähe der Insel gelangte, vor ihrer Nordküste befand, das heißt am anderen Ende der Insel, entgegengesetzt dem, von dem ich abgefahren war.

Als ich mit Hilfe dieser starken Drift oder Gegenströmung etwas mehr als eine Meile zurückgelegt hatte, stellte ich fest, dass sie schwächer wurde und mir nicht länger diente. Da ich mich aber zwischen den beiden großen Strömungen befand, der auf der Südseite nämlich, die mich davongetrieben hatte, und der im Norden, die etwa zwei Meilen von der anderen Seite entfernt war, zwischen diesen beiden also im Westen der Insel, lag ich zumindest in stillem Wasser, das nach keiner Richtung hin strömte, und weil eine mir günstige frische Brise wehte, hielt ich weiterhin geradenwegs auf die Insel zu, wenn ich auch nicht so schnell vorankam wie zuvor.

Gegen vier Uhr nachmittags, als ich noch etwa eine Meile weit von der Insel entfernt war, fand ich die Felsspitze, die schuld daran war, dass sich das Ufer so weit nach Süden hinaus erstreckte, und die außerdem, da sie die Strömung noch mehr nach Süden abdrängte, nach Norden hin eine weitere Gegenströmung verursachte; ich fand diese sehr stark, aber sie verlief nicht meinem Kurs entsprechend nach Westen, sondern fast direkt nach Norden. Weil aber ein frischer Wind wehte, kreuzte ich schräg über diese Gegenströmung hinweg nach Nordwesten und gelangte ungefähr eine Stunde später in etwa eine Meile Entfernung von der Küste, von wo ich, da das Wasser still war, bald an Land kam.

Als ich wieder am Ufer war, fiel ich auf die Knie und dankte Gott für meine Rettung; ich beschloss, jeden Gedanken an eine Befreiung durch mein Boot aufzugeben. Ich stärkte mich mit dem, was ich bei mir hatte, brachte mein Boot nahe ans Ufer in eine kleine Bucht, die ich unter einigen Bäumen entdeckt hatte, und legte mich schlafen, denn ich war von den Mühen und Strapazen der Fahrt völlig erschöpft.

Ich hatte nun keine Ahnung, wie ich mit meinem Boot nach Hause gelangen sollte. Nach so vielen ausgestandenen Gefahren wusste ich zu genau, was mich erwartete, als es auf dem Wege zu versuchen, auf dem ich hinausgefahren war; und wie es auf der anderen Seite aussehen mochte (ich meine die Westseite), war mir nicht bekannt, und ich hatte auch keine Lust zu weiteren Wagnissen; so entschloss ich mich am Morgen nur dazu, westlich entlang der Küste zu fahren und mich nach einer Bucht umzusehen, wo ich meine Barke ungefährdet lassen konnte, damit ich sie bei Bedarf da hätte. Nachdem ich ungefähr drei Meilen weit am Ufer entlanggefahren war, kam ich zu einer sehr günstigen Einfahrt oder Bucht, die etwa eine Meile lang war und sich verengte, bis sie zu einem sehr kleinen Flüsschen oder Bach wurde, wo ich einen passenden Hafen für mein Boot fand, wie einen eigens dafür gemachten kleinen Liegeplatz. Hier lief ich ein, und nachdem ich mein Boot sehr sicher untergebracht hatte, ging ich an Land, um mich umzublicken und festzustellen, wo ich mich befand.

Bald sah ich, dass ich nur ein wenig weiter gefahren war als bis zu der Stelle, die ich schon zuvor aufgesucht hatte, als ich zu Fuß zu diesem Ufer gewandert war; ich nahm also weiter nichts aus meinem Boot als nur meine Flinte und meinen Schirm, denn es war außerordentlich heiß, und begann meinen Marsch. Der Weg schien mir recht bequem nach einer Fahrt, wie ich sie hinter mir hatte, und am Abend gelangte ich zu meiner alten Hütte, wo ich alles so fand, wie ich es verlassen hatte, denn ich hielt sie immer gut in Ordnung, weil sie ja, wie schon gesagt, mein Landhaus war.

Ich stieg über den Zaun und legte mich in den Schatten, um meine Glieder zu ruhen, denn ich war sehr müde, und schlief ein, aber der Leser meiner Geschichte mag sich, wenn er es kann, die Überraschung vorstellen, in der ich mich befunden haben musste, als ich durch eine Stimme aus dem Schlaf geweckt wurde, die mich mehrmals beim Namen rief: »Robin, Robin, Robin Crusoe, armer Robin

Crusoe! Wo bist du, Robin Crusoe? Wo bist du? Wo bist du gewesen?«

Da ich von meinem vormittäglichen Rudern oder Paddeln, wie es genannt wird, und von meiner Wanderung am Nachmittag erschöpft war, schlief ich zuerst so fest, dass ich nicht richtig wach wurde; und während ich so zwischen Schlafen und Wachen dahindämmerte, dachte ich, ich träumte, dass jemand mit mir spräche; als aber die Stimme immerfort wiederholte: »Robin Crusoe, Robin Crusoe!«, wurde ich endlich richtig wach, erschrak zunächst furchtbar und fuhr mit der größten Bestürzung auf. Kaum aber hatte ich die Augen geöffnet, da sah ich meinen Poll oben auf der Hecke sitzen, und sogleich wusste ich, dass er es war, der mit mir sprach, denn eben mit diesen klagenden Worten hatte ich immer zu ihm geredet und ihn sprechen gelehrt, und er hatte es so vollendet gelernt, dass er auf meinem Finger zu sitzen und, den Schnabel nahe an mein Gesicht gelegt, zu rufen pflegte: »Armer Robin Crusoe, wo bist du? Wo bist du gewesen? Wie bist du hierhergekommen?« und andere Dinge, die ich ihm beigebracht hatte.

Obwohl ich aber wusste, dass es der Papagei gewesen war und es auch niemand anders hätte sein können, dauerte es eine ganze Weile, bis ich mich wieder fasste. Zuerst wunderte ich mich, wie der Vogel hierhergekommen war, und dann darüber, dass er sich gerade an diesem Ort und an keinem anderen aufhielt; da ich aber davon überzeugt war, dass es niemand anders sein konnte als mein braver Poll, kam ich darüber hinweg, und als ich die Hand ausstreckte und ihn beim Namen Poll rief, kam das gesellige Tier zu mir und setzte sich auf meinen Daumen, wie er es zu tun gewohnt war, und sprach weiter mit mir: »Armer Robin Crusoe!« und wie ich hierhergekommen und wo ich gewesen sei, als sei er hocherfreut, mich wiederzusehen, und so trug ich ihn mit mir nach Hause.

Für eine Weile hatte ich nun genug davon, auf dem Meer herumzustreifen, und viele Tage lang hatte ich vollauf damit zu tun, still dazusitzen und über die ausgestandene Gefahr nachzudenken. Ich hätte das Boot sehr gern wieder auf meiner Inselseite gehabt, aber ich wusste nicht, wie ich es anstellen sollte. Was die Ostseite der Insel betraf, die ich umschifft hatte, so wusste ich zur Genüge, dass ich mich um sie nicht herum wagen konnte; wenn ich nur daran dachte, krampfte sich mein Herz zusammen, und das Blut erstarrte mir geradezu in den Adern. Und was die andere Seite der Insel betraf, so wusste ich nicht, wie es dort aussah; aber angenommen, die Strömung führte im Osten mit der gleichen Kraft auf die Küste zu, wie sie auf der anderen Seite daran vorbeiführte, dann mochte ich mich der gleichen Gefahr aussetzen, vom Strom mitgerissen und an der Insel vorbeigetrieben zu werden, wie ich vorher von ihr fortgetrieben wurde. Bei diesem Gedanken gab ich mich damit zufrieden, ohne das Boot zu sein, obgleich es so viele Monate Arbeit gekostet hatte, es zu bauen, und so viele weitere, es ins Meer zu schaffen.

Auf diese Weise beherrschte ich mein Gemüt fast ein Jahr lang und lebte ein sehr sesshaftes, zurückgezogenes Leben, wie man sich wohl vorstellen kann; und da ich nun, was meine Lage betraf, sehr gefasst war und Trost fand, indem ich mich in die Fügung der Vorsehung schickte, glaubte ich in jeder Hinsicht sehr glücklich zu leben, mit Ausnahme, was die Gesellschaft betraf.

Während dieser Zeit vervollkommnete ich mich in allen handwerklichen Fertigkeiten, zu denen mich meine Bedürftigkeit zwang, und ich glaube, ich hätte es nötigenfalls zu einem sehr guten Tischler bringen können, besonders, wenn man das bisschen Werkzeug bedenkt, das ich zur Verfügung hatte.

Außerdem erreichte ich eine unerwartete Vollkommenheit meiner Töpferwaren und richtete es mir recht gut ein, sie mit einer Töpferscheibe herzustellen, was ich ungleich leichter und besser fand, weil ich nun die Behältnisse, die vorher wirklich scheußlich anzusehen gewesen waren, rund und wohlgestaltet machen konnte. Aber ich glaube, ich war niemals mehr von meiner eigenen Arbeit eingenommen oder freute mich über irgend etwas mehr, was ich zustande gebracht hatte, als darüber, dass es mir gelungen war, eine Tabakspfeife herzustellen; und obgleich es ein sehr hässliches und plumpes Ding wurde und nur rotgebrannt war wie andere Töpferwaren, frohlockte ich darüber doch sehr, da sie hart und fest war und gut zog, denn ich war immer gewohnt gewesen zu rauchen; auf dem Schiff befanden sich zwar Pfeifen, aber zuerst hatte ich nicht an sie gedacht, da ich nicht wusste, dass Tabak auf der Insel wuchs, und als ich später das Schiff wieder durchsuchte, konnte ich an die Pfeifen nicht mehr herankommen.

Auch in der Korbflechterei verbesserte ich mich sehr und fertigte eine Menge notwendiger Körbe an, so gut ich sie mir ausdenken konnte, und wenn sie auch nicht sehr hübsch waren, so dienten sie mir doch zur Aufbewahrung oder zum Heimschaffen von allerlei Dingen. Wenn ich zum Beispiel draußen eine Ziege schoss, konnte ich sie an einem Baum aufhängen, sie abhäuten, ausweiden, in Stücke schneiden und diese dann in einem Korb nach Hause tragen; ebenso bei einer Schildkröte: Ich konnte sie auseinanderschneiden, die Eier herausnehmen und diese zusammen mit einem oder zwei Stück Fleisch, die mir genügten, dann in einem Korb heimtragen und das übrige dort lassen. Große, tiefe Körbe waren auch meine Behälter für Korn, das ich stets nach dem Trocknen ausrieb, reinigte und in großen Körben aufbewahrte, anstatt auf einer Tenne.

Ich bemerkte jetzt auch, dass mein Pulver beträchtlich abnahm, und dies war ein Mangel, dem ich unmöglich abhelfen konnte; ich begann ernsthaft zu überlegen, was ich tun sollte, wenn ich kein Pulver mehr besaß, das heißt, wie ich es dann anstellen sollte, weiterhin Ziegen zu erlegen. Ich hatte, wie schon berichtet, im dritten Jahr meines Aufenthalts ein junges Zicklein gehalten und gezähmt; meine Hoffnung war gewesen, einen jungen Ziegenbock zu fangen, aber es wollte mir durchaus nicht gelingen, bis mein Zicklein zu einer alten Geiß geworden war, und ich hatte nie das Herz, sie zu schlachten, bis sie endlich alters starb.

Aber nun, im elften Jahr meines Aufenthalts, da meine Munition, wie gesagt, knapp zu werden begann, machte ich mich ans Lernen der Kunst, den Ziegen Fallen zu stellen und Schlingen zu legen, um zu versuchen, sie lebendig zu fangen; ganz besonders gern wollte ich eine tragende Geiß haben.

Zu diesem Zweck legte ich Fallstricke aus, damit sie sich darin verfingen, und ich glaube, mehr als einmal blieben sie darin hängen, aber meine Ausrüstung taugte nichts, denn ich hatte keinen Draht und fand die Stricke immer zerrissen und meinen Köder aufgefressen vor.

Endlich beschloss ich, es mit einer Fallgrube zu versuchen. An Stellen, wo die Ziegen nach meiner Beobachtung zu grasen pflegten, hob ich also mehrere große Gruben aus und legte selbstgefertigte Reisiggeflechte darüber, die ich mit einem großen Gewicht beschwerte. Mehrmals streute ich Gerstenähren und trockenen Reis darauf, ohne die Falle zu stellen, und ich beobachtete, dass die Ziegen dagewesen waren und das Korn gefressen hatten, denn ich konnte ihre Spuren sehen; schließlich stellte ich in einer Nacht drei Fallen, und als ich am nächsten Morgen dort hinging, lagen die Geflechte noch alle unversehrt da, aber der Köder war aufgefressen und verschwunden. Das war sehr entmutigend; ich veränderte jedoch meine Fallen, und – um den Leser nicht mit Einzelheiten zu belästigen – als ich eines Morgens nach ihnen sah, fand ich in einer einen großen alten Ziegenbock und in einer der anderen drei Zicklein, ein Männchen und zwei Weibchen.

Was den Alten betraf, so wusste ich nicht, was ich mit ihm anstellen sollte; er war so wild, dass ich nicht wagte, zu ihm in die Grube zu gehen, nämlich um ihn lebendig herauszuholen, was ich ja wollte. Ich hätte ihn töten können, aber daran lag mir nichts, und es hätte meinem Zweck nicht gedient; so ließ ich ihn laufen, und er rannte davon, als sei er vor Angst von Sinnen. Damals wusste ich noch nicht, was ich später lernte, nämlich dass der Hunger sogar einen Löwen zähmen würde; hätte ich ihn drei oder vier Tage lang ohne Futter dort gelassen, ihm dann etwas Wasser zum Trinken gebracht und danach ein bisschen Korn, dann wäre er so zahm gewesen wie ein Zicklein, denn die Ziegen sind sehr kluge und lenkbare Tiere, wenn man sie richtig behandelt.

Für diesmal jedoch ließ ich ihn laufen, da ich es damals nicht besser wusste; dann ging ich zu den drei Zicklein, nahm sie eins nach dem anderen heraus, band sie mit Stricken aneinander und brachte sie, nicht ohne einige Schwierigkeiten, allesamt nach Hause.

Es dauerte eine Weile, bis sie fressen wollten, aber als ich ihnen etwas von dem süßen Korn vorwarf, lockte es sie, und sie begannen zahm zu werden. Ich erkannte nun, dass mir, wenn ich mich mit Ziegenfleisch versorgen wollte, nachdem mir Pulver und Blei ausgegangen wären, nichts übrigbliebe, als mir zahme Ziegen aufzuziehen und sie vielleicht wie eine Schafherde rings um mein Haus zu halten.

Dann aber fiel mir ein, dass ich die zahmen von den wilden getrennt halten musste, sonst würden sie immer, wenn sie ausgewachsen waren, wild werden und davonlaufen; die einzige Möglichkeit dazu war, ein Stück Land entweder mit einer Hecke oder mit Pfählen gut einzuzäunen, um sie so sicher darin zu halten, dass die, welche drinnen waren, nicht ausbrechen und die, welche draußen waren, nicht hineingelangen konnten.

Das war ein großes Unternehmen für nur ein Paar Hände; da ich es aber als absolut notwendig ansah, bestand meine erste Arbeit darin, ein geeignetes Stück Land zu finden, nämlich eins, wo sie genügend Gras zum Fressen, Wasser zum Trinken und Schutz vor der Sonne finden würden.

Wer etwas von solchen Einfriedungen versteht, wird denken, dass ich nicht sehr klug zu Werke ging, wenn ich erzähle, dass ich, nachdem ich mich für einen Platz entschieden hatte, der sehr geeignet in allen diesen Punkten war (denn es war ein ebenes, offenes Stück Wiese oder Savanne, wie es unsere Leute in den westlichen Kolonien nennen), zwei oder drei kleine Rinnen mit frischem Wasser und an einem Ende sehr dichten Wald hatte – also, der wird über meine Vorausschau lächeln, wenn ich erzähle, dass ich damit begann, dieses Stück Boden so zu umfrieden, dass meine Hecke oder mein Zaun mindestens zwei Meilen lang hätte werden müssen; die Ausdehnung war aber nicht das Verrückte daran, denn auch wenn er zehn Meilen lang gewesen wäre, hätte ich wohl Zeit genug gehabt, ihn zu bauen – aber ich dachte nicht daran, dass meine Ziegen in einer so großen Umfriedung ebenso wild bleiben mussten, als hätten sie die ganze Insel zu ihrer Verfügung, und der Raum, in dem ich ihnen hätte nachjagen müssen, wäre so groß gewesen, dass ich sie niemals gefangen hätte.

Ich hatte mit meiner Arbeit begonnen und sie, glaube ich, etwa fünfzig Yard weit fortgeführt, als mir dies einfiel; da hielt ich sogleich inne und beschloss, für den Anfang ein Stück von ungefähr hundertfünfzig Yard Länge und hundert Yard Breite zu umfrieden, das alle Ziegen fassen konnte, die ich in absehbarer Zeit haben würde, und wenn meine Herde wuchs, konnte ich meine Umzäunung ja erweitern.

Dies war vorsichtig gehandelt, und ich machte mich mutig ans Werk. Ich brauchte etwa drei Monate, um das erste Stück mit meiner Hecke zu umfrieden, und bis ich es geschafft hatte, pflockte ich die Zicklein im besten Teil davon an und ließ sie so nahe wie nur möglich neben mir weiden, um sie zutraulich zu machen, und ich ging oft zu ihnen hin und brachte ihnen ein paar Gerstenähren oder eine Handvoll Reis, die ich sie aus der Hand fressen ließ, so dass sie mir, nachdem mein Gatter fertig war und ich sie darin laufen ließ, auf und ab folgten und nach einer Handvoll Korn meckerten.

Dies entsprach meinem Ziel, und nach ungefähr einem Jahr hatte ich eine Herde von insgesamt etwa zwölf Ziegen, die Zicklein mitgerechnet; nach zwei weiteren Jahren besaß ich dreiundvierzig, ohne die, welche ich herausgenommen und zu meinem Unterhalt geschlachtet hatte; danach umzäunte ich fünf verschiedene Stück Weideland mit kleinen Koppeln darin, in die ich sie hineintreiben und nach Bedarf einfangen konnte, und mit Toren von einem Gehege zum anderen.

Aber das war noch nicht alles, denn nun hatte ich zu meiner Ernährung nicht nur Ziegenfleisch, wann immer es mir beliebte, sondern auch Milch, etwas, woran ich zu Anfang nicht einmal gedacht hatte und worüber ich, als es mir in den Kopf kam, wirklich sehr angenehm überrascht war, denn jetzt richtete ich mir eine Meierei ein und hatte manchmal ein bis zwei Gallonen Milch am Tag. Und da die Natur, die jedem Geschöpf seine Nahrung gibt, auch ganz natürlich vorschreibt, wie man mit dieser verfahren muss, stellte ich mir, der ich noch nie im Leben eine Kuh, geschweige denn eine Ziege gemolken oder zugesehen hatte, wie Butter und Käse gemacht wurden, sehr geschickt und gewandt, wenn auch nach vielen misslungenen Versuchen, endlich sowohl Butter wie auch Käse her und entbehrte sie danach niemals mehr.

Wie barmherzig kann doch unser großer Schöpfer seine Geschöpfe behandeln, sogar unter Bedingungen, da sie zum Untergang verurteilt scheinen! Wie kann er doch das bitterste Schicksal versüßen und uns Anlass geben, ihn für Kerker und Gefängnis zu preisen! Was für eine Tafel war hier in der Wildnis für mich gedeckt, wo ich zuerst nichts als den Hungertod vor mir gesehen hatte.

Sogar ein Stoiker hätte über mich gelächelt, wie ich mich mit meiner kleinen Familie zu Tisch setzte: Da war Meine Majestät, Prinz und Herr über die ganze Insel; ich verfügte absolut über das Leben aller meiner Untertanen – ich durfte sie hängen, sie zu Tode schleifen, ihnen Leben und Freiheit schenken oder nehmen, und es gab unter ihnen nicht einen Rebellen.

Und welch ein Bild, wenn ich dann wie ein König speiste, ganz allein, nur in Gegenwart meiner Diener! Poll, als sei er ein Favorit, hatte als einziger die Erlaubnis, mit mir zu sprechen; mein Hund, der jetzt sehr alt und wunderlich geworden war und nicht seinesgleichen gefunden hatte, um sich zu vermehren, saß immer zu meiner Rechten, und zwei Katzen, die eine auf der einen und die andere auf der anderen Seite des Tisches, erwarteten dann und wann einen Bissen aus meiner Hand als ein Zeichen besonderer Gunst.

Dies waren jedoch nicht diejenigen Katzen, die ich zuerst an Land gebracht hatte, denn die waren beide gestorben, und ich hatte sie selbst in der Nähe meiner Wohnung begraben; aber da sich die eine mit Hilfe ich weiß nicht welcher Kreatur fortgepflanzt hatte, waren dies hier zwei, die ich gezähmt bei mir behielt, während die anderen sich wild in den Wäldern herumtrieben und mir schließlich wirklich lästig wurden, denn sie kamen oft zu mir ins Haus und plünderten auch bei mir, bis ich endlich gezwungen war, auf sie zu schießen, und viele erlegte; da verließen sie mich schließlich. Mit diesem Gefolge und auf auskömmliche Weise lebte ich, und man konnte nicht sagen, dass mir irgendetwas außer Gesellschaft fehlte, und davon sollte ich bald darauf fast zuviel bekommen.

Wie ich schon bemerkte, war ich ziemlich erpicht darauf, mein Boot benutzen zu können, hatte aber nicht die Absicht, mich weiteren Gefahren auszusetzen, und darum saß ich manchmal da und dachte mir Möglichkeiten aus, wie ich es um die Insel bringen könnte; zu anderen Zeiten wiederum entbehrte ich es mit völliger Zufriedenheit. Aber eine merkwürdige Unruhe trieb mich, zur Spitze der Insel hinunterzugehen, wo ich, wie schon berichtet, bei meinem letzten Streifzug den Hügel hinaufgestiegen war, um zu sehen, wie das Ufer verlief und wohin die Strömung führte, damit ich feststellen konnte, was ich zu tun hatte. Dieser Drang wurde von Tag zu Tag stärker, und endlich beschloss ich, über Land dorthin zu wandern, und so ging ich immer an der Küste entlang. Wäre aber in England jemand einem Menschen begegnet, der so aussah wie ich, so wäre er entweder sehr erschrocken oder aber in lautes Gelächter ausgebrochen, und sooft ich stehenblieb und mich betrachtete, musste ich lächeln bei dem Gedanken, etwa so ausgerüstet und gekleidet durch

Yorkshire zu reisen. Der Leser möge sich folgende Skizze meiner Person zu Gemüte führen:

Ich hatte eine enorm hohe, formlose Mütze aus Ziegenfell auf dem Kopf, mit einer Klappe, die hinten herunterhing, sowohl um mich vor der Sonne zu schützen als auch um zu verhindern, dass der Regen mir in den Nacken lief, denn nichts war in diesem Klima so schädlich wie eine nasse Haut unter der Kleidung.

Ich trug eine kurze Jacke aus Ziegenfell, deren Schöße mir bis ungefähr zur Mitte der Schenkel reichten, und ein Paar unten offene Kniehosen aus dem gleichen Material; sie waren aus dem Fell eines alten Ziegenbocks gemacht, dessen Haar auf beiden Seiten so weit herabhing, dass es mir wie ein langes Beinkleid bis zur Mitte der Waden reichte. Strümpfe und Schuhe besaß ich nicht; ich hatte mir aber etwas gemacht – wie ich es nennen soll, weiß ich nicht recht –, Halbstiefeln ähnlich, das ich mir um die Beine schlug und an beiden Seiten verschnürte wie Gamaschen, aber von barbarischer Form, wie es ja auch meine übrige Kleidung war.

Ich hatte einen breiten Gürtel aus getrockneter Ziegenhaut um, den ich anstatt mit Schnallen mit zwei Riemen aus dem gleichen Material zusammenzog, und seitlich hingen an einer Art Degenhalter anstelle eines Schwertes und eines Dolches eine kleine Säge an der einen und eine Axt an der anderen Seite. Ich trug noch einen zweiten, nicht so breiten Gurt, der ebenso befestigt war, über der Schulter; an diesem hingen unter meinem linken Arm zwei Beutel, beide ebenfalls aus Ziegenhaut gefertigt, der eine enthielt mein Pulver, der andere mein Blei. Auf dem Rücken trug ich einen Korb, auf der Schulter die Flinte und über dem Kopf einen großen unförmigen hässlichen Schirm aus Ziegenfell, der aber trotz alledem nächst meiner Flinte der notwendigste Gegenstand war, den ich mit mir führte. Was mein Gesicht betraf, so war seine Farbe durchaus nicht so mulattenhaft, wie man es annehmen sollte bei einem Mann, der sich überhaupt nicht darum kümmerte und in neun oder zehn Grad Entfernung vom Äquator lebte. Früher hatte ich meinen Bart wachsen lassen, bis er ungefähr von Armlänge gewesen war, da ich aber sowohl Scheren als auch genügend Rasiermesser besaß, hatte ich ihn ziemlich kurz geschnitten, bis auf den, der mir auf der Oberlippe wuchs; diesen hatte ich mir zu einem langen mohammedanischen

Schnurrbart zurechtgeschnitten, wie ich es bei ein paar Türken in Salé gesehen hatte, denn die Mauren trugen so etwas nicht, nur die Türken. Von diesem Schnauz- oder Schnurrbart kann ich nicht sagen, er sei lang genug gewesen, um meinen Hut daran aufzuhängen, aber sein Ausmaß war ungeheuer, und in England hätte man ihn entsetzlich gefunden.

All das aber nebenbei, denn was meine Gestalt betrifft, so hatte ich sowenig Betrachter, dass es nicht darauf ankam, und deshalb sage ich zu dem Thema nichts mehr. In diesem Aufzug begab ich mich nun auf meine neue Wanderung und blieb fünf oder sechs Tage weg. Ich ging zuerst an der Küste entlang, direkt zu der Stelle, wo ich mit meinem Boot vor Anker gegangen war, um auf die Felsen zu steigen, und da ich jetzt kein Boot bei mir hatte, auf das ich achten musste, wanderte ich auf einem kürzeren Weg über Land bis zu derselben Höhe, auf der ich zuvor gewesen war; als ich nun hinüberblickte zu der hinausragenden Felsenspitze, die ich mit meinem Boot hatte umschiffen müssen, sah ich zu meiner Überraschung, dass das Meer ganz ruhig und glatt war – kein Kräuseln, keine Bewegung, keine Strömung, weder dort noch anderswo.

Ich konnte mir das einfach nicht erklären und beschloss, eine Zeitlang dort zu bleiben und zu beobachten, ob nicht die Richtung der Gezeiten die Ursache war, ich überzeugte mich bald davon, dass Ebbe und Flut, die von Westen her einsetzten und auf den Strom irgendeines großen Flusses am Ufer trafen, die Strömung verursachen mussten und dass diese, je nachdem, ob der Wind stärker vom Westen oder vom Norden her wehte, näher ans Ufer heran oder weiter abgetrieben wurde; denn nachdem ich bis zum Abend in jener Gegend gewartet hatte, stieg ich wieder auf den Felsen hinauf, und weil jetzt Ebbe war, sah ich die Strömung genauso deutlich wie zuvor, nur in größerer Entfernung, fast eine halbe Meile weit von der Küste, während sie damals nahe dem Ufer verlaufen war und mich mit meinem Kanu mitgerissen hatte, was zu einem anderen Zeitpunkt nicht geschehen wäre.

Diese Beobachtung überzeugte mich davon, dass ich weiter nichts zu tun brauchte, als nur auf Ebbe und Flut achtzugeben, dann könnte ich mein Boot ganz leicht wieder um die Insel steuern; als ich es aber in die Tat umsetzen wollte, überkam mich bei der Erinnerung an die überstandene Gefahr eine solche Furcht, dass ich nicht ruhig daran zu denken vermochte, und ich entschloss mich im Gegenteil zu einem Weg, der größere Sicherheit bot, wenn er auch mehr Arbeit verursachte, nämlich mir eine zweite Piroge oder ein Kanu zu bauen oder vielmehr zurechtzuhauen, so dass ich ein Boot für die eine Seite der Insel und eins für die andere hätte.

Man muss sich vorstellen, dass ich jetzt zwei Pflanzungen, wie ich sie nennen kann, auf der Insel besaß: die eine war meine kleine Festung oder mein Zelt unter dem Felsen mit dem Wall ringsum und der Höhle dahinter, die ich inzwischen zu mehreren, ineinander übergehenden Räumen oder Höhlen erweitert hatte. Die trockenste und größte davon, aus der eine Tür jenseits meines Walls oder meiner Befestigung, das heißt jenseits der Stelle, wo meine Befestigung an den Felsen stieß, hinausführte, war angefüllt mit großen irdenen Töpfen, die ich schon beschrieben habe, und mit vierzehn oder fünfzehn geräumigen Körben, die jeder fünf oder sechs Scheffel fassten und in die ich meine Vorräte legte, vor allem mein Korn – teilweise in der Ähre, vom Stroh kurz abgeschnitten, und teilweise mit den Händen ausgerieben.

Was meinen Wall betraf, der, wie schon erwähnt, aus langen Stecken oder Pfählen bestand, so wuchsen sie alle wie Bäume und waren unterdessen so groß geworden und hatten sich derart ausgebreitet, dass niemand auch nur im geringsten die dahinter liegende Behausung zu sehen vermochte.

In der Nähe dieser Wohnung, aber etwas weiter landeinwärts und niedriger gelegen, befanden sich meine beiden Kornfelder, die ich regelmäßig bearbeitete und bestellte und die mir auch regelmäßig zur Erntezeit ihren Ertrag lieferten, und wenn ich jemals mehr Getreide brauchte, dann lag ebenso geeigneter Boden gleich nebenan.

Außerdem hatte ich meinen Landsitz, und dort besaß ich jetzt gleichfalls eine ansehnliche Pflanzung; das wichtigste war mein kleines Landhaus, wie ich es nannte, das ich gut instand hielt, das heißt, ich achtete darauf, dass die Hecke, die es umgab, ständig die gleiche Höhe hatte und dass die Leiter immer auf der Innenseite stand; die Bäume, die zuerst nichts weiter als Stecklinge gewesen, jetzt aber groß und stark geworden waren, beschnitt ich immer so, dass sie sich ausbreiten und dicht und üppig werden konnten, damit sie auf um so angenehmere Weise Schatten spendeten, was sie auch wunschgemäß taten. Mitten darin stand ständig mein Zelt aufgeschlagen, nämlich ein über Pfosten, die ich zu diesem Zweck gesetzt hatte, gespanntes Stück Segel, das ich niemals zu reparieren oder zu erneuern vergaß. Darunter hatte ich mir ein gepolstertes Lager oder eine Couch aus den Fellen der erlegten Tiere und aus anderem weichen Material gebaut und darüber eine Decke gelegt, die zu unserem von mir geborgenen Seebettzeug gehört hatte, sowie einen weiten Wachmantel, mit dem ich mich zudeckte. Hier schlug ich meinen Sitz auf, wenn ich Ursache hatte, mich von meiner Hauptwohnung zu entfernen.

Gleich daneben hatte ich meine Pferche für mein Vieh, das heißt für meine Ziegen, und da ich unvorstellbar viel Mühe darauf verwandt hatte, dieses Grundstück zu umfrieden und einzuschließen, war ich so darum besorgt, die Umhegung instand zu halten, damit die Ziegen nicht ausbrechen konnten, dass ich mich immer damit beschäftigte, bis ich mit unendlicher Arbeit die Außenseite der Hecke mit kurzen Stecklingen besetzt hatte, die so dicht beieinander standen, dass es eher ein Zaun als eine Hecke war, und die kaum Platz ließen, die Hand hindurchzustecken; und später, als die Stecklinge wuchsen, was in der nächsten Regenzeit geschah, machten sie die Umfriedung so stark wie einen Wall und sogar noch stärker.

Dies wird beweisen, dass ich nicht müßig war und keine Mühe scheute, alles zustande zu bringen, was für mein bequemes Auskommen notwendig schien, denn ich war der Meinung, eine Zucht von zahmen Tieren so bei der Hand zu haben bedeutete für mich, über ein lebendes Vorratslager von Fleisch, Milch, Butter und Käse zu verfügen, solange ich an diesem Ort lebte, und wären es vierzig Jahre! Um die Ziegen in Reichweite zu haben, kam es nur darauf an, dass ich mein Gehege genügend vervollkommnete, um die Tiere mit Gewissheit zusammenzuhalten; und auf diese Weise sicherte ich es so erfolgreich, dass ich einige der kurzen Stecklinge, nachdem sie zu treiben begonnen hatten, wieder herausreißen musste, da sie zu dicht beieinander standen.

Dort wuchsen auch meine Trauben, von denen hauptsächlich mein Wintervorrat an Rosinen abhing, ich bewahrte sie immer sehr sorgfältig als die feinsten und angenehmsten Delikatessen meiner ganzen Kost, und sie waren tatsächlich nicht nur angenehm, sondern auch eine Medizin, bekömmlich, nahrhaft und stärkend im höchsten Grade.

Da mein Landsitz ungefähr auf halber Strecke zwischen meiner anderen Wohnung und der Stelle lag, wo ich mein Boot untergebracht hatte, blieb ich auf dem Wege dorthin gewöhnlich über Nacht da, denn ich ging häufig zu meinem Boot und hielt es mit allem Zubehör sehr gut in Ordnung. Manchmal fuhr ich zu meiner Unterhaltung damit hinaus, aber gewagte Fahrten unternahm ich nicht mehr und entfernte mich kaum einen Steinwurf weit vom Ufer, aus Angst, wieder gegen meinen Willen durch die Strömung, den Wind oder einen anderen Zufall hinausgetrieben zu werden. Jetzt aber komme ich zu einem neuen Abschnitt meines Lebens.

Eines Tages gegen Mittag, als ich auf dem Wege zu meinem Boot war, erblickte ich zu meiner größten Bestürzung am Strand den Abdruck eines nackten Männerfußes, der im Sand ganz deutlich zu sehen war. Ich stand da wie vom Donner gerührt oder als hätte ich einen Geist erblickt, lauschte, schaute mich um, konnte aber nichts hören und nichts sehen; ich stieg auf eine Bodenerhebung, um einen weiteren Ausblick zu haben, schritt den Strand auf und ab, aber es nützte alles nichts, ich konnte keine andere Fußspur entdecken als nur die eine. Ich kehrte noch einmal zu ihr zurück, um nachzusehen, ob noch mehr Spuren da waren, und um festzustellen, ob nicht etwa meine Phantasie im Spiel gewesen war. Aber das schien ausgeschlossen; der Fußabdruck war ganz deutlich: Zehen, Ferse und jeder Teil eines Fußes; wie er dahin gekommen war, wusste ich nicht und konnte es mir auch nicht im Mindesten vorstellen. Nach vielen durcheinanderwirbelnden Gedanken, wie sie ein Mensch hat, der völlig verstört ist, und ganz außer mir, langte ich, zu Tode geängstigt, in meiner Festung an, ohne dass ich, wie es heißt, den Boden unter den Füßen gespürt hätte, nachdem ich mich alle zwei, drei Schritte umgeblickt, in jedem Busch und jedem Baum etwas gesehen und mir eingebildet hatte, jeder Baumstumpf in der Ferne sei ein Mensch; es lässt sich auch nicht beschreiben, in wieviel verschiedenen Gestalten mir meine verängstigte Phantasie die Dinge dargestellt hatte, wieviel verrückte Gedanken mir jeden Augenblick durch den

Kopf gingen und was für verschrobene, sonderbare Einfälle mir unterwegs kamen.

Als ich meine Burg erreicht hatte, denn so nannte ich sie wohl von jetzt an immer, flüchtete ich wie ein Verfolgter hinein. Ob ich nun über die zuerst gebaute Leiter oder durch das Loch im Felsen, das ich eine Tür nannte, hineingekommen war, darauf kann ich mich nicht besinnen, denn nie ist mit größerer Angst ein aufgeschreckter Hase in seine Deckung oder ein Fuchs in seinen Bau gelaufen als ich in diesen Unterschlupf.

In der folgenden Nacht fand ich keinen Schlaf; je weiter ich vom Anlass meiner Bestürzung weg war, um so größer wurden meine Befürchtungen, was ziemlich im Gegensatz zur Natur solcher Dinge stand und besonders zum üblichen Verhalten aller verängstigten Geschöpfe. Ich war aber so verwirrt von meinen eigenen furchtbaren Vorstellungen, dass ich mir nur die schrecklichsten Dinge einbildete, obgleich ich jetzt so weit davon entfernt war. Manchmal glaubte ich, es müsse der Teufel gewesen sein, und die Vernunft bestärkte mich in dieser Annahme. Denn wie könnte irgendein anderes Wesen in menschlicher Gestalt hierhergelangen? Wo war das Fahrzeug, das es gebracht hatte? Welche anderen Fußspuren gab es? Und wie sollte denn ein Mensch hierherkommen? Aber dann wiederum zu glauben, dass Satan menschliche Gestalt annähme, an einem solchen Ort, wo es gar keinen Anlass dafür gab, nur um eine Fußspur zu hinterlassen, und auch das zu keinem Zweck (denn er konnte ja nicht wissen, dass ich es sähe), war ebenfalls erstaunlich; ich dachte, der Teufel hätte vielerlei andere Wege finden können, um mich zu erschrecken, als nur diese eine Fußspur, denn ich lebte ja genau auf der entgegengesetzten Seite der Insel, und er wäre nie so dumm gewesen, ein Zeichen an einem Ort zu hinterlassen, wo es zehntausend gegen eins stand, dass ich es je erblickte, und noch dazu im Sand, wo bei starkem Wind die erste Brandungswelle des Meeres die Spur gänzlich auslöschen musste. All das schien mit der Sache selbst und mit allen unseren üblichen Vorstellungen von der Schlauheit des Teufels im Widerspruch zu stehen.

Eine ganze Reihe solcher Dinge brachte mich schließlich von der Befürchtung ab, dass es der Teufel gewesen wäre. Und ich schloss sogleich daraus, dass es sich um noch gefährlichere Kreaturen han-

deln müsse, nämlich um die Wilden vom gegenüberliegenden Festland, die mit ihren Kanus aufs Meer hinausgefahren und entweder
von der Strömung oder von ungünstigen Winden abgetrieben, auf
der Insel gelandet und am Strand gewesen, dann aber wieder abgefahren waren, da ihnen der Aufenthalt auf der verlassenen Insel
vielleicht ebensowenig behagte wie mir ihre Gesellschaft.

Während mir diese Überlegungen durch den Kopf gingen, war ich
in Gedanken sehr froh darüber, dass ich das Glück gehabt hatte, zu
dieser Zeit nicht dort gewesen zu sein, und dass sie mein Boot nicht
gesehen hatten, woraus sie geschlossen hätten, es gäbe irgendwelche
Einwohner dort; dann hätten sie vielleicht gründlicher nach mir ge-
sucht. Danach quälten mich schreckliche Vorstellungen, sie hätten
mein Boot doch gefunden und festgestellt, dass es hier Menschen
gab, und falls dem so war, dann kamen sie gewiss in größerer Anzahl wieder, um mich zu fressen, und wenn sie mich vielleicht auch
nicht fänden, so doch meine Umzäunung, und sie würden all mein
Korn vernichten und meine ganze Herde von zahmen Ziegen fortbringen, und dann müsste ich schließlich Hungers sterben.

So verdrängte meine Furcht alle meine frommen Hoffnungen, und
mein ganzes früheres Gottvertrauen, das seinen Ursprung in meinen
so erstaunlichen Erfahrungen mit Gottes Güte hatte, verschwand
jetzt, als ob er, der mich bisher durch ein Wunder ernährt hatte, nicht
durch seine Macht die Vorräte bewahren könnte, die er mir in seiner
Gnade beschafft hatte. Ich warf mir meine Trägheit vor, derentwegen
ich jedes Jahr nur gerade immer soviel Getreide gesät hatte, wie ich
bis zur nächsten Ernte brauchte, als könne kein Zufall geschehen, der
mich daran hinderte, die auf dem Halm stehende Ernte einzubringen.
Und dieser Vorwurf schien mir so berechtigt zu sein, dass ich beschloss, mir in Zukunft einen Getreidevorrat anzulegen, der für zwei
oder drei Jahre reichte, so dass ich, was auch geschehen mochte,
nicht aus Mangel an Brot umkam.

Wie merkwürdig bunt gestaltet doch die Vorsehung das Leben
der Menschen! Und aus was für geheimen, unterschiedlichen Quel-
len stammen wohl die Gefühle, die es je nach den sich verändernden
Umständen in die eine oder die andere Richtung treibt! Heute lieben
wir, was wir morgen hassen, heute suchen wir, was wir morgen meiden, heute begehren wir, was wir morgen fürchten, ja wovor wir so-

gar zittern. Zu dieser Zeit war ich hierfür das deutlichste Beispiel, das man sich denken kann, denn ich, dessen einziger Kummer darin bestand, dass ich aus der menschlichen Gesellschaft verbannt und allein war, umgeben vom grenzenlosen Ozean, abgeschnitten von den Menschen und verurteilt zu dem, was ich ein schweigendes Leben nannte, so dass es war, als sei ich jemand, den der Himmel nicht für wert hielt, zu den Lebenden gezählt zu werden oder unter seinen übrigen Geschöpfen zu erscheinen, ich, der ich mir vorgestellt hatte, ein Wesen von meiner eigenen Art zu Gesicht zu bekommen müsse wie ein Erwachen vom Tode und der größte Segen sein, den der Himmel mir nächst dem allerhöchsten Segen, der Erlösung, gewähren konnte, ich also zitterte schon allein bei der Vorstellung, einen Menschen zu sehen, und war bereit, in den Boden zu versinken vor dem bloßen Schatten oder den stummen Anzeichen der Tatsache, dass ein Mensch den Fuß auf die Insel gesetzt hatte.

So wechselhaft geht es im Leben der Menschen zu, und das bot mir später, als ich mich ein wenig von meiner ersten Bestürzung erholt hatte, Anlass zu vielen tiefsinnigen Betrachtungen; ich überlegte, dies sei die Lebensart, die Gott in seiner unendlich weisen und gütigen Vorsehung für mich bestimmt hatte, und da ich nicht voraussehen konnte, was bei alldem das Ziel der göttlichen Weisheit sein mochte, durfte ich mich gegen seine Herrschaft nicht auflehnen, denn da ich ja sein Geschöpf war, hatte er unzweifelhaft durch seine Schöpfung das Recht, unumschränkt mit mir zu verfahren und über mich zu verfügen, wie es ihn gut dünkte, und da ich, sein Geschöpf, ihn beleidigt hatte, war er auch als mein Richter berechtigt, mich zu jeder beliebigen Strafe zu verurteilen. Mir kam es zu, mich seinem Zorn zu unterwerfen, denn ich hatte gegen ihn gesündigt.

Nun überlegte ich, dass Gott, der ja nicht nur gerecht, sondern auch allmächtig war, ebenso wie er es für angemessen gehalten hatte, mich zu bestrafen und zu prüfen, auch in der Lage war, mich zu befreien, und wenn er es nicht für angemessen hielt, so war es unzweifelhaft meine Pflicht, mich ganz und gar seinem Willen zu beugen, und andererseits war es ebenfalls meine Pflicht, auf ihn zu hoffen, zu ihm zu beten und ergeben die Anordnungen und Gebote seiner täglichen Fügung abzuwarten.

Diese Gedanken beschäftigten mich viele Stunden am Tage, ja ich kann sogar sagen, wochen- und monatelang, und ein besonderes Ergebnis meines Nachgrübelns aus diesem Anlass kann ich nicht übergehen; als ich nämlich eines frühen Morgens im Bett lag und erfüllt war von den Gedanken an die Gefahr, in der ich nach dem Auftauchen von Wilden schwebte, war ich darüber sehr verstört, und da fielen mir die Worte der Bibel ein: ›Rufe mich in der Not, so will ich dich erretten, und du sollst mich preisen.‹

Danach erhob ich mich hoffnungsfroh von meinem Lager, und mein Herz war nicht nur getröstet, sondern ich war auch geläutert und ermutigt, ernsthaft zu Gott um Erlösung zu beten. Nachdem ich gebetet hatte, nahm ich meine Bibel zur Hand, und als ich sie öffnete, um darin zu lesen, waren die ersten Worte, auf die mein Blick fiel: ›Harre des Herrn und sei guten Mutes, und er wird dein Herz stärken; harre, sage ich, des Herrn.‹ Ich kann unmöglich beschreiben, wieviel Trost mir das gab, und zur Antwort legte ich dankbar das Buch nieder und war nicht mehr traurig, zumindest jetzt nicht mehr.

Inmitten all dieser Grübeleien, Befürchtungen und Überlegungen kam mir eines Tages der Gedanke, das Ganze sei vielleicht bloß ein Hirngespinst und diese Fußspur möglicherweise nur der Abdruck meines eigenen Fußes, den ich hinterlassen hatte, als ich von meinem Boot aus an Land gestiegen war. Das ermutigte mich ebenfalls ein bisschen, und ich begann mir einzureden, es wäre alles nur eine Täuschung gewesen, es handelte sich um nichts als nur meine eigene Fußspur, und weshalb sollte ich auch nicht auf diesem Wege von meinem Boot gekommen sein, ebenso wie ich auf diesem Wege dorthin ging? Ich überlegte mir auch, dass ich keineswegs mit Sicherheit sagen konnte, wo ich hingetreten war und wo nicht, und wenn es am Ende nur mein eigener Fußabdruck gewesen war, dann hätte ich mich verhalten wie jene Narren, die Geschichten von Gespenstern und Erscheinungen erfinden und sich dann selbst mehr davor fürchten als alle übrigen.

Jetzt fasste ich Mut und steckte die Nase wieder ins Freie; drei Tage und Nächte lang hatte ich mich nicht aus meiner Burg gerührt und begann jetzt unter Vorratsmangel zu leiden, denn drinnen hatte ich fast gar nichts außer einigen Gerstenkuchen und etwas Wasser. Außerdem wusste ich auch, dass meine Ziegen gemolken werden mussten, was gewöhnlich meine Abendunterhaltung war; die armen Tiere litten große Schmerzen, weil ich es unterlassen hatte; es quälte sie, und um ein Haar wären einige dadurch untauglich geworden, denn fast wäre ihre Milch weggeblieben.

Da ich mir nun also mit dem Glauben Mut machte, es sei nur der Abdruck meines eigenen Fußes gewesen (so dass man tatsächlich sagen konnte, mein eigener Schatten habe mich erschreckt), wagte ich mich allmählich wieder ins Freie und ging zu meinem Landhaus, um meine Herde zu melken, aber jeder, der gesehen hätte, mit wieviel Angst ich mich fortbewegte, wie oft ich mich umblickte, wie ich immer wieder bereit war, den Korb hinzustellen und um mein Leben zu rennen, der hätte glauben müssen, mein schlechtes Gewissen plage mich oder irgend etwas habe mir kürzlich große Furcht eingejagt, was ja auch der Fall war.

Als ich jedoch zwei, drei Tage lang so weitergelebt und nichts gesehen hatte, begann ich ein bisschen kühner zu werden und zu glauben, es sei wirklich nur meine Einbildung; ich war jedoch nicht völlig davon überzeugt, solange ich nicht noch einmal unten am Strand gewesen war und den Fußabdruck gesehen, ihn mit meinem eigenen verglichen und festgestellt hatte, ob es eine Übereinstimmung gab, um ganz sicher zu sein, dass der Abdruck von meinem eigenen Fuß stammte. Als ich aber dort ankam, war es für mich erstens offensichtlich, dass ich unmöglich am dortigen Strand gewesen sein konnte, nachdem ich mein Boot verankert hatte, und als ich die Spur mit meinem eigenen Fuß maß, stellte ich zweitens fest, dass er bedeutend kleiner war. Diese beiden Tatsachen füllten meinen Kopf mit neuen Schreckensbildern und gaben mir wieder hysterische Angst ein, so dass ich zitterte, als habe ich Schüttelfrost; ich kehrte mit der Überzeugung heim, dass sich irgendwelche Menschen dort an Land befanden oder befunden hatten oder, kurz, dass die Insel bewohnt war und ich am Strand überrascht werden konnte, ehe ich mich versah. Was ich zu meiner Sicherheit unternehmen sollte, wusste ich nicht.

Ach, zu was für lächerlichen Entschlüssen der Mensch doch kommt, wenn die Furcht ihn packt! Sie beraubt ihn aller Mittel, welche die Vernunft ihm zu seiner Entlastung bietet. Das erste, was mir einfiel, war, meine Einfriedungen niederzureißen und mein gesamtes zahmes Vieh in die Wälder freizulassen, damit die Feinde es nicht fanden und dann die Insel ihret- oder ähnlicher Beute wegen häufig besuchen kamen; danach dachte ich törichterweise daran, meine beiden Kornfelder umzugraben, damit sie nicht durch das Getreide verlockt wurden, die Insel häufig zu besuchen; dann kam ich auf den Gedanken, meinen Landsitz mit dem Zelt abzubrechen, damit sie keine Spuren einer Wohnung sahen und nicht den Wunsch verspürten, nach den Leuten zu suchen, die dort wohnten.

Dies war der Inhalt meiner Überlegungen während der ersten Nacht zu Hause, als die Sorge, die mich in solchem Maße gepackt hielt, noch frisch war und meinen Kopf, wie oben beschrieben, mit schwermütigen Vorstellungen füllte. So ist die Angst vor Gefahren zehntausendmal schlimmer als die Gefahr selbst, und die Bürde der Furcht erscheint uns viel größer als das Übel, vor dem wir uns fürchten; aber schlimmer als all dies war, dass mir in dieser Bedrängnis meine bisher geübte Gottergebenheit nicht die erhoffte Linderung brachte. Ich glich, so dachte ich, Saul, der nicht nur darüber klagte, dass die Philister über ihn gekommen waren, sondern dass Gott ihn verlassen habe; denn jetzt fand ich nicht die richtige Art der Beruhigung, indem ich Gott in meiner Not um Schutz und Erlösung anrief und auf seine Vorsehung vertraute, wie es sonst der Fall gewesen war. Hätte ich es getan, dann hätte ich bei dieser neuen Überraschung wenigstens Trost und Ermutigung gefunden und sie vielleicht entschlossener durchgestanden.

Dieser Wirrwarr meiner Gedanken hielt mich die ganze Nacht über wach, am Morgen aber schlief ich ein, und da mich der Aufruhr meines Gemüts sehr ermüdet und meine Lebensgeister erschöpft hatte, schlief ich sehr fest und erwachte viel gelassener, als ich es zuvor gewesen war. Jetzt begann ich ruhig nachzudenken, und nach einer heftigen Debatte mit mir selbst kam ich zu dem Schluss, dass diese äußerst angenehme und fruchtbare Insel, die vom Festland nicht weiter entfernt war, als ich es gesehen hatte, nicht so gänzlich verlassen war, wie ich es mir vorgestellt hatte; obwohl es keine ständigen Bewohner gab, die sich hier aufhielten, so stellten sich vielleicht doch Boote vom jenseitigen Ufer ein, die, entweder absichtlich oder von ungünstigen Winden getrieben, hierherkamen. Fünfzehn Jahre lang lebte ich nun dort und hatte nicht einmal den Schatten oder die Gestalt eines Menschen zu sehen bekommen, und wenn sie zu irgendeinem Zeitpunkt hierhergetrieben wurden, dann verschwanden sie wahrscheinlich wieder, sobald sie nur konnten, da sie es bisher niemals für zweckmäßig gehalten hatten, sich aus irgendeinem Anlass hier niederzulassen; eine Gefahr konnte ich mir höchstens durch eine solche zufällige Landung umherstreifender Leute vom Festland vorstellen, die sich vermutlich, wenn sie hierhergetrieben wurden, gegen ihren Willen auf der Insel aufhielten und deshalb nicht blieben, sondern so schnell wie möglich wieder fort fuhren und selten an Land übernachteten, aus Furcht, dass sie auf dem Rückweg nicht die Hilfe der Gezeiten und des Tageslichts hätten. Deshalb brauchte ich weiter nichts zu tun, als mir einen sicheren Zufluchtsort auszudenken, falls ich irgendwelche Wilden dort landen sah.

Jetzt bereute ich sehr, meine Höhle so erweitert zu haben, dass eine Tür wieder hinausführte, die, wie gesagt, außerhalb der Stelle lag, wo meine Befestigung an den Felsen stieß. Nachdem ich reiflich darüber nachgedacht hatte, beschloss ich, mir eine zweite Befestigung anzulegen, halbkreisförmig und in einiger Entfernung von meinem Wall, genau an der Stelle, wo ich vor zwölf Jahren die schon erwähnte doppelte Baumreihe angepflanzt hatte. Ich hatte diese Bäume damals sehr eng gesetzt, und so brauchte ich jetzt nur noch ein paar Pfähle dazwischen einzuschlagen, damit die Reihe noch dichter und stärker wurde, dann war mein Wall fertig.

So hatte ich also jetzt einen doppelten Wall, und den äußeren verstärkte ich mit Stützen aus Baumstämmen, alten Kabeln und allem, was ich mir zu seiner Befestigung nur ausdenken konnte; er hatte sieben kleine Löcher, etwa so groß, dass ich den Arm hindurchstecken konnte. Innen verdickte ich meinen Wall, bis er ungefähr zehn Fuß stark war, indem ich ständig Erde aus meiner Höhle schaffte, sie unten an den Wall schüttete und darauf herumstampfte; durch die sieben Löcher wollte ich die sieben Musketen stecken, die ich, wie ich bereits berichtete, aus dem Schiff an Land gebracht hatte. Ich pflanzte sie also gleich Kanonen in einem lafettenähnlichen Gestell auf, so dass ich alle sieben Gewehre innerhalb von zwei Minuten abfeuern konnte. Um diesen Wall zu beenden, brauchte ich viele Monate saurer Arbeit, aber ich fühlte mich erst geborgen, als er fertig war.

Als das getan war, setzte ich außerhalb meines Walles sehr weit nach allen Richtungen hin so viele Stecklinge oder Reiser wie nur möglich von jenem weidenartigen Holz, das so leicht wuchs, in den Boden; ich glaube, ich pflanzte etwa zwanzigtausend davon und ließ zwischen ihnen und meinem Wall einen ziemlich großen Raum frei, damit ich die Feinde sehen konnte und sie zwischen den jungen Bäumen keinen Schutz fanden, wenn sie versuchten, sich meinem äußeren Wall zu nähern.

Auf diese Weise hatte ich nach zwei Jahren ein dichtes Gehölz und nach fünf, sechs Jahren einen so außerordentlich dichten und starken Wald vor meiner Behausung, dass er in der Tat völlig undurchdringlich war, und kein Mensch, wer er auch sein mochte, hätte jemals vermutet, dass sich irgend etwas dahinter befand, viel weniger noch eine Wohnung. Was den Weg anbelangt, auf dem ich hinein- und hinausgehen wollte (denn ich ließ keinen Pfad), so stellte ich zwei Leitern auf; die eine stand an einer Stelle, wo der Felsen niedrig war und dann abflachte, so dass es darauf Platz genug für eine zweite Leiter gab, und wenn diese beiden Leitern heruntergenommen waren, vermochte kein Mensch zu mir zu gelangen, ohne sich Schaden zuzufügen, und wenn er herabgekommen wäre, dann hätte er sich immer noch außerhalb meines äußeren Walls befunden.

So traf ich also alle Maßnahmen, die sich menschliche Vorsicht zu meinem Schutz ausdenken konnte, und der Leser wird später noch sehen, dass sie nicht gänzlich unbegründet waren, obgleich ich damals nicht mehr voraussah, als meine bloße Furcht mir eingab.

Während dies geschah, vernachlässigte ich aber meine anderen Angelegenheiten nicht; ich machte mir viel Gedanken über meine kleine Ziegenherde, die mich nicht nur gegenwärtig mit allem Notwendigen versorgte und mir alles zur Genüge lieferte, ohne dass ich Pulver und Blei verschoss, sondern die mir auch die ermüdende Jagd nach den wilden Ziegen ersparte, und ich hätte nur sehr ungern den Vorteil, den sie mir bot, verloren und die Zucht von vorn angefangen.

Nach langem Überlegen fielen mir nur zwei Mittel ein, die Tiere zu schützen; das eine war, noch eine geeignete Stelle zu finden, wo ich eine unterirdische Höhle graben konnte, um sie jede Nacht dort hineinzutreiben, und das andere, zwei oder drei voneinander weit entfernt liegende Fleckchen Land zu umfrieden, die möglichst gut verborgen waren, wo ich jeweils etwa ein halbes Dutzend junger Ziegen aufziehen konnte, damit ich, wenn der allgemeinen Herde etwas zustieß, die Zucht ohne große Mühe und Zeitverlust weiterführen konnte; und obgleich mich das viel Zeit und Arbeit kosten würde, hielt ich den Plan doch für den vernünftigsten.

Dementsprechend verbrachte ich einige Zeit damit, die verborgensten Stellen der Insel ausfindig zu machen, und ich traf auf eine, die so abgeschlossen war, wie ich es nur wünschen konnte. Es war ein kleiner feuchter Grund in jenem Tal inmitten dichter Wälder, wo ich mich, wie ich bereits erzählte, schon einmal fast verlaufen hätte, als ich versuchte, auf diesem Wege vom östlichen Teil der Insel zurückzukehren. Hier fand ich eine etwa drei Acre große Lichtung, die so dicht von Wald umgeben war, dass dieser beinahe einer natürlichen Einfriedung glich, zumindest kostete es viel weniger Mühe, sie in ein Gehege zu verwandeln, als bei den anderen Landflecken, wo ich so schwer gearbeitet hatte.

Ich begab mich sogleich ans Werk, und in einem knappen Monat hatte ich den Boden genügend eingezäunt, damit meine Herde oder Ziegenschar – man möge es nennen, wie man will –, die jetzt nicht mehr so wild war, wie es zuerst schien, sich darin in ausreichender Sicherheit befand. So trieb ich, ohne noch länger zu zögern, zehn Ziegen und zwei Böcke auf dieses Stück Land, und als sie dort waren, vervollkommnete ich den Zaun, bis ich ihn ebenso gesichert hatte wie den anderen; für diesen hatte ich mir jedoch mehr Muße gelassen und daher eine viel größere Zeitspanne gebraucht.

All diese Arbeit machte ich mir, nur weil mir die Fußspur eines Mannes, die ich erblickt hatte, Angst einflößte, denn bisher hatte ich noch kein menschliches Wesen sich der Insel nähern sehen, und ich lebte jetzt schon seit zwei Jahren mit dieser Unruhe, die mein Dasein viel weniger angenehm machte, als es vorher gewesen war; dies kann sich wohl jeder vorstellen, der weiß, was es bedeutet, unter dem ständigen Druck der Furcht vor dem Menschen zu leben; und ich muss auch zu meinem Kummer bemerken, dass die Unordnung in meinem Gemüt einen allzu großen Einfluss auf den religiösen Teil meiner Gedanken hatte, denn die Angst und das Grauen davor, in die Hände von Wilden und Kannibalen zu fallen, lagen mir so schwer auf der Seele, dass ich mich selten in der nötigen Stimmung befand, mich an meinen Schöpfer zu wenden, zumindest nicht mit der gelassenen Ruhe und Ergebenheit des Herzens, wie ich es gewohnt war. Ich betete vielmehr zu Gott als einer, der – von Gefahr umgeben – in großer Not und Bedrängnis ist und der jede Nacht erwartet, noch vor dem Morgen ermordet und gefressen zu werden, und ich muss aus eigener Erfahrung sagen, dass eine friedliche, dankbare, liebevolle und innige Stimmung viel besser zum Gebet geeignet ist als eine der Furcht und des Durcheinanders und dass der Mensch, wenn ihn die Angst vor einer drohenden Gefahr bedrückt, nicht besser imstande ist, seiner Pflicht, zu Gott zu beten, auf trostbringende Weise zu genügen, als er auf dem Krankenbette Reue bezeigen kann, denn diese Art der Unordnung wirkt auf das Gemüt ein wie eine andere auf den Körper, und wenn im Gemüt ein Durcheinander herrscht, dann muss das notwendigerweise eine ebensolche Behinderung sein, wie wenn sie im Körper herrscht, und sogar eine noch viel größere, denn das Gebet zu Gott ist ja eine Handlung des Geistes und nicht des Körpers.

Doch weiter: Nachdem ich so einen Teil meines kleinen Viehbestandes gesichert hatte, durchstreifte ich die ganze Insel und suchte nach einem zweiten verborgenen Platz, um dort eine ähnliche Anlage zu errichten, und nachdem ich weiter als jemals zuvor auf die Westspitze der Insel gewandert war und aufs Meer hinausblickte, glaubte ich in weiter Entfernung ein Boot auf dem Wasser zu sehen. Zwar hatte ich in einer der Seemannskisten, die ich aus unserem Schiff geborgen hatte, ein paar Ferngläser gefunden, trug aber keins bei mir, und das, was ich sah, war so weit weg, dass ich nicht wusste, was ich daraus machen sollte, obgleich ich dorthin blickte, bis meine Augen nicht mehr dazu imstande waren. Ich wusste nicht, ob es ein Boot war oder nicht, aber als ich vom Hügel hinabstieg, konnte ich es nicht mehr sehen, und so gab ich es auf; ich beschloss jedoch, nicht mehr ohne Fernglas in der Tasche auszugehen.

Als ich vom Hügel hinunter an die Spitze der Insel kam, wo ich noch nie gewesen war, überzeugte ich mich sogleich davon, dass es nicht so seltsam gewesen war, eine menschliche Fußspur auf der Insel zu sehen, wie ich geglaubt hatte, und dass eine besondere Fügung der Vorsehung mich gerade auf die Seite der Insel verschlagen hatte, wohin die Wilden nie kamen, sonst hätte ich bald gewusst, dass Kanus vom Festland, wenn sie unversehens ein wenig zu weit aufs Meer hinausgetrieben waren, recht oft zu dieser Seite der Insel fuhren, um einen Hafen anzulaufen; und da sie sich häufig in ihren Kanus begegneten und gegeneinander kämpften, brachten auch die Sieger ihre Gefangenen, wenn sie welche gemacht hatten, hier an den Strand, wo sie sie, ihren scheußlichen Gebräuchen entsprechend, umbrachten und auffraßen, denn alle waren Kannibalen; doch hiervon später.

Als ich also vom Hügel hinunter an den Strand kam, der am südwestlichen Ende der Insel lag, war ich furchtbar überrascht und bestürzt, und ich kann das Entsetzen gar nicht beschreiben, welches mich erfasste, als ich sah, dass der Strand mit Schädeln, Hand-, Fußknochen und anderen menschlichen Skeletteilen übersät war. Mir fiel besonders eine Stelle auf, wo man ein Feuer angezündet und einen Ring wie eine Arena in den Boden gegraben hatte; dort hatten sich diese wilden Scheusale vermutlich zu ihrem unmenschlichen Mahl niedergelassen, das aus den Leibern ihrer Mitmenschen bestand.

Ich war über diese Dinge so erstaunt, dass mir gar nicht der Gedanke an meine eigene Gefahr kam; meine ganze Furcht wurde überdeckt von der Vorstellung dieses Abgrundes unmenschlicher, teuflischer Brutalität und dem Entsetzen vor der Entartung der menschlichen Natur. Ich hatte häufig davon sprechen hören, es aber noch nie so von nahem gesehen; kurz, ich wandte das Gesicht ab von diesem scheußlichen Anblick, mir wurde übel, und ich wäre fast ohnmächtig geworden, als die Natur das Durcheinander in meinem Magen regelte, und nachdem ich mich mit ungewöhnlicher Heftigkeit übergeben hatte, war mir ein wenig besser. Ich konnte aber nicht ertragen, auch nur noch einen Augenblick länger an diesem Ort zu bleiben, und so machte ich, dass ich so schnell wie möglich wieder auf den Hügel kam, und begab mich auf den Heimweg.

Als ich ein Stück aus diesem Inselgebiet hinausgelangt war, blieb ich eine Weile geradezu verwundert stehen, und nachdem ich mich dann wieder gefasst hatte, blickte ich voll höchster Ergebenheit der Seele auf, und mit Tränen in den Augen dankte ich Gott dafür, dass er mich in einem Teil der Welt hatte aufwachsen lassen, wo ich mich von solchen schrecklichen Kreaturen wie diesen hier unterschied, und dass er mir, obwohl ich meine gegenwärtige Lage für sehr elend gehalten, doch sehr viel Tröstliches gewährt hatte, so dass ich immer noch mehr Grund zur Dankbarkeit als zur Klage hatte, insbesondere aber, weil mir in dieser elenden Lage durch das Wissen von Gott und die Hoffnung auf seinen Segen Trost zuteil wurde – ein Glück, dass alle Not, die ich erlitten hatte oder noch erleiden mochte, überreichlich aufwog.

In dieser Stimmung der Dankbarkeit kehrte ich heim in meine Burg und war, was meine Sicherheit betraf, jetzt viel ruhiger als zuvor, denn ich hatte beobachtet, dass diese Kerle niemals auf die Insel kamen, um sich hier nach Beute umzusehen; vielleicht suchten sie, begehrten sie, erwarteten sie hier nichts, da sie zweifellos häufig genug in dem bewaldeten Teil der Insel gewesen waren, ohne irgend etwas gefunden zu haben, was ihnen zusagte. Ich war ja nun schon fast achtzehn Jahre hier, während deren ich niemals die geringste menschliche Spur entdeckt hatte, und ich könnte, so gut verborgen, wie ich es jetzt war, auch noch weitere achtzehn Jahre hier verbringen, wenn ich mich ihnen nicht zeigte, wozu ich ja keine Veranlassung hatte; ich musste mich nur dort, wo ich mich befand, völlig versteckt halten, solange mir nicht bessere Geschöpfe als Kannibalen zu Gesicht kamen, denen ich mich entdecken konnte.

Ich hatte jedoch einen solchen Abscheu empfunden vor den elenden Wilden, von denen ich gesprochen habe, und vor ihrem scheußlichen, unmenschlichen Brauch, einander aufzufressen, dass ich auch weiterhin nachdenklich und betrübt war und mich fast zwei Jahre lang zurückgezogen in meinem Bezirk aufhielt. Wenn ich sage, mein Bezirk, so meine ich meine drei Pflanzungen, nämlich meine Burg, meine Landwohnung, die ich meinen Landsitz nannte, und meine Einfriedungen in den Wäldern, die ich aber nur als Gehege für meine Ziegen brauchte, denn ich empfand von Natur aus einen solchen Widerwillen gegen diese Ausgeburten der Hölle, dass ich ebenso große Angst davor hatte, sie wie den Teufel selbst zu Gesicht zu bekommen; diese ganze Zeit über sah ich kein einziges Mal nach meinem Boot, sondern dachte vielmehr schon daran, mir ein neues zu bauen, weil ich mir nicht vorstellen konnte, dass ich jemals den Versuch unternehmen würde, das andere rund um die Insel zu meinem Wohnsitz zu bringen, da ich fürchtete, auf See ein paar von diesen Geschöpfen zu treffen; wäre es dann mein Schicksal gewesen, ihnen in die Hände zu fallen, wusste ich ja, was mir bevorstand.

Die Zeit jedoch und meine Gewissheit, dass ich nicht in Gefahr schwebte, von diesen Leuten entdeckt zu werden, schwächten langsam meine Unruhe ihretwegen ab, und ich begann wieder ebenso gelassen wie früher zu leben, nur mit dem Unterschied, dass ich mehr Vorsicht walten ließ und die Augen weiter offenhielt als zuvor, damit mich nicht etwa einer von ihnen sah; besonders vorsichtig war ich beim Abfeuern meiner Flinte, aus Furcht, dass es Wilde, die sich gerade auf der Insel befanden, zufällig hörten. Es war darum eine sehr gute vorsorgliche Maßnahme gewesen, mir eine Zucht zahmer Ziegen anzulegen, so dass ich nicht mehr in den Wäldern jagen und sie abschießen musste; wenn ich jetzt noch Ziegen fing, dann nur mit Fallen und Schlingen, wie ich es schon zuvor getan hatte, so dass ich wohl zwei Jahre lang nicht einen Schuss abgab, obgleich ich nie ohne meine Flinte ausging und außerdem die Pistolen, die ich aus dem Schiff geborgen hatte – zumindest zwei von ihnen –, immer bei mir trug; sie steckten in meinem Gürtel aus Ziegenfell; ich polierte auch eins der großen Entermesser auf, die ich aus dem Schiff hatte, und machte mir ein Gehänge, um auch diese hineinzustecken, so dass ich jetzt beim Ausgehen ein ganz furchterregend aussehender Kerl war, wenn man zur früheren Beschreibung meiner Gestalt noch die Besonderheit von zwei Pistolen und einem langen breiten Säbel hinzufügt, der mir in einem Gehänge ohne Scheide an der Seite herabhing.

Während die Dinge so, wie ich sie beschrieben habe, eine Zeitlang weitergingen, schien es, als habe ich, abgesehen von diesen Vorsichtsmaßnahmen, meine frühere ruhige, beschauliche Lebensweise wieder aufgenommen. Alle diese Ereignisse zeigten mir immer deutlicher, wie wenig elend meine Lage war, im Vergleich mit einigen anderen – nein, mit vielen anderen Lebensumständen, die Gott mir hätte zufügen können, wenn es ihm so gefallen hätte. Das veranlasste mich, darüber nachzudenken, wie wenig missvergnügt und wie dankbar die Menschen doch über ihre Verhältnisse wären, wenn sie diese mit schlimmeren vergleichen würden, anstatt sie ständig besseren gegenüberzustellen und sich so in ihrem Murren und Klagen zu bestärken.

Da es in meiner gegenwärtigen Lage wirklich nicht viele Dinge gab, die mir fehlten, glaube ich, dass der Schrecken, den mir die abscheulichen Wilden eingejagt hatten, und die Sorge, in der ich um meine Rettung gewesen war, meine Erfindungsgabe für meinen Komfort gedämpft hatten, und ich ließ einen guten Plan fallen, auf den ich einmal meine Gedanken gerichtet hatte, nämlich zu versuchen, ob ich aus einem Teil meiner Gerste nicht Malz gewinnen konnte, und dann zu probieren, mir Bier zu brauen. Das war wirklich ein seltsamer Einfall, und ich warf mir häufig vor, er sei töricht, denn ich sah bald, dass mir mehrere Dinge zum Bierbrauen fehlten, die ich unmöglich beschaffen konnte: erstens Fässer, um es aufzubewahren – etwas, was mir, wie schon bemerkt, niemals gelingen wollte, obgleich ich viele Tage und Wochen, ja Monate damit verbrachte, es zu versuchen, aber vergeblich. Zweitens hatte ich keinen Hopfen, um das Bier haltbar zu machen, auch keine Hefe, um es zum Gären zu bringen, und keinen Kupferbehälter oder -kessel, um es aufzukochen; trotzdem hätte ich es, wenn diese Ereignisse – ich meine die Angst und den Schrecken wegen der Wilden – nicht dazwischengekommen wären, in Angriff genommen und vielleicht auch zustande gebracht, weil ich selten etwas wieder aufgab, ohne es zu Ende zu führen, wenn ich es mir einmal richtig in den Kopf gesetzt hatte.

Aber meine Erfindungsgabe war jetzt auf etwas anderes gerichtet, denn Tag und Nacht vermochte ich an nichts weiter zu denken als nur, wie ich ein paar von diesen Unmenschen während ihrer grausamen blutigen Unterhaltung umbringen und möglichst die Opfer, die sie hierher mit sich führten, um sie zu töten, retten konnte. Ein viel dickerer Band als dieser beabsichtigte wäre nötig, wollte ich alle Pläne niederschreiben, die ich ersann oder vielmehr ausheckte, um diese Kreaturen zu vernichten oder sie zumindest so zu erschrecken, dass sie nicht mehr hierherkamen; aber alles war abwegig, nichts ließ sich durchführen, wenn ich nicht dabei war, um es selbst zu bewerkstelligen; und was konnte ein Mensch gegen sie unternehmen, wenn sie vielleicht zwanzig oder dreißig waren mit ihren Wurfspießen oder mit Pfeil und Bogen, womit sie ebenso zielsicher schießen konnten wie ich mit meiner Flinte?

Zuweilen dachte ich mir aus, ich wollte ein Loch unter ihrer Feuerstelle graben und fünf oder sechs Pfund Schießpulver hineintun; es würde sich, wenn sie dann ihr Feuer entfachten, entzünden und alles, was in der Nähe war, in die Luft sprengen; aber erstens hätte ich nur sehr ungern soviel Pulver an sie verschwendet, denn mein Vorrat betrug nur noch eine Tonne voll, und zweitens konnte ich auch nicht sicher sein, dass es zu einer bestimmten Zeit losging, wo es sie überraschte; im besten Fall bewirkte es nicht viel mehr als nur, ihnen das Feuer um die Ohren zu blasen und sie zu erschrecken, aber nicht genug, damit sie den Ort mieden. Also ließ ich diesen Plan fallen und nahm mir stattdessen vor, mich an irgendeiner geeigneten Stelle mit meinen drei Flinten, alle doppelt geladen, in den Hinterhalt zu legen und mitten in ihrer blutigen Zeremonie auf sie loszufeuern, wenn ich sicher war, mit jedem Schuss vielleicht zwei oder drei zu töten oder zu verwunden; dann wollte ich sie mit meinen drei Pistolen und meinem Säbel überfallen, und ich zweifelte nicht daran, dass ich alle, und wären es zwanzig, töten würde. Diese Vorstellung erfreute mich in Gedanken ein paar Wochen lang, und sie erfüllte mich so, dass ich oft davon träumte, manchmal, ich sei gerade im Begriff, auf sie loszuknallen.

In meiner Empörung ging ich hierbei so weit, dass ich mich mehrere Tage lang damit beschäftigte, geeignete Plätze zu suchen, wo ich mich, wie gesagt, verstecken und sie belauern konnte; häufig wanderte ich zu der Stelle selbst, die mir jetzt vertrauter geworden war, besonders dann, als ich auf diese Weise von Rachegedanken und von dem blutigen Plan erfüllt war, zwanzig oder dreißig von ihnen über die Klinge springen zu lassen, wie ich es wohl nennen kann; aber das Entsetzen, welches mir Ort und Anzeichen einflößten, dass diese barbarischen Unmenschen einander auffraßen, dämpften meine bösen Absichten.

Endlich fand ich einen Fleck am Abhang des Hügels, wo ich überzeugt war, ungefährdet warten zu können, bis ich irgendwelche Boote kommen sah, um mich dann, bevor sie noch zur Landung bereit waren, ungesehen ins Dickicht der Bäume zurückzuziehen, von denen einer eine Höhlung hatte, die groß genug war, mich gänzlich zu verbergen; dort konnte ich sitzen, sie bei ihrem blutigen Werk beobachten und genau auf ihre Köpfe zielen, wenn sie so nahe beieinander saßen, dass es mir fast unmöglich war, sie zu verfehlen oder mit dem ersten Schuss nicht gleich drei oder vier zu verwunden.

Ich beschloss also, meinen Plan an diesem Platz durchzuführen, und dementsprechend machte ich zwei Musketen und meine gewöhnliche Vogelflinte zurecht. Die beiden Musketen lud ich jede mit zwei Bleistücken und vier oder fünf kleineren Kugeln, die etwa so groß wie Pistolenkugeln waren, die Vogelflinte mit fast einer Handvoll Schrot größten Kalibers, und auch meine Pistolen lud ich mit je vier Kugeln. So ausgerüstet und für eine zweite und dritte Ladung gut mit Munition versorgt, bereitete ich mich auf meine Expedition vor.

Nachdem ich auf diese Weise den Plan für mein Vorhaben festgelegt und ihn in meiner Phantasie bereits ausgeführt hatte, unternahm ich auch weiterhin jeden Morgen meinen Gang auf den Gipfel des Hügels, der von meiner Burg, wie ich sie nannte, etwa drei Meilen entfernt war, um nachzusehen, ob ich irgendwelche Boote, die sich der Insel näherten oder auf sie zuhielten, beobachten konnte; ich begann dieser harten Pflicht jedoch müde zu werden, nachdem ich zwei, drei Monate lang ständig Wache gehalten hatte und jedes Mal ohne eine Entdeckung zurückgekehrt war, da sich in der ganzen Zeit nicht das geringste gezeigt hatte, weder am Strand noch in dessen Nähe noch auf dem gesamten Ozean, so weit mein Auge oder mein Fernglas nach allen Richtungen hin reichte.

Solange ich meinen täglichen Gang auf den Hügel durchführte, um hinauszublicken, so lange blieb ich auch entschlossen bei meinem Plan, und meine Stimmung schien die ganze Zeit über die richtige zu sein für ein so unerhörtes Unternehmen, nämlich zwanzig oder dreißig nackte Wilde umzubringen, um eines Vergehens willen, das ich in Gedanken noch gar nicht weiter erwogen hatte, als dass mein Zorn zuerst durch das Entsetzen entbrannt war, welches ich angesichts der unnatürlichen Sitte der Bewohner dieses Landes empfand, bei denen es die Vorsehung in ihrer weisen Anordnung der Welt anscheinend zugelassen hatte, dass sie durch nichts geleitet wurden als nur durch ihre abscheulichen und verderbten Leidenschaften und folglich solche furchtbaren Dinge tun konnten, die sie vielleicht schon seit undenklichen Zeiten taten, und dass ihnen so entsetzliche Bräuche zuteil wurden, zu denen sie nur die vom Himmel ganz und gar verlassene und durch eine teuflische Entartung wirkende Natur gebracht haben konnte. Jetzt aber, wo ich also der nutzlosen Ausflüge müde wurde, die ich lange Zeit jeden Morgen so weit und so ergebnislos unternommen hatte, begann sich meine Einstellung zu dem Unternehmen selbst zu ändern, und ich fing an, auf kühlere und ruhigere Weise zu überlegen, worauf ich mich da einließe, was für eine Vollmacht oder welche Berufung ich denn hätte, mir anzumaßen, diesen Menschen gegenüber Richter und Henker zu spielen, da sie ja Verbrecher waren, bei denen es der Himmel so lange für richtig befunden hatte, sie ihre Handlungen ungestraft begehen und sein Urteil sozusagen wechselseitig aneinander vollstrecken zu lassen; ich fragte mich auch, was diese Menschen mir denn getan hätten und welches Recht ich hätte, mich in den Streit um das Blut einzumischen, das sie so wahllos untereinander vergossen? Oft hielt ich mir folgendes vor: Wie kann ich denn wissen, wie Gott selbst in diesem Fall urteilt? Ganz gewiss begehen diese Menschen die Sache nicht als ein Verbrechen, ihr eigenes Gewissen missbilligt sie nicht, und ihre Einsicht veranlasst sie nicht, sich Vorwürfe zu machen. Sie wissen nicht, dass es ein Verbrechen ist, und begehen es also nicht in Herausforderung der göttlichen Gerechtigkeit, wie wir es bei fast allen von uns begangenen Sünden tun. Sie halten es nicht für schlimmer, einen Kriegsgefangenen zu töten, als wir, einen Ochsen zu schlachten, haben nicht mehr Bedenken dabei, Menschenfleisch zu essen, als wir, Hammelfleisch zu verzehren.

Nachdem ich ein bisschen hierüber nachgedacht hatte, folgte daraus notwendigerweise, dass ich ganz bestimmt bei der Sache unrecht hatte, dass diese Menschen keine Mörder in dem Sinne waren, in dem ich sie zuvor in Gedanken verurteilt hatte, nicht mehr jedenfalls, als jene Christen es sind, die häufig ihre in der Schlacht gemachten Gefangenen hinrichten oder noch öfter bei zahlreichen Gelegenheiten sogar ganze Scharen oder Truppen über die Klinge springen lassen, ohne Pardon zu geben, obgleich diese die Waffen gestreckt und sich ergeben haben.

Als nächstes überlegte ich mir, dass mich, obwohl diese Menschen einander auf grausame und unmenschliche Art behandelten, diese Sache nichts anging, mir hatten sie nichts getan. Wenn sie mich angriffen oder ich es zu meiner unmittelbaren Selbsterhaltung für notwendig hielt, sie zu überfallen, dann spräche einiges dafür, ich befand mich jedoch noch außerhalb ihrer Reichweite, und sie wussten überhaupt nichts von mir, folglich führten sie auch nichts gegen mich im Schilde, und deshalb konnte es nicht recht sein, wenn ich sie überfiel. Das hieße ja das Verhalten der Spanier in Amerika mit allen ihren barbarischen Grausamkeiten rechtfertigen, wo sie Millionen von diesen Leuten umgebracht hatten, die, wenn sie auch Götzenanbeter und Barbaren waren und unter ihren Gebräuchen verschiedene blutige und barbarische Riten hatten, wie, ihren Götzen Menschenopfer zu bringen, aber was die Spanier anbetrifft, ganz unschuldig waren, so dass man heute von ihrer Ausrottung in diesem Lande mit dem größten Widerwillen und Abscheu spricht – sogar die Spanier selbst tun das –, und alle anderen christlichen Nationen Europas bezeichnen sie als eine bloße Schlächterei, eine blutige, unnatürliche Grausamkeit, die weder vor Gott noch vor den Menschen zu rechtfertigen ist und um derentwegen schon allein der Name Spanier für alle Völker, die Menschlichkeit oder christliches Mitgefühl empfinden, furcht- und schreckenerregend ist, als zeichne sich das Königreich Spanien besonders durch das Hervorbringen einer Sorte Menschen aus, die keinerlei Grundsätze der Barmherzigkeit und nicht das mindeste Mitleid mit den Unglücklichen haben, das als Kennzeichen großmütiger Gesinnung gilt.

Diese Betrachtungen veranlassten mich wirklich, innezuhalten und meine Tätigkeit zu unterbrechen; nach und nach begann ich meinen Plan aufzugeben und kam zu dem Schluss, dass ich mit meinem Vorhaben, die Wilden anzugreifen, unrecht gehabt hatte, dass es mir nicht zukam, mich mit ihnen einzulassen, wenn sie mich nicht als erste angriffen, sondern dass es mir vielmehr zukam, dies möglichst zu verhindern; wenn sie mich aber entdeckten und angriffen, dann wüsste ich, was ich zu tun hatte.

Andererseits, so sagte ich mir, war es auch wirklich nicht der richtige Weg zu meiner Rettung, sondern er führte vielmehr zu meinem Untergang und meinem Verderben; denn wenn ich nicht ganz sicher war, ausnahmslos alle zu töten, nicht nur die, welche sich zu diesem Zeitpunkt hier an Land befanden, sondern auch die, welche später hier landeten – wenn auch nur einer von ihnen entkam, um seinen Landsleuten zu berichten, was geschehen war, dann kehrten sie zu Tausenden hierher zurück, um den Tod ihrer Kameraden zu rächen, und ich brächte nur den sicheren Untergang über mich, wozu ich gegenwärtig gar keine Veranlassung hatte.

Alles in allem schloss ich daraus, dass ich mich weder aus prinzipiellen noch aus Gründen der Zweckmäßigkeit in die Sache einmischen, sondern darauf bedacht sein sollte, mich mit allen nur möglichen Mitteln vor ihnen verborgen zu halten und nicht das kleinste Anzeichen zu hinterlassen, aus dem sie erraten konnten, dass es ein lebendes Geschöpf auf der Insel gab, ich meine, von menschlicher Gestalt.

Die Religion bestärkte mich in diesem von der Vorsicht gebotenen Entschluss, und ich war jetzt auf jede Weise überzeugt, dass ich völlig gegen meine Pflicht gehandelt hatte, als ich meine blutigen Pläne schmiedete, unschuldige Geschöpfe umzubringen, und zwar mir gegenüber unschuldige. Was die Verbrechen anbetrifft, die sie gegeneinander begingen, so gingen mich diese nichts an, sondern sie waren die über ein ganzes Volk verhängten Strafen zur gerechten Vergeltung für Verbrechen, die sich ein ganzes Volk hatte zuschulden kommen lassen; öffentlich begangene Verbrechen sollten – auf eine Weise, die Gott für gut befand – öffentlich gerichtet werden.

Dies kam mir nun so offensichtlich vor, dass ich äußerst froh darüber war, nicht zur Ausführung einer Tat gelangt zu sein, die ich jetzt mit so gutem Grund für eine nicht geringere Sünde hielt, als vorsätzlicher Mord es gewesen wäre, und ich dankte Gott demütig auf Knien, dass er mich vor Blutschuld bewahrt hatte, flehte ihn an, mir den Schutz seiner Vorsehung zu gewähren, damit ich nicht den Barbaren in die Hände fiel und damit ich nicht Hand an sie legte, solange ich nicht den deutlichen Ruf des Himmels vernommen hatte, es zur Verteidigung meines eigenen Lebens zu tun.

Danach blieb ich fast ein ganzes Jahr in dieser Stimmung, und ich war so weit davon entfernt, mir eine Gelegenheit zu wünschen, diese Kerle zu überfallen, dass ich während der ganzen Zeit nicht einmal auf den Hügel hinaufging, um nachzusehen, ob sie in Sicht waren, oder um festzustellen, ob einige von ihnen dort an Land gewesen waren oder nicht, damit ich nicht in Versuchung kam, meine Pläne gegen sie wiederaufzunehmen oder mich durch irgendeine Gelegenheit, die sich bieten mochte, anreizen zu lassen, sie zu überfallen. Das einzige, was ich unternahm, war, hinzugehen und mein Boot, das ich auf der anderen Inselseite hatte, fortzuschaffen; ich brachte es hinüber zur östlichen Spitze der Insel, wo ich es in eine kleine Bucht fuhr, die ich unter ein paar hohen Felsen fand, denn ich wusste, dass die Wilden der Strömung wegen auf keinen Fall dorthin zu fahren wagten oder es jedenfalls nicht taten.

Zusammen mit meinem Boot brachte ich alles zurückgelassene Zubehör fort, obgleich es, um nur dorthin zu fahren, nicht notwendig gewesen wäre, nämlich einen Mast mit Segel, den ich für das Boot gemacht hatte, und etwas wie einen Anker, was man aber eigentlich weder Anker noch Enterhaken nennen konnte; es war jedoch das Beste, was ich in seiner Art zustande gebracht hatte. All das schaffte ich fort, damit es dort auch nicht den Schatten einer Möglichkeit der Entdeckung und nicht den geringsten Hinweis auf ein Boot oder auf eine Besiedlung der Insel gab.

Davon abgesehen, lebte ich, wie gesagt, zurückgezogener denn je und verließ nur selten meine Zelle, außer um meiner üblichen Beschäftigung nachzugehen, nämlich meine Ziegen zu melken und meine kleine Herde im Wald zu betreuen, was durchaus ungefährlich war, da sie sich in dem entgegengesetzten Teil der Insel befand; denn gewiss war, dass diese wilden Menschen, die zuweilen die Insel heimsuchten, niemals mit dem Gedanken herkamen, dass sie hier irgend etwas fänden, und infolgedessen niemals von der Küste landeinwärts wanderten. Ich zweifle nicht daran, dass sie mehrmals gelandet sein mochten, nachdem mich die Furcht vor ihnen vorsichtig gemacht hatte, genau wie zuvor, und ich dachte mit einigem Grauen daran, in welcher Lage ich mich wohl befunden hätte, wenn ich auf sie gestoßen wäre und sie mich früher entdeckt hätten, als ich nackt und – außer einer einzigen Flinte, die ich häufig auch nur mit Schrot geladen hatte – unbewaffnet war. Ich war auf der ganzen Insel umhergestreift, spähend und auskundschaftend, was noch zu holen war; welch eine Überraschung wäre es für mich gewesen, wenn ich, anstatt den Abdruck eines menschlichen Fußes zu entdecken, fünfzehn oder zwanzig Wilde erblickt hätte, die mich verfolgten und denen ich wegen ihrer Geschwindigkeit beim Rennen unmöglich hätte entkommen können.

Diese Vorstellung ließ mir zuweilen gleichsam das Blut in den Adern stocken und legte sich mir so aufs Gemüt, dass ich mich nicht so bald davon frei machen konnte, wenn ich daran dachte, was ich dann getan hätte und dass ich mich gegen sie nicht hätte wehren können und auch noch nicht einmal Geistesgegenwart genug gehabt hätte, das zu tun, wozu ich imstande gewesen wäre, viel weniger noch, was ich jetzt, nach so vielen Überlegungen und Vorbereitungen, zu tun vermochte. Wenn ich ernsthaft über diese Dinge nachdachte, wurde ich ganz schwermütig, und manchmal hielt dies recht lange an, schließlich aber löste sich alles in Dankbarkeit gegenüber der Vorsehung auf, die mich aus so vielen unbemerkten Gefahren errettet und vor Schaden bewahrt hatte, vor dem ich mich keineswegs selbst hätte bewahren können, da ich ja nicht ahnte, dass er mir drohte, und nicht im geringsten mit einer solchen Möglichkeit rechnete.

Dies regte mich von neuem zu Betrachtungen an, mit denen sich meine Gedanken früher häufig beschäftigt hatten, als ich zu erkennen begann, wie gnädig sich der Himmel in den Gefahren verhält, denen wir in diesem Leben begegnen, und auf wie wunderbare Weise wir daraus gerettet werden, ohne etwas davon zu wissen – wie uns, wenn wir uns in einer verzwickten Lage (wie wir es nennen) befinden und zweifeln oder zögern, welchen Weg wir wählen sollen, ein geheimer Wink den einen Weg weist, wenn wir eigentlich den anderen wählen wollten, ja sogar dann, wenn uns Vernunft, eigene Neigung und vielleicht auch geschäftliches Interesse auf den anderen Weg locken, aber doch eine merkwürdige Eingebung auf uns einwirkt – ohne dass wir wissen, woher sie stammt und durch welche Macht sie erfolgt –, die uns bestimmt, unseren Entschluss zu ändern und den einen Weg zu gehen, wobei es sich dann später herausstellt, dass wir, hätten wir den Weg gewählt, den wir wählen wollten und unserer Vorstellung nach auch hätten wählen sollen, ins Verderben gelaufen und verloren gewesen wären. Wegen dieser und vieler ähnlicher Überlegungen machte ich es mir später bei Situationen, wo ich etwas tun oder lassen beziehungsweise einen von zwei möglichen Wegen wählen musste, zur unumstößlichen Regel, diesen geheimen Winken oder Eingebungen zu folgen, wenn ich auch keinen anderen Grund dafür wusste als nur eben den, dass ein solcher Wink oder eine solche Eingebung auf mich einwirkte. Ich könnte viele Beispiele geben, wie ein solches Verhalten im Laufe meines Lebens zum Erfolg geführt hat, besonders aber während des späteren Teils meines Aufenthalts auf dieser unseligen Insel, ganz abgesehen von vielen Gelegenheiten, die ich vermutlich bemerkt hätte, wenn ich sie mit den Augen gesehen hätte, mit denen ich sie jetzt sah. Es ist jedoch niemals zu spät, weise zu werden, und ich kann nur allen denkenden Menschen, deren Leben ebenso viele außergewöhnliche Ereignisse aufweist wie meins oder vielleicht auch keine so außergewöhnlichen, raten, solche geheimen Andeutungen der Vorsehung nicht zu unterschätzen, von welch unsichtbaren Mächten sie immer stammen mögen – darüber werde ich nicht streiten und kann es vielleicht auch gar nicht erklären; ganz gewiss aber sind sie ein Beweis für die Verbindung mit Geistern und für die geheimen Kontakte zwischen den Sichtbaren und den Unsichtbaren, und zwar ein Beweis, der nicht zu widerlegen ist; ich werde noch Gelegenheit haben, aus der übrigen Zeit meines einsamen Aufenthalts auf dieser verlassenen Insel einige sehr bemerkenswerte Beispiele dafür anzuführen.

Ich glaube, der Leser wird sich nicht darüber wundern, wenn ich gestehe, dass diese Ängste, die ständigen Gefahren, in denen ich lebte, und die Unruhe, die jetzt auf mir lastete, allen meinen Erfindungen und allen Einrichtungen, die ich für meine künftige Bequemlichkeit und Behaglichkeit geplant hatte, ein Ende setzte. Es lag mir nun mehr am Herzen, für meine Sicherheit als für meine Nahrung zu sorgen. Ich getraute mich jetzt kaum, einen Nagel einzuschlagen, ein Stück Holz zu hauen, und viel weniger noch, ein Gewehr abzufeuern, aus Angst, jemand könnte diese Geräusche hören; vor allem aber wagte ich kaum, ein Feuer anzuzünden, damit mich der Rauch, der am Tage weit sichtbar ist, nicht verriet. Darum verlegte ich den Teil meiner Tätigkeit, für den ein Feuer notwendig war, wie das Brennen von Töpfen, Pfeifen und dergleichen, in meine neue Waldbehausung, wo ich zu meiner unaussprechlichen Erleichterung nach einigem Aufenthalt dort eine ganz natürliche Höhle entdeckte, die tief in die Erde führte und in die sich gewiss kein Wilder, so kühn er auch sein mochte, noch sonst ein Mensch hineingewagt hätte als nur einer, der, wie ich, dringend ein sicheres Versteck brauchte.

Der Eingang zu diesem Hohlraum befand sich am Fuß eines großen Felsens, wo ich ganz zufällig (so würde ich sagen, wenn ich nicht genügend Ursache hätte, jetzt alle diese Dinge der Vorsehung zuzuschreiben) ein paar dicke Äste von den Bäumen schlug, um Holzkohle zu brennen; bevor ich weiter berichte, muss ich aber erwähnen, weshalb ich sie machte, nämlich aus folgendem Grunde: Wie ich schon sagte, hatte ich Angst, in meiner Wohnungsnähe Rauch zu erzeugen, ich konnte jedoch dort nicht leben, ohne mein Brot zu backen, mein Fleisch zu kochen und dergleichen mehr; deshalb dachte ich mir aus, hier unter Torf Holz zu brennen, wie ich es in England gesehen hatte, bis es zu trockener Holz- oder Meilerkohle geworden war, dann das Feuer zu löschen und die Kohle aufzubewahren, um sie heimzutragen, und alle Arbeiten damit zu verrichten, zu denen ich Feuer brauchte, ohne dass mich der Rauch in Gefahr brachte.

Dies aber nebenbei. Während ich hier etwas Holz abhieb, bemerkte ich, dass sich hinter einem sehr dicken Zweig niedrigen Buschwerks oder Unterholzes eine Art Höhle befand; ich war so neugierig hineinzublicken, und nachdem ich mich mit einigen Schwierigkeiten in die Öffnung gezwängt hatte, stellte ich fest, dass sie ziemlich groß war, das heißt groß genug für mich, um aufrecht darin zu stehen, und für eventuell noch eine zweite Person. Ich muss dem Leser jedoch gestehen, dass ich mich beim Hinauskommen mehr beeilte als beim Hineingehen; während ich nämlich tiefer in die völlig schwarze Höhle blickte, sah ich zwei große leuchtende Augen irgendeines Geschöpfs – ob es die des Satans oder die eines Menschen waren, wusste ich nicht –, und sie funkelten wie zwei Sterne, weil das schwache Licht vom Eingang der Höhle gerade darauf fiel und sich in ihnen spiegelte.

Nach einigem Zögern aber fasste ich mich wieder und begann mich einen tausendfachen Narren zu nennen und mir zu sagen, dass jemand, der Angst hatte, den Teufel zu erblicken, nicht geeignet wäre, zwanzig Jahre lang ganz allein auf einer Insel zu leben, und ich könne wohl glauben, dass es in dieser Höhle nichts Furchteinflößenderes gab als mich selbst. Daraufhin nahm ich all meinen Mut zusammen, ergriff einen großen brennenden Zweig und stürzte mich von neuem in die Höhle, den flammenden Stock in der Hand; ich war noch keine drei Schritt weit hineingelangt, da erschrak ich fast genauso wie zuvor, denn ich hörte einen lauten Seufzer, wie von einem Menschen, der Schmerzen leidet, danach erklang ein abgerissener Laut, als würden Worte halb ausgesprochen, und dann wieder ein tiefer Seufzer. Ich wich zurück und war tatsächlich so bestürzt, dass ich in kalten Schweiß ausbrach, und hätte ich einen Hut auf dem Kopf gehabt, dann wäre dieser sicher durch mein Haar emporgehoben worden.

Ich nahm mich aber von neuem, so gut es ging, zusammen und machte mir selbst etwas Mut, indem ich mir sagte, dass Gott allmächtig und allgegenwärtig sei und mich zu beschützen vermöge; darauf ging ich wieder weiter und sah beim Licht des brennenden Astes, den ich ein wenig über meinen Kopf hob, auf dem Boden einen riesigen furchterregenden Ziegenbock liegen, der eben sein Testament machte, wie wir sagen, seine letzten Atemzüge tat und aus Altersschwäche am Verenden war.

Ich stieß ihn ein wenig an, um zu sehen, ob ich ihn nicht hinausbringen konnte, und er versuchte aufzustehen, vermochte aber nicht hochzukommen, und ich dachte bei mir, dass er auch ebensogut hier liegenbleiben könne, denn wenn er mich so erschreckt hatte, würde er ganz sicher auch alle Wilden erschrecken, die so kühn wären, hier hereinzukommen, während noch Leben in dem Bock war.

Ich hatte mich jetzt von meiner Bestürzung erholt, und als ich mich umzusehen begann, stellte ich fest, dass die Höhle nur sehr klein, das heißt etwa zwölf Fuß lang und von unregelmäßiger Form war, weder rund noch viereckig, da nicht Menschenhand, sondern allein die Natur sie geschaffen hatte; ich bemerkte auch an ihrem hinteren Ende eine Öffnung, die noch weiter führte, aber sie war so niedrig, dass ich auf Händen und Knien kriechen musste, um hineinzugelangen, und wohin sie führte, wusste ich nicht. Da ich keine Kerze hatte, gab ich es für diesmal auf, beschloss aber, am nächsten Tag wiederzukommen, mit Kerzen und einem Zündzeug ausgerüstet, das ich mir aus dem Schloss einer der Musketen, mit etwas griechischem Feuer in der Zündpfanne, angefertigt hatte.

Dementsprechend kam ich am nächsten Tag wieder, ausgestattet mit sechs großen Kerzen meiner eigenen Produktion, denn ich machte jetzt sehr gute Kerzen aus Ziegentalg; in dem niedrigen Gang war ich, wie gesagt, gezwungen, fast zehn Meter weit auf allen vieren zu kriechen, und es kam mir, nebenbei bemerkt, wie ein recht kühnes Unternehmen vor, denn ich wusste ja nicht, wohin der Gang führte und was dahinter lag. Als ich durch diesen Engpass hindurch war, fand ich, dass die Decke anstieg, ich glaube fast, zwanzig Fuß hoch, und sicher hatte sich auf der ganzen Insel noch niemandem, so darf ich wohl sagen, ein prachtvollerer Anblick geboten als jetzt mir, da ich mich umblickte, um Seiten und Dach dieses Gewölbes oder dieser Höhle zu betrachten. Die Wände warfen im Widerschein meiner beiden Kerzen hunderttausend Lichter zurück; was dort im Felsen war, ob Diamanten, andere Edelsteine oder Gold, wie ich eher vermutete, wusste ich nicht.

Der Ort, an dem ich mich befand, war eine so wunderschöne Höhle oder Grotte, wie man sie sich nur vorstellen kann, wenn auch völlig dunkel; der Boden war trocken und eben, und eine Art loser Kies lag darauf, so dass kein ekelerregendes Tier zu sehen war. An den Wänden zeigte sich weder Feuchtigkeit noch Nässe; das einzig Schwierige war der Eingang, was ich aber für einen Vorteil hielt, da es ein sicherer Ort war und gerade eine solche Zuflucht, wie ich sie brauchte, so dass ich mich über den Fund wirklich freute und beschloss, unverzüglich einige der Dinge, um die ich mir die größten Sorgen machte, hierherzuschaffen. Vor allem meinen Pulvervorrat und alle meine Reservewaffen, nämlich zwei Vogelflinten (denn ich hatte drei im ganzen) und drei Musketen (von ihnen hatte ich insgesamt acht), beschloss ich herzubringen, und in meiner Burg behielt ich nur fünf, die schussfertig auf Lafetten wie Kanonen an meinem äußersten Zaun standen und die ich auch jederzeit heraus- und auf eine Expedition mitnehmen konnte.

Bei dieser Gelegenheit, als ich die Munition umlagerte, war ich gezwungen, das Pulverfass zu öffnen, das ich aus dem Meer geholt hatte und das nass geworden war, und ich stellte fest, dass das Wasser von allen Seiten etwa drei oder vier Zoll weit in das Pulver eingedrungen war, so dass es eine harte Schicht gebildet hatte, die das Innere schützte wie eine Schale die Nuss, und in der Mitte der Tonne hatte ich fast sechzig Pfund sehr gutes Pulver, was damals für mich eine äußerst angenehme Überraschung war. So trug ich denn alles dorthin und behielt nie mehr als nur zwei oder drei Pfund Pulver bei mir in der Burg, aus Angst vor Überraschungen irgendwelcher Art; auch alles Blei, das mir für Kugeln geblieben war, brachte ich dort unter.

Ich kam mir jetzt vor wie einer der alten Riesen, von denen man sagt, dass sie in Höhlen und Felslöchern hausten und niemand Zugang zu ihnen hatte, denn ich redete mir ein, dass auch fünfhundert Wilde, würden sie mich jagen, mich hier nicht finden konnten, und wenn sie es doch täten, niemals wagten, mich da anzugreifen.

Der alte Ziegenbock, den ich in den letzten Zügen angetroffen hatte, starb am Tage nach meiner Entdeckung im Eingang der Höhle, und ich fand es viel leichter, dort ein großes Loch zu graben, ihn hineinzuwerfen und mit Erde zu bedecken als ihn hinauszuschleifen; so begrub ich ihn denn dort, damit er meine Nase nicht beleidigte.

Mein Aufenthalt auf der Insel ging nun ins dreiundzwanzigste Jahr, und ich hatte mich dem Ort und der Lebensweise so angepasst, dass ich mich, wenn ich nur sicher gewesen wäre, es würden keine Wilden hierherkommen und mich belästigen, damit hätte abfinden können, den Rest meines Daseins bis zum letzten Augenblick hier zu verbringen, bis ich mich, wie der alte Ziegenbock, in der Höhle niederlegen und sterben würde. Ich war auch dazu gelangt, mir einige kleine Unterhaltungen und Belustigungen zu schaffen, durch die mir die Zeit viel angenehmer verging als zuvor. So hatte ich, wie schon gesagt, als erstes meinen Poll sprechen gelehrt, und er tat es so zutraulich, redete so deutlich und klar, dass es mir sehr viel Vergnügen bereitete, und er lebte ganze sechsundzwanzig Jahre mit mir; wie lange er danach noch dort gelebt haben mag, weiß ich nicht, wohl aber ist mir bekannt, dass die Brasilianer der Ansicht sind, Papageien würden hundert Jahre alt. Vielleicht sind dort noch immer ein paar von meinen Polls am Leben und rufen bis zum heutigen Tag den armen Robinson Crusoe. Ich wünsche keinem Engländer das Pech, dorthin zu kommen und sie zu hören, täte es aber doch einer, dann glaubte er gewiss, es sei der Teufel. Mein Hund war mir nicht weniger als sechzehn Jahre lang ein sehr lieber und anhänglicher Gefährte; dann starb er aus Altersschwäche. Was meine Katzen betraf, so vermehrten sie sich, wie ich schon bemerkte, in einem solchen Maße, dass ich gezwungen war, zuerst ein paar von ihnen abzuschießen, um zu verhindern, dass sie mich und meine ganze Habe auffraßen; schließlich aber, nachdem die beiden alten, die ich mitgebracht hatte, tot waren und ich die anderen eine Zeitlang ständig fortgetrieben und ihnen nichts zu fressen gegeben hatte, verwilderten sie und liefen in den Wald, außer zwei oder drei Günstlingen, die ich zahm hielt und deren Junge, wenn sie welche hatten, ich stets ertränkte; sie gehörten zu meiner Familie. Außer ihnen hielt ich auch immer zwei oder drei Hauszicklein um mich, die ich lehrte, mir aus der Hand zu fressen, und ich hatte auch noch einige Papageien, die ziemlich gut sprachen und alle Robinson Crusoe riefen, keiner aber so gut wie mein erster Poll; ich gab mir mit ihnen auch nicht soviel Mühe, wie ich es mit ihm getan hatte. Dazu besaß ich mehrere zahme Seevögel, von denen ich nicht weiß, wie man sie nennt; ich hatte sie am Strand gefangen und ihnen die Flügel beschnitten, und da die kleinen Stecken, die ich vor meinem Burgwall gepflanzt hatte, jetzt zu einem schönen, dichten Gehölz herangewachsen waren, lebten alle diese Vögel zwischen den niedrigen Bäumen und brüteten auch dort, was mir viel Vergnügen bereitete; so war ich also mit dem Leben, das ich führte, recht zufrieden, wenn ich nur die Angst vor den Wilden hätte loswerden können.

Es war mir jedoch anders beschieden, und für alle, denen meine Geschichte zu Gesicht kommt, mag es angebracht sein, folgende richtige Schlussfolgerung daraus zu ziehen, nämlich wie häufig doch im Laufe unseres Lebens das Schlimme, das wir an sich am meisten zu meiden suchen und das uns, wenn es uns doch zustößt, ganz furchtbar erscheint, oft gerade das Mittel oder das Tor zu unserer Erlösung ist, durch das allein wir aus der Not, in die wir geraten sind, hinauszugelangen vermögen. Hierfür könnte ich aus meinem eigenartigen Leben viele Beispiele anführen, aber nirgends war es so deutlich zu spüren wie bei den Umständen, unter denen ich die letzten Jahre meines Lebens auf dieser Insel zubrachte.

Es war jetzt Dezember in meinem schon erwähnten dreiundzwanzigsten Jahr, und da die Zeit der südlichen Sonnenwende nahte – denn Winter kann ich es nicht nennen –, war der Augenblick für meine Ernte gekommen, und ich musste ziemlich viel draußen auf den Feldern sein; da erblickte ich eines Morgens, als ich sehr früh, noch bevor es richtig hell war, hinausging, zu meiner Überraschung einen Feuerschein am Strand, in etwa zwei Meilen Entfernung gegen das Ende der Insel hin, wo schon zuvor, wie ich beobachtet hatte, Wilde gewesen waren, aber das Feuer brannte nicht an der anderen, sondern zu meinem großen Leidwesen auf meiner Seite der Insel.

Ich war bei diesem Anblick wirklich sehr bestürzt, blieb in meinem Gehölz unbeweglich stehen und wagte mich nicht hinaus, aus Furcht, dass mich diese Wilden überraschten; drinnen hatte ich aber ebensowenig Ruhe, denn ich hatte Angst, dass sie, wenn sie auf der Insel herumstreiften, mein ungeschnittenes oder gemähtes Korn oder irgendeine meiner Anlagen und Verbesserungen finden könnten und dann sogleich daraus schließen müssten, dass es Menschen auf der Insel gab, und nicht eher ruhen würden, bis sie mich gefunden hätten. In dieser Not kehrte ich unverzüglich zu meiner Burg zurück und zog die Leiter hinter mir herauf, nachdem ich dafür gesorgt hatte, dass dort alles so wild und natürlich wie nur möglich aussah.

Dann traf ich drinnen Vorsorge und versetzte mich in Verteidigungsbereitschaft: Ich lud alle meine Kanonen, wie ich sie nannte, das heißt meine Musketen, die ich auf meiner Festung in Stellung gebracht hatte, und alle meine Pistolen und beschloss, mich bis zum letzten Atemzug zu verteidigen; ich vergaß auch nicht, mich ernsthaft dem Schutz Gottes zu empfehlen und ihn durch ein andächtiges Gebet zu bitten, mich aus den Händen der Barbaren zu erlösen. So verblieb ich etwa zwei Stunden lang; dann aber wurde ich recht begierig auf Nachricht von draußen, denn ich hatte ja keine Kundschafter, die ich aussenden konnte.

Nachdem ich noch eine Weile dagesessen und darüber nachgegrübelt hatte, was ich in dieser Lage wohl tun sollte, konnte ich es nicht länger ertragen, unwissend dazusitzen, so stellte ich also meine Leiter am Berghang auf, wo es, wie schon bemerkt, einen ebenen Vorsprung gab, zog die Leiter nach, stellte sie von neuem auf und stieg bis zur Spitze des Hügels empor, dann holte ich mein Fernglas heraus, das ich zu diesem Zweck mitgenommen hatte, legte mich bäuchlings auf die Erde und begann nach der betreffenden Stelle Ausschau zu halten. Gleich darauf sah ich, dass nicht weniger als neun nackte Wilde um ein kleines Feuer saßen, das sie angezündet hatten – nicht um sich zu wärmen, das brauchten sie nicht, denn es herrschte außerordentlich große Hitze, sondern, wie ich annahm, um eine ihrer barbarischen Mahlzeiten von Menschenfleisch zu bereiten, das sie mitgebracht hatten, ob tot oder lebendig, konnte ich nicht wissen.

Sie hatten zwei Kanus bei sich, die sie auf den Strand hinaufgezogen hatten, und da gerade Ebbe war, schien mir, dass sie auf die Rückkehr der Flut warteten, um wieder fortzufahren. Man kann sich nicht leicht vorstellen, in was für eine Bestürzung mich dieser Anblick versetzte, besonders, da ich sah, dass sie auf meine Seite der Insel kamen, und noch dazu in unmittelbare Nähe; da ich aber feststellte, dass sie wohl immer mit der Strömung der Ebbe auftauchten, begann ich danach ruhiger zu werden, denn ich war nun überzeugt, dass ich zur Zeit der Flut mit aller Sicherheit ausgehen konnte, wenn sie nicht schon vorher an Land waren; und nachdem ich diese Beobachtung gemacht hatte, begab ich mich mit größerer Gelassenheit hinaus und an meine Erntearbeit.

Wie ich erwartet hatte, so geschah es, denn kaum strömte die Flut nach Westen, da sah ich, wie alle in die Boote stiegen und davonruderten (oder -paddelten, wie wir es nennen); ich hätte erwähnen sollen, dass sie, bevor sie abfuhren, über eine Stunde lang tanzten, und ich konnte ihre Stellungen und Bewegungen mit meinem Glas leicht verfolgen. Ich konnte aber bei scharfem Hinsehen nur feststellen, dass sie splitternackt waren und nicht den kleinsten Fetzen am Leibe trugen; ob es Männer oder Frauen waren, vermochte ich nicht zu unterscheiden.

Sobald ich sah, dass sie sich eingeschifft hatten und fort waren, nahm ich zwei Gewehre auf die Schultern, steckte zwei Pistolen in den Gürtel und meinen großen Säbel ohne Scheide an die Seite, dann ging ich, so schnell ich nur konnte, zu dem Hügel, von wo aus ich ihr Erscheinen zum allerersten Mal entdeckt hatte. Als ich dort angelangt war, was erst nach zwei Stunden geschah (denn mit Waffen beladen, wie ich war, vermochte ich nicht schnell auszuschreiten), stellte ich fest, dass sich noch drei Kanus mit Wilden dort befunden hatten, und als ich weiter hinausblickte, sah ich, dass alle zusammen auf See waren und aufs Festland zusteuerten.

Dies war für mich ein schrecklicher Anblick, besonders, als ich unten am Strand die entsetzlichen Spuren sah, die ihre scheußliche Tätigkeit dort hinterlassen hatte, nämlich das Blut, die Knochen und Fleischteile von menschlichen Körpern, die diese Scheusale unter fröhlichem Feiern aufgefressen und verschlungen hatten. Ich war von diesem Bild so sehr empört, dass ich jetzt überlegte, wie ich die nächsten, die ich dort erblickte, umbringen könnte, gleichgültig, wer oder wieviel sie waren.

Mir schien nun festzustehen, dass die Besuche, die sie der Insel auf diese Weise abstatteten, nicht sehr häufig waren, denn es dauerte über fünfzehn Monate, bis wieder Wilde hier landeten, das heißt, ich sah während der ganzen Zeit weder sie noch irgendwelche Fußspuren oder andere Anzeichen von ihnen. In der Regenzeit fuhren sie ganz gewiss nicht hinaus, wenigstens nicht so weit; trotzdem aber lebte ich fortwährend in Unbehagen wegen meiner ständigen Furcht, sie könnten unversehens auf mich stoßen; daraus folgere ich, dass die Erwartung des Übels bitterer ist als das Leid, vor allem, wenn sich die Erwartung oder die Furcht nicht abschütteln lassen.

Die ganze Zeit über hing ich Mordgedanken nach und verbrachte die meisten Stunden, in denen ich Besseres hätte tun sollen, damit, Pläne zu schmieden, wie ich die Wilden gleich das nächste Mal, wenn ich sie sah, überlisten und überfallen könnte, besonders dann, wenn sie, wie das letzte Mal, in zwei Gruppen aufgeteilt waren, und ich überlegte gar nicht, dass ich, nachdem ich die eine Gruppe, angenommen zehn oder zwölf Leute, getötet hatte, doch immer noch am nächsten Tag oder in der nächsten Woche oder im nächsten Monat wieder eine töten musste und dann noch eine und so weiter, bis ich schließlich kein geringerer Mörder wäre, als sie, die Menschenfresser, es waren, und vielleicht sogar ein noch schlimmerer.

Ich verbrachte nun meine Tage in größter Unruhe und Angst, immer damit rechnend, dass ich früher oder später in die Hände dieser erbarmungslosen Geschöpfe fiele; wenn ich mich einmal hinauswagte, dann nicht, ohne mich mit der größten Vorsicht und Sorgfalt, die man sich nur vorzustellen vermag, umzublicken; nun erkannte ich zu meiner außerordentlichen Erleichterung, was für ein Glück es war, dass ich für eine zahme Ziegenherde gesorgt hatte, denn ich wagte um keinen Preis, mein Gewehr abzufeuern, vor allem nicht auf der Seite der Insel, wohin sie gewöhnlich kamen, aus Furcht, die Wilden zu beunruhigen, denn wenn sie jetzt auch vor mir fliehen mochten, so konnte ich doch sicher sein, dass sie ein paar Tage darauf wiederkehrten, vielleicht mit drei- oder vierhundert Kanus, und was mir dann bevorstand, wusste ich.

Es dauerte jedoch ein Jahr und drei Monate, bis ich wieder Wilde zu Gesicht bekam; dann aber sah ich sie erneut, wie ich gleich berichten werde. Freilich mochten sie inzwischen ein- oder zweimal dagewesen sein, aber entweder waren sie nicht geblieben, oder ich hatte sie nicht gehört. Im vierundzwanzigsten Jahr meines Aufenthalts aber, und zwar im Monat Mai, wenn ich richtig gerechnet hatte, gab es für mich eine sehr bemerkenswerte Begegnung mit ihnen; davon aber zu seiner Zeit.

Die Bedrängnis, in der sich mein Gemüt während dieser fünfzehn oder sechzehn Monate befand, war sehr groß; ich schlief unruhig, hatte immer furchtbare Träume und schreckte oft nachts aus dem Schlaf auf. Am Tage überwältigten mich schwere Sorgen, und in der Nacht träumte ich häufig, ich brächte die Wilden um, und auch, wie es zu rechtfertigen sei. Um aber all das für eine Weile beiseite zu lassen – es war Mitte Mai, ich glaube der sechzehnte, soweit mein armseliger hölzerner Kalender es anzeigte, denn ich kerbte noch immer alle Tage auf dem Pfosten ein; am sechzehnten Mai also tobte den ganzen Tag über ein heftiger Sturm mit viel Blitz und Donner, und darauf folgte eine sehr schlimme Nacht; ich weiß nicht, was die besondere Ursache dafür war, aber während ich gerade in der Bibel las und mit ernsthaften Gedanken über meine gegenwärtige Lage beschäftigt war, überraschte mich der Knall eines Kanonenschusses, wie ich glaubte, der auf dem Meer abgegeben wurde.

Dies war nun gewiss eine Überraschung von ganz anderer Art, als ich sie bisher erlebt hatte, und auch die Gedanken, die sie in mir erweckte, waren völlig anderer Natur. Ich fuhr mit der größtmöglichen Eile empor, hatte im Nu meine Leiter zum mittleren Teil des Felsens aufgestellt, zog sie hinter mir her, stieg zum zweiten Mal hinauf und gelangte auf die Spitze des Hügels; genau in dem Augenblick ließ mich ein aufblitzender Feuerschein auf einen zweiten Kanonenschuss lauschen, den ich auch ungefähr eine halbe Minute darauf vernahm, und am Klang hörte ich, dass er von der Stelle des Meeres kam, wo ich in meinem Boot mit der Strömung hinausgetrieben war.

Sogleich schloss ich, dass es ein Schiff in Seenot sein müsse, das einen Begleiter hatte oder in Gesellschaft eines zweiten Schiffes fuhr und die Kanonen als Notsignal abfeuerte, um Hilfe herbeizuholen. Ich hatte noch in derselben Minute die Geistesgegenwart, daran zu denken, dass, obgleich ich ihnen nicht zu helfen vermochte, sie vielleicht doch mir helfen könnten, und so trug ich alles trockene Holz, das ich finden konnte, zu einem schönen großen Haufen zusammen und zündete es dort auf dem Hügel an. Das Holz war trocken und brannte lichterloh, und obgleich ein sehr starker Wind wehte, brannte es doch fast ganz nieder, so dass ich gewiss annahm, wenn es dort irgend etwas Ähnliches wie ein Schiff gab, musste die Besatzung es notgedrungen gesehen haben, und zweifellos hatte sie das auch, denn sobald mein Feuer aufflammte, hörte ich noch einmal einen Kanonenschuss und danach noch mehrere, immer von derselben Stelle her. Ich hielt das Feuer die ganze Nacht über bis zur Morgendämmerung in Gang, und als heller Tag war und die Sicht klar wurde, gewahrte ich etwas in großer Entfernung auf dem Meer, genau östlich von der Insel – ob es ein Segel oder ein Schiffsrumpf war, konnte ich nicht erkennen, noch nicht einmal mit meinem Fernrohr, der Abstand war zu groß und das Wetter auch noch etwas dunstig, zumindest draußen auf dem Meer.

Den ganzen Tag über blickte ich häufig dorthin und stellte bald fest, dass es sich nicht vom Fleck rührte; so schloss ich also, es müsse ein Schiff sein, das vor Anker lag, und da ich, wie sich der Leser sicher vorstellen kann, recht begierig war, Genaueres zu wissen, nahm ich mein Gewehr in die Hand und rannte hinüber zu den Felsen auf der südöstlichen Seite der Insel, von wo mich damals die Strömung abgetrieben hatte, und nachdem ich dort hinaufgeklettert war, konnte ich, da sich das Wetter inzwischen auch völlig aufgeklärt hatte, zu meinem großen Kummer ganz deutlich das Wrack eines Schiffes erkennen, das in der Nacht auf die verborgenen Riffe aufgelaufen war, die ich gefunden hatte, als ich mit meinem Boot draußen war – eben die Riffe, die, weil sie die Gewalt der Strömung brachen und eine Art Gegenströmung erzeugten, die Ursache dafür waren, dass ich aus der aussichtslosesten und verzweifeltsten Lage entkam, in die ich während meines ganzen Lebens geraten war.

So ist also das, was für den einen Menschen Sicherheit bedeutet, des anderen Untergang, denn anscheinend waren diese Leute, wer sie auch sein mochten, da sie die Gewässer nicht kannten und die Riffe unter der Wasseroberfläche gänzlich verborgen waren, in der Nacht bei starkem Wind aus Ost zu Ostnordost dort aufgelaufen. Hätten sie die Insel gesehen, was, so muss ich annehmen, nicht der Fall gewesen war, dann hätten sie vermutlich versucht, sich mit ihrem Boot an Land zu retten; aber die Tatsache, dass sie ihre Kanonen um Hilfe abgeschossen hatten, besonders, nachdem sie mein Feuer gesehen hatten, wie ich vermutete, ließ viele Gedanken in mir aufkommen. Zuerst stellte ich mir vor, dass sie beim Anblick meines Lichts vielleicht in ihre Boote gestiegen waren und versucht hatten, das Ufer zu erreichen, jedoch abgetrieben wurden, da die Wellen zu hoch gingen; dann wieder überlegte ich, ob sie ihr Boot womöglich schon vorher verloren hatten, was auf vielerlei Weise hätte geschehen können, vor allem, wenn die Brecher über das Deck wuschen, was häufig die Mannschaft zwingt, ihr Boot in Stücke zu zerschlagen, und auch häufig, es eigenhändig über Bord zu werfen. Manchmal wiederum dachte ich mir, sie wären in Gesellschaft eines oder mehrerer anderer Schiffe gefahren, diese hätten sie nach ihrem Notsignal aufgenommen und wären mit ihnen davongefahren, und manchmal nahm ich an, alle wären in ihrem Boot aufs Meer hinausgetrieben und in den weiten Ozean hinausgetragen worden, wo es nichts als Not und Untergang gab; vielleicht waren sie gegenwärtig am Verhungern und nahe daran, sich gegenseitig aufzuessen.

All das waren im besten Falle Vermutungen, und in meiner Lage vermochte ich nichts anderes zu tun, als nur an die Not der armen Leute zu denken und sie zu bemitleiden, was immerhin auf mich die gute Wirkung hatte, dass ich mehr und mehr Ursache empfand, Gott zu danken, weil er mich in meinem verlassenen Zustand so glücklich und reichlich versorgt hatte, und auch dafür, dass von zwei Schiffsmannschaften, die jetzt in diesem Teil der Welt gescheitert waren, mein Leben als einziges gerettet wurde. Ich lernte von neuem erkennen, dass uns die Vorsehung Gottes nur selten in irgendeine Lebenslage, und sei sie noch so armselig, oder in Not versetzt – auch wenn sie sehr groß ist –, bei der es nicht dieses oder jenes gibt, wofür wir dankbar sein müssen und wo wir andere Menschen in einer noch schlimmeren Lage sehen können.

Ganz gewiss traf das auf diese Leute zu, bei denen auch nicht ein bisschen Hoffnung bestand, dass sich irgendeiner von ihnen hatte retten können, und nichts ließ es mit der Vernunft vereinbar erscheinen, dem Wunsch oder gar der Erwartung Raum zu geben, nicht alle seien dort umgekommen, die Möglichkeit ausgenommen, dass ein Begleitschiff sie aufgenommen hatte, und auch dies war tatsächlich nichts weiter als nur eine Möglichkeit, denn ich sah keinerlei Anzeichen, die darauf schließen ließen.

Auch wenn ich mir noch so große Mühe gäbe, könnte ich unmöglich mit Worten beschreiben, was für ein seltsames Verlangen und welch heißer Wunsch mein Herz bei diesem Anblick erfasste. Immer wieder entfuhren mir die Worte: »Ach, wenn sich doch nur eine oder zwei, nein, nur eine einzige Seele aus dem Schiff gerettet hätte und auf meine Insel entkommen wäre, damit ich wenigstens einen Gefährten hätte, einen Menschen, der mit mir sprechen und mit dem ich mich unterhalten könnte!« Während der ganzen Zeit meines einsamen Lebens hatte ich niemals einen so ernsthaften, so starken Wunsch nach der Gesellschaft meiner Mitmenschen empfunden und diesen Mangel so tief bedauert.

Es gibt geheime Antriebsfedern unserer Gefühle, und wenn sie durch irgendeine Sache, die wir sehen, oder auch durch eine, die uns zwar nicht sichtbar ist, die wir aber doch durch die Macht der Phantasie vor Augen haben, erst einmal in Schwingungen versetzt wurden, dann treibt die Gewalt ihrer Bewegung das Herz zu einem so heftigen Verlangen nach dieser Sache, dass uns deren Nichtvorhandensein unerträglich wird.

Dieser Art entsprach mein sehnlicher Wunsch, es möge sich wenigstens ein Mann gerettet haben. Ach, wenigstens ein einziger! Ich glaube, ich wiederholte die Worte ›Ach, wenigstens ein einziger!‹ wohl tausendmal, und mein Verlangen steigerte sich dadurch so, dass ich die Hände ballte, während ich die Worte sprach; meine Finger pressten sich gegen die Handflächen, und wenn ich etwas Weiches in der Hand gehalten hätte, dann wäre es unversehens zerdrückt worden, und die Zähne biss ich so fest zusammen, dass ich sie eine Zeitlang nicht mehr auseinanderbringen konnte.

Mögen die Naturforscher diese Dinge erklären, und auch weshalb und wie sie geschehen; ich kann hier nur die Tatsache beschreiben, die für mich erstaunlich war, als ich sie feststellte, obwohl ich nicht wusste, wodurch sie bewirkt wurde – zweifellos war sie das Ergebnis heißer Wünsche und lebhafter Vorstellungen, die in meinem Kopf entstanden waren, als ich mir ausmalte, welch ein Trost die Unterhaltung mit einem meiner christlichen Mitmenschen für mich bedeutet hätte.

Es sollte jedoch nicht sein, entweder verbot es ihr Schicksal oder meins, vielleicht auch beide, denn bis zum letzten Jahr meines Aufenthaltes auf der Insel erfuhr ich nicht, ob sich aus diesem Schiff jemand gerettet hatte, und ich erlebte einige Tage später nur den Schmerz, zu sehen, dass die Leiche eines ertrunkenen Jungen auf der Seite der Insel, die dem Wrack am nächsten war, an Land gespült wurde; er trug an Kleidung bloß ein Seemannswams, eine an den Knien offene Leinenhose und ein blaues Leinenhemd, nichts aber, was auf seine Nationalität hätte schließen lassen. In der Tasche hatte er weiter nichts als zwei Pesos und eine Tabakspfeife; diese war für mich zehnmal wertvoller als die Münzen.

Das Meer lag jetzt ruhig da, und ich hatte große Lust, mich in meinem Boot zu dem Wrack hinauszuwagen, denn ich zweifelte nicht daran, dass ich an Bord einiges fände, was mir vielleicht nützlich wäre; dies aber drängte mich nicht so wie die Möglichkeit, dass es an Bord noch ein lebendes Wesen geben mochte: nicht nur, dass ich ihm das Leben retten könnte, sondern ich brächte durch diese Rettung auch in mein Dasein den größten Trost, und dieser Gedanke lag mir so am Herzen, dass ich Tag und Nacht keine Ruhe hatte und mich mit meinem Boot einfach hinauswagen musste, um an Bord des Wracks zu gelangen.

Ich überließ alles Übrige der Vorsehung Gottes und hatte das Empfinden, der Drang in mir sei so unwiderstehlich stark, dass er von irgendeiner unsichtbaren Führung herstammen musste und ich mir selber schaden würde, wenn ich nicht führe.

Von diesem Gefühl getrieben, eilte ich in meine Burg zurück und bereitete alles für meine Fahrt vor; ich nahm einen Vorrat an Brot, einen großen Krug für frisches Wasser, einen Kompass zum Steuern, eine Flasche Rum (denn davon hatte ich noch eine Menge übrig) und einen Korb Rosinen; so mit allem Nötigen beladen, ging ich hinunter zu meinem Boot, schöpfte das Wasser aus und machte es flott; ich packte meine gesamte Ladung hinein und kehrte dann wieder heim, um noch mehr zu holen. Meine zweite Ladung bestand aus einem großen Beutel Reis, dem Sonnenschirm, den ich über mir aufspannen wollte, um Schatten zu haben, einem zweiten großen Krug Frischwasser und ungefähr zwei Dutzend meiner kleinen Gerstenlaibe oder -kuchen, mehr als vorher, sowie einer Flasche Ziegenmilch und einem Käse; all das brachte ich mit viel Schweiß und Mühe in mein Boot, betete zu Gott, er möge meine Fahrt leiten, stieß ab und ruderte oder paddelte das Kanu an der Küste entlang, bis ich endlich zur äußersten Spitze dieser Inselseite kam, nämlich zum Nordosten. Und jetzt musste ich in den Ozean hinausfahren; ich musste mich entscheiden, ob ich es wagen sollte oder nicht. Ich blickte zu den reißenden Strömungen, die in einiger Entfernung ständig an beiden Seiten der Insel vorbeiführten und mir in Erinnerung der Gefahr, in der ich schon einmal geschwebt hatte, große Furcht einflößten; der Mut begann mir zu sinken, denn ich sah voraus, dass ich, wenn mich eine der Strömungen erfasste, weit hinaus ins Meer getrieben würde, vielleicht so weit, dass ich die Insel nicht mehr sehen und nicht mehr erreichen könnte, und wenn dann nur der geringste Wind aufkam, war ich unweigerlich verloren, denn mein Boot war ja nur klein.

Diese Gedanken belasteten mich so, dass ich schon daran dachte, mein Unternehmen aufzugeben, und nachdem ich mein Boot in eine kleine Bucht am Ufer gefahren hatte, stieg ich aus und setzte mich sehr nachdenklich und besorgt auf eine niedrige Anhöhe; meiner Fahrt wegen war ich zwischen Angst und Begierde hin und her gerissen, und während ich so grübelte, bemerkte ich, dass die Gezeiten wechselten und die Flut im Kommen war, was meine Fahrt für die nächsten Stunden undurchführbar machte. Nun sagte ich mir, ich sollte auf die höchste Erhebung steigen, die zu finden war, und, wenn möglich, beobachten, in welche Richtung die Wellen oder Strömungen bei aufkommender Flut verliefen, damit ich entscheiden konnte, ob mich nicht eine starke Strömung, wenn ich auf einem Wege hinausgetrieben wurde, auf einem anderen Weg wieder zurücktriebe. Kaum war mir dieser Gedanke gekommen, da fiel mein Blick auf einen kleinen Hügel, der zu beiden Seiten genügend Sicht auf das Meer bot und von wo ich die Strömungen oder Flutwellen gut überblicken und erkennen konnte, wie ich mich bei der Rückkehr verhalten musste; hier stellte ich fest, dass, ebenso wie die durch die Ebbe hervorgerufene Strömung nahe an der Südspitze der Insel hinauslief, die von der Flut verursachte nahe beim Nordufer hereinlief und dass ich weiter nichts zu tun brauchte, als bei der Rückkehr auf den Norden der Insel zuzuhalten, dann wäre alles in Ordnung.

Von dieser Beobachtung ermutigt, beschloss ich, am nächsten Morgen mit beginnender Ebbe auszufahren; und nachdem ich die Nacht über im Kanu unter dem schon erwähnten großen Wachmantel geschlafen hatte, stach ich in See. Zuerst steuerte ich ein Stück ins Meer hinaus, genau nach Norden, bis ich den Vorteil der nach Osten gerichteten Strömung zu spüren begann, die mich mit großer Geschwindigkeit trug, aber mich doch nicht so mit sich riss, wie es die Strömung auf der Südseite damals getan hatte, so dass ich die Herrschaft über das Boot nicht verlor; ich steuerte also kräftig mit dem Paddel und fuhr mit großer Geschwindigkeit geradenwegs auf das Wrack zu, und in weniger als zwei Stunden kam ich dort an.

Hier bot sich ein trauriger Anblick: Das Schiff, das der Bauweise nach spanisch war, steckte festgefahren zwischen zwei Klippen; das gesamte Heck und das Achterdeck waren von den Wellen zertrümmert. Was das Vorderdeck betraf, das zwischen den Klippen steckte, so war es mit voller Gewalt darauf aufgelaufen, und Groß- und Fockmast waren über Bord gegangen, das heißt kurz abgebrochen, aber das Bugspriet war noch in Ordnung, und Galion und Bug schienen noch ganz unbeschädigt zu sein. Als ich näher heranruderte, tauchte dort ein Hund auf, der bei meinem Herbeikommen winselte und heulte; sobald ich ihn rief, sprang er ins Meer und schwamm zu mir; ich nahm ihn ins Boot, stellte aber fest, dass er fast verhungert und verdurstet war. Ich gab ihm ein Stück von meinem Brot, und er schlang es herunter wie ein Wolf, der vierzehn Tage lang im Schnee gedarbt hat; dann gab ich dem armen Tier etwas frisches Wasser, von dem er getrunken hätte, bis er geplatzt wäre, wenn ich es ihm erlaubt hätte.

Danach ging ich an Bord. Das erste, was ich erblickte, waren zwei Männer, die in der Kombüse auf der Back ertrunken waren, die Arme fest umeinander geschlungen. Ich schloss daraus, und wahrscheinlich war es auch so, dass, als das Schiff hier auflief, da die See durch den Sturm so hoch ging und so pausenlos über das Schiff hinwegschlug, die Männer nicht vermocht hatten, es durchzustehen, und an dem ständig hereinströmenden Wasser erstickt waren, als befänden sie sich unter Wasser. Außer dem Hund gab es kein lebendes

Wesen mehr auf dem Schiff und, soweit ich sehen konnte, auch keine Waren, die das Wasser nicht verdorben hatte; es waren ein paar Fässer mit Alkohol da – ob es Wein oder Kognak war, wusste ich nicht; sie lagen tiefer im Laderaum, und ich konnte sie sehen, nachdem das Wasser mit der Ebbe abgelaufen war, aber sie waren zu groß, um mit ihnen zu hantieren. Ich sah auch mehrere Kisten, die wohl Matrosen gehört hatten, und schaffte zwei davon ins Boot, ohne zu prüfen, was sie enthielten.

Wäre das Heck des Schiffes festgefahren und der Bug weggebrochen, dann hätte ich, davon bin ich überzeugt, wohl eine lohnende Fahrt gemacht, denn nach dem, was ich in den beiden Kisten fand, zu schließen, hatte ich Grund zu der Annahme, dass das Schiff großen Reichtum an Bord gehabt hatte, und wenn ich nach dem Kurs, den es einhielt, urteilen darf, muss es sich auf dem Weg von Buenos Aires oder dem Rio de la Plata in Südamerika jenseits von Brasilien, nach Havanna im Golf von Mexiko und also vielleicht auf der Fahrt nach Spanien befunden haben; zweifellos hatte es einen großen Schatz an Bord gehabt, der aber nun keinem Menschen nützte; und was aus der übrigen Mannschaft geworden war, wusste ich damals nicht.

Außer den Kisten fand ich noch ein kleines Fass mit Schnaps, das etwa zwanzig Gallonen enthielt; ich verstaute es unter großen Schwierigkeiten in meinem Boot. In der Kajüte befanden sich mehrere Musketen und ein großes Pulverhorn mit etwa vier Pfund Pulver; was die Musketen betraf, so hatte ich keine Verwendung für sie und ließ sie dort, das Pulverhorn aber nahm ich mit. Ich nahm auch eine Feuerschaufel und -zange, die ich dringend brauchte, sowie zwei kleine Messingkessel, einen Kupfertopf zum Kochen von Schokolade und einen Bratrost an mich und machte mich, da die Flut wieder zurückzukehren begann, mit dieser Ladung und mit dem Hund auf den Weg; so erreichte ich noch am selben Abend, etwa eine Stunde nach Einbruch der Dunkelheit, aufs äußerste übermüdet und erschöpft, die Insel.

Die Nacht über schlief ich im Boot, und am nächsten Morgen beschloss ich, das, was ich geborgen hatte, in meine neue Höhle und nicht heim in meine Burg zu schaffen. Nachdem ich mich gestärkt hatte, trug ich meine gesamte Ladung an Land und begann sie genauer zu untersuchen. Das Schnapsfass enthielt, so stellte ich fest, eine Art Rum, aber eine andere, als wir sie in Brasilien hatten, und zudem eine ziemlich schlechte; als ich jedoch die Kisten öffnete, fand ich darin mehrere Dinge, die ich gut gebrauchen konnte. In einer fand ich zum Beispiel einen schön gearbeiteten Kasten mit ganz außergewöhnlichen Flaschen, die mit feinem, ausgezeichnetem Magenlikör gefüllt waren; jede Flasche enthielt etwa anderthalb Liter und hatte einen Silberverschluss. Ich fand auch zwei Töpfe mit vorzüglichem Zuckerkonfekt und kandierten Früchten, die ebenfalls so fest verschlossen waren, dass das Salzwasser ihnen nichts angehabt hatte, sowie zwei andere von der gleichen Sorte, die aber durch das Wasser verdorben waren. Ich fand auch zwei sehr gute Hemden, die mir recht willkommen waren, und ungefähr anderthalb Dutzend weiße Leinenschnupftücher und bunte Halstücher. Jene waren mir ebenfalls sehr willkommen, denn an heißen Tagen erfrischte es mich, mir das Gesicht damit abzuwischen.

Als ich zu der Geldlade in den Kisten kam, fand ich darin drei große Beutel mit Pesos, im ganzen elfhundert Taler; und in einem waren, in Papier gewickelt, sechs Golddublonen und einige kleine Goldbarren oder -keile. Ich schätze, dass alles zusammen fast ein Pfund wog.

In der anderen Kiste fand ich Kleidungsstücke, die aber nur von geringem Wert waren. Allem Anschein nach hatte sie dem Unterstückmeister gehört, denn es war kein Pulver darin, sondern alle drei Pulverflaschen enthielten ungefähr zwei Pfund Nassbrandpulver, das, wie ich vermute, dazu gedient hatte, gelegentlich die Vogelflinten der Besatzung zu laden. Im Großen und Ganzen brachte mir diese Fahrt nur sehr wenig Nützliches ein, denn was das Geld betraf, so hatte ich keinerlei Verwendung dafür, es war mir nicht mehr wert als der Sand unter den Füßen, und ich hätte alles für drei oder vier Paar englische Schuhe und Strümpfe hergegeben, Dinge, die ich dringend brauchte, aber nun schon viele Jahre nicht mehr an den Füßen gehabt hatte. Allerdings besaß ich jetzt zwei Paar Schuhe, die ich den Ertrunkenen im Wrack von den Füßen gezogen hatte, und zwei weitere Paar fand ich in einer der Kisten, und sie waren mir sehr willkommen; freilich ließen sie sich nicht mit unseren englischen Schuhen vergleichen, weder was Bequemlichkeit noch was Dauerhaftigkeit betraf, denn es war sehr leichtes Schuhwerk. In der Seemannskiste fand ich ungefähr fünfzig Pesos, aber kein Gold; ich nehme an, ihr Eigentümer war ein ärmerer Mann als der der anderen gewesen, die wohl einem Offizier gehört hatte.

Nun, trotz alledem schleppte ich das Geld heim in meine Höhle und bewahrte es genau wie das andere auf, das ich aus unserem eigenen Schiff geborgen hatte; es war aber, wie gesagt, jammerschade, dass mir nicht der andere Schiffsteil zugefallen war, denn ganz sicher hätte ich mein Kanu mehrmals mit Geld beladen können, das, falls es mir jemals gelänge, nach England zu entkommen, hier in aller Sicherheit liegengeblieben wäre, bis ich hätte wiederkommen und es mir holen können.

Nachdem ich nun alle meine Sachen an Land gebracht und wohl geborgen hatte, kehrte ich wieder zu meinem Boot zurück und ruderte oder paddelte es entlang der Küste in seinen alten Hafen. Dort machte ich es fest und begab mich auf dem kürzesten Weg in meine alte Wohnung, wo ich alles unversehrt und ruhig vorfand. So begann ich nun, mich auszuruhen, auf meine gewohnte Weise zu leben und mich um meine Haushaltsangelegenheiten zu kümmern, und für eine Weile lebte ich recht sorglos, nur dass ich wachsamer als früher war, mich häufig umsah und nicht so oft ausging, und wenn ich doch frei herumstreifte, dann stets im östlichen Teil der Insel, wo ich ziemlich sicher vor den Wilden war und ohne derart große Vorsichtsmaßnahmen und eine solche Last von Waffen und Munition, wie ich sie immer bei mir trug, wenn ich zur anderen Seite ging, umhergehen konnte.

Auf diese Weise lebte ich noch fast zwei weitere Jahre, aber mein unglückseliger Kopf, der mir immer zu Bewusstsein bringen musste, dass er geschaffen war, um meinen Körper ins Elend zu stürzen, war während der beiden Jahre ständig voller Pläne und Absichten, wie ich, wenn es nur irgend möglich war, von der Insel fortkommen könnte. Zuweilen wollte ich abermals eine Reise zu dem Wrack unternehmen, obgleich mir mein Verstand sagte, dass es dort nichts mehr gab, was die Gefahren einer Fahrt lohnte, manchmal wiederum wollte ich bald hierhin, bald dorthin schweifen, und ich glaube tatsächlich, wenn ich das Boot gehabt hätte, in dem ich aus Salé entkommen war, dann hätte ich mich aufs Meer hinausgewagt, um wegzufahren, gleichgültig, wohin.

In allen meinen Lebenslagen bin ich ein warnendes Beispiel für diejenigen gewesen, die von der allgemeinen Krankheit der Menschheit befallen sind, von der meines Wissens die Hälfte ihres Unglücks herrührt – ich meine die, nicht mit dem Stand zufrieden zu sein, in den Gott und die Natur sie gesetzt hat; denn, um nicht auf meinen ursprünglichen Zustand und die ausgezeichneten Ratschläge meines Vaters zurückzukommen, deren Missachtung mein Sündenfall war, wenn ich so sagen darf, meine späteren Fehler der gleichen Art waren die Ursache, weshalb ich mich jetzt in einer so elenden Lage befand, und hätte die Vorsehung, die mir in Brasilien einen so vorteilhaften Platz als Pflanzer zugewiesen hatte, mich auch mit begrenzten Wünschen gesegnet und hätte ich mich damit zufriedengeben können, schrittweise voranzukommen, dann hätte ich jetzt – ich meine, zu der Zeit, wo ich mich auf der Insel befand – einer der geachtetsten Pflanzer von Brasilien sein können, ja ich bin sogar überzeugt, dass ich mit Hilfe der Verbesserungen, die ich in der kurzen Zeit dort ausgeführt, und der Fortschritte, die ich vermutlich gemacht hätte, wenn ich dageblieben wäre, jetzt hunderttausend Moidors besessen hätte. Was musste ich auch ein gesichertes Vermögen, eine gut eingerichtete Pflanzung, die gedieh und sich vergrößerte, verlassen und als Ladungsaufseher nach Guinea fahren, um Neger zu holen, wo doch Geduld und Zeit unser Kapital daheim so vergrößert hätten, dass wir jene vor unserer eigenen Haustür von denen hätten kaufen können, deren Geschäft es war, sie zu holen? Und wenn es uns auch mehr gekostet hätte, so war es doch der Preisunterschied nicht wert, unter so großem Risiko zu sparen.

Aber wie das Schicksal junger Hitzköpfe meist durch Torheiten bestimmt wird, so ist das Nachdenken darüber gewöhnlich die Beschäftigung reiferer Jahre oder der teuer erkauften, im Laufe der Zeit gewonnenen Erfahrung. Ähnlich ging es mir jetzt, der Fehler hatte jedoch in meinem Charakter so tiefe Wurzeln geschlagen, dass ich mich mit meiner Lage nicht zufriedengeben wollte, sondern dauernd über die Mittel und Wege nachgrübelte, wie ich von diesem Ort entkommen könnte; und um den übrigen Teil meiner Geschichte zum größeren Vergnügen des Lesers zu berichten, mag es angebracht sein, zu erzählen, was für Vorstellungen ich mir zuerst über diesen törichten Fluchtplan machte und wie und mit welchem Vorsatz ich dann handelte.

Der Leser stelle sich nun vor, dass ich mich nach meiner kürzlichen Fahrt zu dem Wrack in meine Burg zurückgezogen hatte; meine Fregatte lag wie gewöhnlich sicher und wohl geborgen unter Wasser, und mein Zustand war etwa der gleiche wie zuvor: Ich hatte zwar mehr Besitz als früher, war aber deshalb nicht reicher, denn ich hatte nicht mehr Verwendung dafür als die Indianer von Peru vor der Ankunft der Spanier.

Es war eine von jenen Nächten der Regenzeit im März im vierundzwanzigsten Jahr meines Aufenthaltes auf dieser Insel der Einsamkeit; ich lag wach im Bett oder vielmehr in der Hängematte, obwohl ich gesundheitlich wohlauf war – ich hatte keine Schmerzen, keine Krankheit, körperlich keine Beschwerden und auch seelisch nicht mehr als sonst, aber ich konnte kein Auge schließen und fand die ganze Nacht lang nicht einen Moment Schlaf, sondern verbrachte sie auf folgende Weise.

Es ist ebenso unmöglich wie nutzlos, die unzähligen Gedanken niederzuschreiben, die in dieser Nacht auf der großen Durchgangsstraße des Gehirns, dem Gedächtnis, vorbeischwirrten; ich durchlief die ganze Geschichte meines Lebens in Miniatur oder in Kurzform, wenn ich es so nennen darf, bis zu meiner Ankunft auf der Insel und auch den Teil meines Lebens hier. In meinen Betrachtungen über mein hiesiges Schicksal verglich ich den glücklichen Zustand während der ersten Jahre meines Aufenthalts mit dem der Sorge, der Furcht und der Vorsicht, in dem ich lebte, seit ich den Fußabdruck im Sande erblickt hatte; nicht, als glaubte ich, die Wilden wären die ganze Zeit über nicht auf die Insel gekommen, vielleicht waren sie manchmal zu Hunderten dort am Strand gewesen, aber da ich es nicht gewusst hatte und also auch keine Angst deshalb hatte empfinden können, war meine Zufriedenheit vollkommen gewesen, obgleich die Gefahr dieselbe war, und ich hatte mich, meine Gefahr nicht ahnend, so glücklich gefühlt, als wäre ich ihr gar nicht ausgesetzt. Dies gab mir Anlass zu vielen nützlichen Überlegungen, besonders zu den folgenden: Wie unendlich gütig ist doch die Vorsehung, die durch ihre Herrschaft über den Menschen seinem Blickfeld und seinem Wissen über die Dinge so enge Grenzen gesetzt hat; obwohl er zwischen so vielen tausend Gefahren umhergeht, deren Anblick, entdeckte er sie, sein Gemüt beunruhigen und seinen Mut zum Sinken bringen würde, bleibt er doch heiter und ruhig, da die Ereignisse vor ihm verborgen sind und er von den Gefahren, die ihn umgeben, nichts ahnt!

Nachdem mich diese Gedanken eine Zeitlang unterhalten hatten, begann ich ernsthaft über die wirkliche Gefahr nachzudenken, in der ich so viele Jahre auf eben dieser Insel geschwebt hatte, und wie ich mit der größten Sicherheit und ganz ruhigem Gemüt umhergezogen war, sogar dann, wenn sich nichts weiter als nur der Gipfel eines Hügels, ein großer Baum oder das zufällige Herannahen der Nacht zwischen mir und dem fürchterlichsten Verderben befunden hatte, nämlich dem, in die Hände von Kannibalen und Wilden zu fallen, die mich ergriffen hätten, ohne sich etwas anderes dabei zu denken, als ich es beim Erbeuten einer Ziege oder einer Schildkröte täte, und es für kein größeres Verbrechen gehalten hätten, mich umzubringen und aufzufressen, als ich, eine Taube oder einen Brachvogel zu essen. Ich verleumdete mich ungerechterweise, wenn ich sagen wollte, ich sei meinem großen Erhalter nicht von Herzen dankbar gewesen, dessen einzigartigem Schutz ich, wie ich mit tiefer Demut zugab, alle diese unbekannten Errettungen zu verdanken hatte, ohne die ich unweigerlich den erbarmungslosen Wilden in die Hände gefallen wäre.

Als ich diese Gedanken zu Ende gedacht hatte, war mein Kopf eine Weile damit beschäftigt, Betrachtungen über die Natur dieser elenden Kreaturen – ich meine die der Wilden – anzustellen und wie in aller Welt es nur kam, dass der weise Herrscher über die Dinge einige von seinen Geschöpfen einer solchen Unmenschlichkeit überließ, ja einer noch schlimmeren als viehischen Lebensweise, nämlich, ihresgleichen aufzufressen. Da dies aber zu etlichen (in jenem Augenblick fruchtlosen) Spekulationen führte, kam ich auf die Idee, mich zu fragen, in welchem Teil der Welt diese elenden Wilden denn lebten, wie groß wohl die Entfernung zu ihrer Küste war, weshalb sie sich so weit von zu Hause fort wagten, was für eine Art von Booten sie besaßen und warum ich mich und meine Angelegenheiten

204

nicht so vorbereiten sollte, dass ich ebenso imstande wäre, zu ihnen zu fahren, wie sie, zu mir zu kommen.

Ich machte mir nicht einmal die Mühe, zu überlegen, was ich anfangen sollte, wenn ich dorthin gelangt war, was aus mir würde, wenn ich den Wilden in die Hände fiele, oder wie ich ihnen entkommen sollte, wenn sie versuchten, mich zu fangen; ja ich dachte nicht einmal daran, wie ich es denn anstellen wollte, die Küste zu erreichen, ohne dass mich die einen oder die anderen von ihnen überfielen, wobei ich dann keine Möglichkeit hätte zu entkommen; und wenn ich ihnen nicht in die Hände fiele, was ich dann tun sollte, um mir Nahrung zu beschaffen, und wohin ich mich wenden wollte – all dies also kam mir gar nicht in den Sinn, sondern meine Gedanken waren einzig und allein darauf gerichtet, mit meinem Boot zum Festland hinüberzufahren. Ich sah jetzt meine gegenwärtige Lage als die Jammervollste an, die es überhaupt nur geben konnte, und hielt es für ausgeschlossen, dass mir außer dem Tod noch etwas Schlimmeres zustoßen könnte; ich glaubte, wenn ich nur das Ufer des Festlandes erreichte, dann fände ich vielleicht Hilfe, oder ich könnte an der Küste entlangfahren, wie ich es an der afrikanischen getan hatte, bis ich zu irgendeinem bewohnten Land kam, wo ich Hilfe finden mochte, und schließlich war es doch auch möglich, dass ich einem christlichen Schiff begegnete, das mich vielleicht aufnähme, und wenn es zum Schlimmsten käme, so würde ich eben sterben, dann wäre meine ganze Not mit einem Schlag vorbei. Der Leser möge bitte beachten, dass all dies die Ausgeburt eines verstörten Gemüts – eines ungeduldigen Temperaments war, denn weil mich die lange Dauer meines Unglücks und die an Bord des Wracks erlittene Enttäuschung, da ich so nahe daran gewesen war, zu erhalten, was ich mir so sehnlich wünschte – nämlich jemand, mit dem ich reden und von dem ich etwas erfahren könnte über den Ort, an dem ich mich befand, und über die Mittel, die mir mit einiger Wahrscheinlichkeit Befreiung versprachen – weil mich das also zu einer tollkühnen Verzweiflung getrieben hatte, war ich, wie gesagt, zutiefst von diesen Gedanken erregt. Meine ganze Gemütsruhe, die von meiner Ergebenheit in den Willen der Vorsehung herrührte, mein Abwarten der Beschlüsse des Himmels schienen ausgeschaltet zu sein, und ich war gewissermaßen nicht imstande, meine Gedanken auf etwas anderes zu richten als nur auf den Plan einer Fahrt zum Festland, der mich mit einer solchen Gewalt, mit einem so stürmischen Verlangen gepackt hatte, dass ich ihm nicht zu widerstehen vermochte.

Nachdem dies mein Gemüt zwei Stunden lang oder noch länger so heftig erregt hatte, dass es mein Blut geradezu zum Sieden brachte und mein Puls so schnell schlug, als habe ich Fieber, nur wegen der außerordentlichen Leidenschaft, die ich für das Vorhaben empfand, versenkte mich die Natur, als sei ich vom bloßen Nachdenken darüber ermüdet und erschöpft, in einen tiefen Schlaf. Man hätte meinen sollen, ich hätte davon geträumt, das tat ich aber nicht, und auch nicht von etwas damit Verbundenem, sondern ich träumte, ich ginge am Morgen wie gewöhnlich aus meiner Burg und erblickte am Strand zwei Kanus mit elf Wilden, die an Land kamen und einen weiteren Wilden mitbrachten, den sie eben töten wollten, um ihn zu verspeisen, als plötzlich dieser Wilde davonsprang und um sein Leben rannte. Dann glaubte ich im Schlaf, er komme in das kleine dichte Gehölz vor meiner Festung gelaufen, um sich zu verstecken, und ich zeigte mich ihm, da ich ihn allein sah und nicht feststellen konnte, dass ihn die anderen auf diesem Wege suchten; ich lächelte ihm zu und ermutigte ihn, da kniete er vor mir nieder und schien mich anzuflehen, ihm beizustehen; darauf wies ich ihm meine Leiter, veranlasste ihn hinaufzusteigen, nahm ihn mit in meine Höhle, und er wurde mein Diener. Sobald ich diesen Mann zur Verfügung hatte, sagte ich mir: Jetzt kann ich mich gewiss zum Festland hinüber wagen, denn der Mensch wird mir als Führer dienen und mir sagen, was ich tun und wohin ich mich wenden muss, um mir Vorräte zu beschaffen, wohin ich nicht gehen darf, um nicht fürchten zu müssen, aufgefressen zu werden, an welche Orte ich mich wagen darf und welche ich meiden muss. Mit diesem Gedanken wachte ich auf und empfand angesichts der geträumten Aussicht auf mein Entkommen eine ganz unaussprechliche Freude, weshalb die Enttäuschung, die mich erfüllte, als ich zu mir kam und erkannte, dass es nichts weiter als nur ein Traum gewesen war, ebenso übermäßig in die entgegengesetzte Richtung wirkte und mich in große Niedergeschlagenheit versetzte.

Daraus schloss ich jedoch, dass für mich der einzige Weg, einen Versuch des Entkommens zu wagen, der war, mich, wenn irgend möglich, eines Wilden zu bemächtigen, und zwar am besten eines Gefangenen, den sie dazu verurteilt hatten, verzehrt zu werden, und den sie hierherbrachten, um ihn zu töten; die Schwierigkeit an diesem Plan bestand nur darin, dass es unmöglich war, ihn durchzuführen, ohne einen ganzen Trupp von Wilden anzugreifen und alle umzubringen, und das wäre nicht nur ein verzweifelter Versuch und könnte misslingen, sondern ich empfand auch andererseits große Skrupel, ob ich denn ein Recht dazu hätte, und mein Herz erzitterte bei dem Gedanken, so viel Blut zu vergießen, und sei es auch zu meiner Befreiung. Ich brauche die Gegenargumente nicht noch einmal zu wiederholen, denn es waren die bereits erwähnten, und obgleich ich jetzt Gründe vorzubringen hatte, nämlich dass es Leute seien, die mir nach dem Leben trachteten und mich auffressen würden, wenn sie nur könnten, dass es im höchsten Grade Selbsterhaltung sei, mich aus diesem Leben, das dem Tode gleichzusetzen war, zu befreien, und ich zu meiner Verteidigung handelte, ebenso, als hätten sie mich tatsächlich angegriffen, und so weiter – obgleich also all das dafür sprach, war mir doch der Gedanke, zu meiner Befreiung Menschenblut zu vergießen, ganz furchtbar, so dass ich mich lange nicht damit versöhnen konnte.

Endlich aber, nachdem ich viele Male insgeheim mit mir gerungen und große Verwirrung darüber empfunden hatte (denn alle diese einander entgegengesetzten Argumente gingen mir lange Zeit widerstreitend durch den Kopf, gewann der sehnliche Wunsch nach Befreiung doch die Oberhand über alles andere, und ich beschloss, mich, wenn es möglich war, eines der Wilden zu bemächtigen, koste es, was es wolle. Als nächstes musste ich mir nun ausdenken, wie ich das anfangen wollte, und darüber zu einem Entschluss zu kommen war wirklich sehr schwer; da ich mich aber auf kein aussichtsreiches Mittel festzulegen vermochte, entschied ich, Wachsamkeit zu üben, damit ich sah, wenn sie an Land kamen, das übrige aber dem Zufall zu überlassen und die Maßnahmen zu treffen, die sich jeweils ergaben, welche es auch sein mochten.

Mit diesem Vorhaben im Sinn ging ich so oft wie möglich auf Kundschaft aus, ja so oft, dass ich es von Herzen satt hatte, denn ich wartete über anderthalb Jahre und ging die ganze Zeit über fast jeden Tag zum Westende und zum südwestlichen Zipfel der Insel, um nach

Kanus Ausschau zu halten, aber keines erschien. Dies war sehr entmutigend und begann mir große Sorge zu machen; ich kann jedoch nicht sagen, dass es die gleiche Wirkung hatte wie einige Zeit zuvor, nämlich mein Verlangen nach der Sache abzuschwächen, sondern je länger sie sich hinauszog, um so begieriger wurde ich darauf – mit einem Wort, ich war früher nicht eifriger darauf bedacht gewesen, den Anblick dieser Wilden zu meiden und zu verhindern, dass sie mich sahen, als ich es jetzt war, ihnen zu Leibe zu gehen.

Außerdem hielt ich mich für fähig, mit einem, ja mit zwei oder drei von ihnen fertig zu werden, wenn ich sie einmal hatte, und sie mir gänzlich als Sklaven zu unterwerfen, so dass sie alles ausführten, was ich sie hieß, und keine Gefahr bestand, dass sie mir jemals etwas taten. Eine ganze Weile hatte ich Freude an diesem Vorhaben, aber noch immer bot sich keine Gelegenheit, es auszuführen, und aus allen meinen Ideen und Absichten wurde nichts, denn lange Zeit ließen sich keine Wilden in meiner Nähe blicken.

Etwa anderthalb Jahre nachdem mir diese Gedanken gekommen waren und sie sich, sozusagen durch langes Grübeln, in nichts aufgelöst hatten, aus Mangel an Gelegenheit, sie in die Tat umzusetzen, überraschte mich eines Morgens der Anblick von nicht weniger als fünf Kanus, die alle nebeneinander auf meiner Inselseite am Strand lagen; die Leute, die dazu gehörten, waren sämtlich an Land und nicht zu sehen. Ihre große Anzahl warf alle meine Berechnungen über den Haufen, denn als ich so viele Boote sah, wo ich ja wusste, dass sie immer zu viert oder zu sechst und manchmal sogar zu noch mehr in einem Kanu kamen, war mir nicht klar, was ich davon halten und welche Maßnahmen ich treffen sollte, um als einzelner zwanzig oder dreißig Leute anzugreifen; so verhielt ich mich ruhig in meiner Burg – ratlos und voller Unbehagen, ich traf jedoch alle schon vorgesehenen Maßnahmen für einen Angriff und hielt mich einfach bereit zur Tat, falls sich irgend etwas zeigte. Nachdem ich eine gute Weile gewartet und gelauscht hatte, ob sie irgendwelchen Lärm machten, wurde ich schließlich sehr ungeduldig, stellte die Gewehre am Fuß meiner Leiter ab und kletterte wie gewöhnlich in meinen zwei Etappen auf die Hügelspitze; ich stellte mich jedoch so, dass mein Kopf nicht über den Gipfel hinausragte, damit mich die Wilden auf keinen Fall erblicken konnten. Hier beobachtete ich mit Hilfe

meines Fernglases, dass es nicht weniger als dreißig waren, die ein
Feuer angezündet und Fleisch zugerichtet hatten; wie sie es kochten,
wusste ich nicht und auch nicht, was es war, aber alle tanzten mit ich
weiß nicht was für barbarischen Gebärden und Verrenkungen nach
ihrer gewohnten Art rund um das Feuer.

Als ich sie so betrachtete, bemerkte ich durch mein Fernglas, wie
zwei arme Teufel aus dem Boot gezerrt wurden, wo sie anscheinend
bereitlagen und jetzt zum Schlachten hervorgeholt wurden; ich sah,
wie einer sogleich umfiel, nachdem er, wie ich annahm, mit einer
Keule oder einem hölzernen Schwert niedergeschlagen worden war,
denn so taten sie es gewöhnlich, und zwei, drei andere machten sich
sofort ans Werk und schnitten ihn für ihre Kochkünste auf, während
sie das zweite Opfer allein daneben stehen ließen, bis es an die Reihe
käme. Als dieser arme Kerl sich ein wenig unbehelligt sah, gab ihm
die Natur Lebenshoffnung ein, er sprang von ihnen fort und rannte
mit unglaublicher Geschwindigkeit am Strand entlang, direkt auf
mich zu – ich meine, auf den Teil der Küste zu, wo meine Behausung lag.

Ich erschrak furchtbar (dies muss ich zugeben), als ich ihn in
meine Richtung laufen sah, und besonders, als ich zu sehen glaubte,
dass ihn der ganze Trupp verfolgte; jetzt erwartete ich, er werde in
meinem Gehölz Zuflucht suchen und ein Teil meines Traumes in Erfüllung gehen, ich konnte mich jedoch keinesfalls darauf verlassen,
dass sich auch der Rest meines Traumes erfülle, nämlich dass ihn die
anderen Wilden nicht dorthin verfolgten und ihn nicht fänden. Ich
blieb jedoch auf meinem Posten und gewann wieder Selbstvertrauen,
als ich sah, dass ihm nur drei Mann nachsetzten, mein Mut wurde
noch größer, als ich feststellte, dass er beträchtlich schneller lief als
sie und sein Vorsprung sich vergrößerte, und wenn er nur eine halbe
Stunde durchzuhalten vermochte, entkäme er ihnen ganz, wie ich
leicht sehen konnte.

Zwischen ihnen und meiner Burg lag der im ersten Teil meiner
Geschichte häufig erwähnte Wasserlauf, wo ich meine Ladung aus
dem Schiff an Land gebracht hatte; ich wusste, dass er ihn durch-
schwimmen musste, sonst würde der arme Kerl an dieser Stelle gefangen werden; als der flüchtende Wilde aber dorthin kam, machte er
sich nichts daraus, sondern schwamm, obgleich Flut war, mit etwa

dreißig Stößen hindurch, kam an Land und rannte mit außerordentlicher Kraft und Geschwindigkeit weiter. Als die drei Verfolger an den Wasserlauf gelangten, sah ich, dass zwei von ihnen schwimmen konnten, der dritte jedoch nicht; er blieb auf der anderen Seite stehen, blickte ihnen nach, ging aber nicht weiter, und kurz darauf kehrte er langsam um, und das war, wie sich ergab, sein Glück.

Ich beobachtete, dass die beiden Schwimmer mehr als doppelt so lange brauchten, den Wasserlauf zu durchqueren, als der vor ihnen Fliehende. Nun schoss mir ganz hitzig der geradezu unwiderstehliche Gedanke durch den Kopf, jetzt sei meine Gelegenheit gekommen, mir einen Diener, vielleicht einen Gefährten oder Gehilfen zu beschaffen, und ich sei ganz offensichtlich von der Vorsehung berufen, das Leben dieses armen Menschen zu retten. Sogleich stieg ich mit größtmöglicher Geschwindigkeit die Leiter hinunter, nahm meine zwei Flinten, die beide am Fuß der Leiter standen, wie ich oben erwähnte, stieg mit ebenso großer Eile wieder auf die Hügelspitze und lief quer hinüber auf das Meer zu; da ich den Weg stark verkürzte, und das bergab, trat ich plötzlich zwischen die Verfolger und den Verfolgten und rief den Fliehenden laut an, der, als er sich umsah, zuerst vielleicht ebensoviel Furcht vor mir wie vor ihnen empfand; ich winkte ihm aber mit der Hand zu, er solle zurückkommen, und inzwischen ging ich langsam den Verfolgern entgegen, dann stürzte ich mich plötzlich auf den vordersten und schlug ihn mit meinem Flintenkolben nieder; ich mochte nicht gern schießen, weil ich nicht wollte, dass die übrigen es hörten, obgleich es auf diese Entfernung kaum zu hören war, und da sie auch den Rauch nicht hätten sehen können, wäre ihnen schwer verständlich gewesen, was sie von der Sache halten sollten. Nachdem ich den Kerl niedergeschlagen hatte, blieb der andere, der hinter ihm herlief, stehen, als habe er Angst bekommen, und ich ging rasch auf ihn zu; als ich mich ihm näherte, bemerkte ich, dass er Pfeil und Bogen hatte und auf mich anlegte. So war ich also gezwungen, als erster auf ihn zu schießen, und tat es; ich tötete ihn mit dem ersten Schuss. Der arme flüchtende Wilde war stehengeblieben, und obgleich er seine beiden Feinde hatte fallen sehen und sie tot waren (wie er glaubte), hatten ihn doch das Feuer und der Knall meiner Flinte so erschreckt, dass er stocksteif dastand und weder vorwärts noch rückwärts ging, aber eher geneigt schien weiterzufliehen, als zu mir zu kommen. Ich rief ihm noch einmal zu und machte ihm Zeichen, er solle herkommen, was er ohne Schwierigkeit verstand; er kam ein wenig näher, blieb dann wieder stehen, kam wieder ein Stück näher und blieb von neuem stehen, und nun konnte ich sehen, dass er zitterte, als sei er gefangen und solle jetzt getötet werden wie seine beiden Feinde. Ich winkte ihm noch einmal zu, zu mir zu kommen, und machte alle Zeichen der Ermutigung, die ich mir nur ausdenken konnte; er kam allmählich näher und kniete zum Zeichen der Dankbarkeit für seine Lebensrettung alle zehn oder zwölf Schritte nieder. Ich lächelte ihm zu, blickte ihn freundlich an und winkte ihm, sich noch weiter zu nähern. Schließlich kam er ganz dicht zu mir heran, und da kniete er von neuem nieder, küsste den Boden, legte seinen Kopf auf die Erde, nahm meinen Fuß und setzte ihn sich auf den Scheitel. Das schien zu bedeuten, er schwöre, für immer mein Sklave zu bleiben. Ich hob ihn auf, bemühte mich um ihn und ermutigte ihn, so gut ich nur konnte. Aber es gab noch Arbeit, denn ich bemerkte, dass der Wilde, den ich niedergeschlagen hatte, nicht tot, sondern von dem Schlag nur betäubt war und langsam zu sich kam, so deutete ich mit der Hand auf ihn und zeigte dem anderen, dass er noch am Leben war; daraufhin sagte er einige Worte zu mir, und obgleich ich sie nicht verstehen konnte, empfand ich es doch als angenehm, sie zu hören, denn ich vernahm ja zum ersten Mal seit über fünfundzwanzig Jahren den Klang einer anderen menschlichen Stimme als nur meiner eigenen.

Jetzt war jedoch keine Zeit für solche Überlegungen; der zu Boden geschlagene Wilde hatte sich so weit erholt, dass er aufrecht auf der Erde saß, und ich bemerkte, dass mein Wilder sich zu fürchten begann. Als ich das sah, zielte ich mit meiner zweiten Flinte auf den Mann, als wolle ich ihn erschießen; darauf bat mich mein Wilder, denn so nannte ich ihn jetzt, durch eine Gebärde, ihm meinen Säbel zu leihen, der nackt seitlich in einem Gehänge hing. Ich tat es, und kaum hielt er die Waffe, da stürzte er sich auf seinen Feind und schlug ihm mit einem Hieb so geschickt den Kopf ab, dass kein Henker es hätte schneller und besser machen können, was mich sehr überraschte bei einem Menschen, der, wie ich annehmen musste, in seinem ganzen Leben noch keinen Säbel zu sehen bekommen hatte, ausgenommen die hölzernen dieser Wilden; wie ich später erfuhr, machen sie anscheinend aber ihre hölzernen Schwerter so scharf, so schwer und aus so hartem Holz, dass sie auch mit ihnen Köpfe abhauen, ja sogar Arme, und zwar mit einem Hieb. Als er das getan hatte, kam er zum Zeichen des Triumphes lachend zu mir, brachte mir den Säbel zurück und legte ihn mit vielen Gesten, die ich nicht verstand, zusammen mit dem Kopf des Wilden, den er getötet hatte, vor mir nieder.

Am meisten wunderte ihn jedoch, wie ich den anderen Indianer aus so großer Entfernung hatte töten können; er deutete auf ihn und machte mir Zeichen, ich möge ihn zu ihm gehen lassen, und so bedeutete ich ihm, so gut ich konnte, hinzugeben. Als er bei ihm angelangt war, stand er staunend da und betrachtete ihn; zuerst drehte er ihn auf die eine Seite, dann auf die andere und sah sich die Wunde an, die die Kugel anscheinend mitten in der Brust verursacht hatte. Dort befand sich ein Loch, aus dem nicht viel Blut geflossen war, aber er hatte innerlich Verletzungen davongetragen, denn er war wirklich tot. Mein Wilder nahm Pfeil und Bogen des anderen auf und kehrte zurück, so wandte ich mich zum Fortgehen und winkte ihm, mir zu folgen; ich erklärte ihm durch Zeichen, dass noch mehr Wilde nachkommen könnten.

Darauf gab er mir durch Gebärden zu verstehen, es wäre besser, wenn er die beiden mit Sand bedeckte, damit die übrigen sie nicht sähen, falls sie ihnen folgten, und so bedeutete ich ihm wieder durch Zeichen, er solle es tun. Er machte sich an die Arbeit, und im Nu hatte er mit den Händen eine Vertiefung in den Sand gegraben, die groß genug war, den ersten darin einzuscharren; dann zerrte er ihn hinein und bedeckte ihn. Mit dem anderen tat er das gleiche; ich glaube, innerhalb einer Viertelstunde hatte er beide eingescharrt. Dann rief ich ihn und führte ihn nicht in meine Burg, sondern weit fort zu meiner Höhle am anderen Ende der Insel, und so ließ ich den anderen Teil meines Traums, dass der Wilde schutzsuchend in mein Gehölz käme, nicht in Erfüllung gehen.

Dort gab ich ihm Brot und eine Traube Rosinen zu essen sowie einen Schluck Wasser zu trinken, was er nach seinem schnellen Lauf wirklich dringend brauchte; und nachdem er sich so gestärkt hatte, hieß ich ihn durch Zeichen, sich niederzulegen und zu schlafen. Ich deutete auf eine Stelle, wo ich eine große Schütte Reisstroh aufgehäuft und eine Decke darübergelegt hatte, auf der ich selbst manchmal schlief, und der arme Mensch legte sich nieder und schlief ein.

Er war ein ansehnlicher, hübscher Bursche, sehr gut gebaut, mit langen, geraden, nicht zu derben Gliedern, groß und von ebenmäßiger Gestalt und, so schätzte ich, etwa sechsundzwanzig Jahre alt. Er hatte ein sehr angenehmes Gesicht, dessen Ausdruck nicht wild und mürrisch war, sondern etwas sehr Männliches zu haben schien, und doch zeigte sein Antlitz auch alle Sanftheit und Weichheit eines Europäers, besonders, wenn er lächelte; sein Haar war lang und schwarz, nicht kraus wie Wolle, die Stirn sehr hoch und breit, und seine Augen drückten große Lebhaftigkeit und funkelnden Scharfsinn aus. Seine Hautfarbe war nicht richtig schwarz, sondern ganz bräunlich, aber dabei nicht von einem hässlichen, gelblichen, ekelhaften Braun wie bei den Brasilianern, den Virginiern und anderen Eingeborenen von Amerika, sondern von einem lebhaften Dunkeloliv, das etwas sehr Angenehmes hatte, sich aber nicht leicht beschreiben lässt. Sein Gesicht war rund und voll, die Nase klein und nicht platt wie bei den Negern, sein Mund gut geformt, mit schmalen Lippen und schönen, regelmäßigen Zähnen, die so weiß waren wie Elfenbein. Nachdem er über eine halbe Stunde eher geschlummert als geschlafen hatte, erwachte er wieder und kam aus der Höhle zu mir heraus, denn ich hatte meine Ziegen gemolken, die ich in dem dicht daneben liegenden Gehege hielt; als er mich erblickte, rannte er herbei, legte sich mit allen möglichen Anzeichen einer demütigen und dankbaren Gesinnung wieder auf die Erde und machte vielerlei phantastische Gebärden, um es zu zeigen. Schließlich legte er den Kopf dicht neben meinem Fuß flach auf den Boden und setzte meinen anderen Fuß auf seinen Scheitel, wie er es schon zuvor getan hatte, und danach gab er mir durch alle erdenklichen Zeichen der Ergebung, der Beflissenheit und Unterwerfung zu verstehen, wie eifrig er mir sein Leben lang dienen wolle. Ich verstand ihn in vielen Dingen und ließ ihn wissen, dass ich sehr zufrieden mit ihm sei. Bald darauf begann ich zu ihm zu reden und ihn zu lehren, mit mir zu sprechen. Zuerst machte ich ihm begreiflich, dass er Freitag heißen sollte, denn weil ich ihm an dem Tag das Leben gerettet hatte, so hatte ich ihm zur Erinnerung daran diesen Namen gegeben. Ich lehrte ihn auch, ›Master‹ zu sagen, und erklärte ihm, dass dies mein

Name sein solle. Außerdem brachte ich ihm bei, ›ja‹ und ›nein‹ zu sagen und zu verstehen, was diese Worte bedeuteten. Ich gab ihm etwas Milch in einem Tontopf und ließ ihn zusehen, wie ich davon trank und mein Brot hineintauchte, und ich gab ihm ein Stück Brot, damit er es mir nachmachte, was er rasch tat, und ich erklärte durch Zeichen, dass es ihm sehr guttun werde.

Wir blieben die ganze Nacht über dort; sobald es aber Tag wurde, winkte ich ihm, mit mir zu kommen, und gab ihm zu verstehen, dass ich ihm etwas Kleidung geben wollte, worüber er sich sehr zu freuen schien, denn er war splitternackt. Als wir an der Stelle vorbeikamen, wo er die beiden Männer verscharrt hatte, deutete er genau auf den Punkt und zeigte mir die Zeichen, die er gemacht hatte, um sie wiederzufinden; er erklärte mir durch Gebärden, wir sollten sie ausgraben und aufessen. Hierüber zeigte ich mich sehr zornig, drückte meinen Abscheu aus, tat, als wolle ich mich schon bei dem Gedanken übergeben, und machte ihm mit der Hand ein Zeichen weiterzukommen, was er auch sogleich mit großer Unterwürfigkeit tat. Dann führte ich ihn auf den Gipfel des Hügels, um nachzuschauen, ob seine Feinde fort waren, zog mein Glas hervor, blickte hindurch und sah ganz deutlich die Stelle, an der sie sich aufgehalten hatten, aber keine Spur mehr von ihnen oder von ihren Booten; es war also offensichtlich, dass sie fort waren und ihre beiden Kameraden zurückgelassen hatten, ohne nach ihnen zu suchen.

Ich gab mich mit dieser Entdeckung jedoch nicht zufrieden; da ich nun mutiger und infolgedessen auch neugieriger war, nahm ich meinen Diener Freitag mit, gab ihm den Säbel in die Hand, zu dem Bogen und den Pfeilen auf seinem Rücken, die er, wie ich feststellte, sehr geschickt zu gebrauchen verstand, und ließ ihn eine Flinte für mich tragen, während ich zwei nahm, und fort ging es zu der Stelle, an der sich diese Geschöpfe befunden hatten, denn ich war entschlossen, jetzt mehr über sie in Erfahrung zu bringen. Als ich an den Ort kam, erstarrte mir gleichsam das Blut in den Adern, und mein Herz stockte bei dem entsetzlichen Anblick: Es war wirklich ein grausiges Bild, wenigstens für mich, denn Freitag machte es nichts aus. Die Stelle war mit Menschenknochen übersät, der Boden vom Blut gefärbt, große Fleischfetzen lagen überall herum, halb verzehrt, zerstückelt, angesengt – kurz, da waren alle Merkmale des

Triumphfestmahls, das sie hier nach einem Sieg über ihre Feinde abgehalten hatten. Ich sah drei Schädel, fünf Hände und die Knochen von drei oder vier Beinen und Füßen sowie eine Menge anderer Leichenteile, und Freitag gab mir durch seine Gebärden zu verstehen, dass sie zu der Festmahlzeit vier Gefangene mitgebracht hätten, drei davon seien aufgegessen und er, dabei deutete er auf sich selbst, sei der vierte. Zwischen ihnen und dem Nachbarkönig, zu dessen Untertanen er anscheinend gehört hatte, wäre eine große Schlacht entbrannt, sie hätten viele Gefangene gemacht, und die Sieger hätten alle, die sie im Kampf erbeutet hatten an verschiedene Orte geschleppt, um ein Festmahl aus ihnen zu bereiten, so wie es diese elenden Kerle mit denen getan hatten, die sie hierhergebracht hatten.

Ich veranlasste Freitag, alle Schädel, Knochen, Fleischstücke, und was sonst noch übrig war, einzusammeln und auf einen Haufen zu legen, ein großes Feuer damit anzuzünden und alles zu Asche zu verbrennen. Ich bemerkte, dass Freitag großen Appetit auf ein bisschen Fleisch verspürte und seiner Natur nach noch Kannibale war. Ich drückte aber soviel Abscheu aus bei dem bloßen Gedanken daran und dem geringsten Anzeichen davon, dass er es nicht zu zeigen wagte, denn ich hatte ihm irgendwie deutlich gemacht, dass ich ihn töten würde, wenn er sich dazu anschickte.

Nachdem wir hier fertig waren, kehrten wir zu unserer Burg zurück, und dort machte ich mich für meinen Diener Freitag an die Arbeit. Zuerst gab ich ihm eine Leinenhose, aus der schon erwähnten Truhe des armen Stückmeisters, die ich im Wrack gefunden hatte; nach ein paar Änderungen passte sie ihm sehr gut. Dann fertigte ich ihm, so gut ich konnte, aus einem Ziegenfell ein Wams an, denn ich war jetzt ein ganz ordentlicher Schneider geworden, und gab ihm eine Mütze, die ich aus Hasenfell gemacht hatte und die sehr praktisch war und geradezu elegant aussah. So war er für den Augenblick einigermaßen gut angezogen, und er war höchst erfreut, sich fast ebenso gut gekleidet zu sehen wie seinen Herrn. Freilich ging er anfangs noch recht unbeholfen in den Sachen einher, die Hose zu tragen war ihm sehr unbequem, und die Jackenärmel rieben ihm die Schultern und die Innenseite der Arme wund; nachdem ich sie aber an den Stellen, wo er darüber klagte, dass sie ihm weh täten, ein wenig ausgelassen und er sich daran gewöhnt hatte, gefielen sie ihm sehr gut.

Am Tage nachdem ich mit ihm in meine Burg heimgekehrt war, begann ich zu überlegen, wo ich ihn beherbergen sollte, und damit er gut untergebracht und ich dabei selbst völlig unbesorgt sein konnte, schlug ich ein kleines Zelt auf dem leeren Platz zwischen meinen beiden Befestigungswällen, innerhalb des zweiten und außerhalb des ersten Walls, für ihn auf, und da ein Tor oder ein Eingang in meine Höhle führte, baute ich einen richtigen Türrahmen und eine Tür dazu aus Brettern; ich stellte sie im Durchgang, ein wenig innerhalb des Eingangs auf, und weil ich die Tür so angebracht hatte, dass sie sich nach innen öffnete, verbarrikadierte ich sie nachts und nahm auch meine Leitern herein, so dass Freitag keineswegs zu mir auf die Innenseite meines innersten Walls gelangen konnte, ohne beim Hinübersteigen soviel Lärm zu machen, dass ich zwangsläufig davon aufwachen musste, denn über meinem ersten Wall befand sich jetzt ein vollständiges Dach aus langen Stangen, das mein ganzes Zelt überdeckte und gegen die Hügelwand gebaut war; anstelle von Latten hatte ich quer darüber kleine Zweige gelegt und alles mit einer dicken Schicht Reisstroh gedeckt, das so stark war wie Schilf, und über dem Loch oder der Stelle, die ich offengelassen hatte, um mit der Leiter ein- und auszusteigen, hatte ich eine Art Falltür angebracht, die sich, wenn jemand versucht hätte, sie von außen aufzumachen, nicht geöffnet hätte, sondern mit großem Getöse herabgefallen wäre, und was die Waffen angeht, so nahm ich sie jede Nacht sämtlich auf meine Seite.

Aber alle diese Vorsichtsmaßnahmen hätte ich nicht zu treffen brauchen, denn einen treueren, liebevolleren, ehrlicheren Diener als Freitag hat wohl noch nie jemand gehabt. Er kannte weder Zornesausbrüche noch Eigensinn noch Ränke, er war im höchsten Maße zuvorkommend und gewinnend, und mit seinem ganzen Gefühl hing er an mir wie ein Kind an seinem Vater; ich kann wohl sagen, dass er jederzeit sein Leben geopfert hätte, um meines zu retten, denn die vielen Beweise, die er mir dafür gab, ließen keinen Zweifel hieran und überzeugten mich bald, dass ich, was meine Sicherheit betraf, ihm gegenüber keine Vorsichtsmaßnahmen zu treffen brauchte.

Dies veranlasste mich oft, festzustellen, und zwar mit Staunen, dass Gott, wenn es ihm auch in seiner Voraussicht und in seiner Herrschaft gefallen hat, einem so großen Teil seiner Geschöpfe den besten Teil dessen vorzuenthalten, wozu ihre Fähigkeiten und ihre Seelenkraft angelegt sind, ihnen doch die gleichen Kräfte, die gleiche Vernunft, die gleichen Leidenschaften und die gleiche Entrüstung über das Unrecht, den gleichen Sinn für Dankbarkeit, Aufrichtigkeit, Treue und alle Fähigkeiten, Gutes zu tun und Gutes zu empfangen, verliehen hat wie uns und dass sie, wenn es ihm beliebt, ihnen Gelegenheit zur Anwendung dieser Eigenschaften zu geben, ebenso bereit sind wie wir, ja noch bereiter, angemessenen Gebrauch davon zu machen. Dies ließ mich manchmal sehr schwermütig werden, wenn ich darüber nachdachte, wie schlecht wir bei den verschiedensten Gelegenheiten all das nutzen, obwohl wir zu unserer Erleuchtung jenes helle Licht der Unterweisung, den Geist Gottes und die Kenntnis seines Wortes, zusätzlich zu unserer Vernunft haben, und weshalb es wohl Gott gefallen haben mag, eben dieses rettende Wissen vor so vielen Millionen Seelen zu verbergen, die, wenn ich nach diesem armen Wilden urteilen konnte, besseren Gebrauch davon machen würden als wir.

Das führte mich manchmal allzu weit, so dass ich mich an der Allmacht der Vorsehung versündigte und gleichsam die Gerechtigkeit einer so willkürlichen Ordnung der Dinge anzweifelte, die das Licht vor einigen verbarg und es anderen enthüllte, von beiden aber die gleiche Pflichterfüllung verlangte; ich gebot diesen Gedanken jedoch Einhalt und verfolgte sie nicht weiter, indem ich zu dem Schluss kam, dass wir erstens nicht wissen, nach welchem Licht und Gesetz diese Menschen verurteilt würden; da aber Gott zwangsläufig und infolge der Natur seines Wesens selbst unendlich heilig und gerecht ist, konnte es gar nicht anders sein, als dass, wenn alle diese Geschöpfe dazu verurteilt waren, ihn entbehren zu müssen, es deshalb geschah, weil sie gegen das Licht gesündigt hatten, das, wie die Bibel sagt, ihnen Gesetz ist, und nach Regeln, die ihr Gewissen als gerecht anerkennen würde, obgleich uns die Begründung verborgen ist, und dass zweitens, da wir ja alle Ton in der Hand des Töpfers sind, gleichsam kein Gefäß zu ihm sagen darf: ›Warum hast du mich so gemacht?‹

Um aber auf meinen neuen Gefährten zurückzukommen: Ich hatte große Freude an ihm und ließ es mir angelegen sein, ihm alles beizubringen, was dazu geeignet war, ihn nützlich, geschickt und hilfreich zu machen, besonders aber lehrte ich ihn zu sprechen und meine Sprache zu verstehen, und er war ein so gelehriger Schüler, wie es nur je einen gegeben hat, und auch so fröhlich, so unermüdlich fleißig und so glücklich, wenn er mich nur verstehen oder sich mir verständlich machen konnte, dass es mir großes Vergnügen bereitete, mit ihm zu sprechen. Und jetzt begann mein Leben so leicht zu werden, dass ich mir sagte, wenn ich nur vor weiteren Wilden sicher wäre, dann machte es mir nichts aus, überhaupt nicht mehr von dem Ort fortzukommen, an dem ich lebte.

Zwei oder drei Tage nachdem ich in meine Burg zurückgekehrt war, dachte ich daran, Freitag anderes Fleisch zu kosten zu geben, um ihn von seiner scheußlichen Ernährungsweise und von dem Geschmack eines Kannibalengaumens abzubringen, und so nahm ich ihn eines Morgens mit mir in den Wald; ich ging mit der Absicht hinaus, ein Zicklein aus meiner Herde zu schlachten, es heimzubringen und zuzubereiten, unterwegs aber sah ich eine Mutterziege im Schatten liegen und neben ihr zwei Junge. Ich packte Freitag, sagte: »Halt, bleib stehen!«, und machte ihm Zeichen, sich nicht zu rühren. Gleich darauf legte ich meine Flinte an, schoss und erlegte eines der Zicklein. Der arme Kerl, der aus der Entfernung gesehen hatte, wie ich den Wilden, seinen Feind, getötet hatte, aber nicht wusste, wie, und es sich auch nicht vorstellen konnte, war sichtlich bestürzt, zitterte und bebte und sah so betroffen aus, dass ich glaubte, er werde umsinken; er sah nicht das Zicklein, nach dem ich geschossen hatte, und bemerkte nicht, dass es tot war, sondern riss sich die Jacke auf, um nachzufühlen, ob ich ihn nicht verwundet hatte, und war, wie ich sah, überzeugt davon, dass ich ihn erschießen wollte, denn er kam herbei, kniete vor mir nieder, umarmte meine Knie und sagte vielerlei, was ich nicht verstand, aber ich konnte ohne weiteres sehen, dass er mich bat, ihn am Leben zu lassen.

Ich fand bald ein Mittel, ihn davon zu überzeugen, dass ich ihm kein Leid antun wollte; ich nahm ihn bei der Hand, half ihm auf, lachte ihn aus, deutete auf das erlegte Ziegenjunge und winkte ihm, hinzulaufen und es zu holen. Er tat es, und während er das Tier stau-

nend betrachtete, um zu sehen, wie ich es wohl getötet hatte, lud ich
meine Flinte von neuem, und nach einer Weile sah ich einen großen
Vogel, der einem Habicht ähnelte, in Schussweite auf einem Baum
sitzen, Ich rief also Freitag wieder zu mir, damit er ein wenig begriff,
was ich tun wollte, und deutete auf den Vogel, der in Wirklichkeit
ein Papagei war, obwohl ich ihn für einen Habicht gehalten hatte –
ich deutete also auf den Papageien, auf meine Flinte und auf den Boden unter dem Vogel, damit Freitag sah, dass ich ihn zum Fallen
bringen wollte, und damit er verstand, dass ich auf das Tier schießen
und es töten würde, danach gab ich den Schuss ab, forderte ihn auf
hinzuschauen, und er sah, wie der Papagei sogleich fiel. Er stand
wieder ganz verängstigt da, trotz allem, was ich zu ihm gesagt hatte,
und ich bemerkte, dass er um so verdutzter war, als er mich nichts in
die Flinte hatte hineinstecken sehen, sondern glaubte, es müsse irgendein wunderbarer Vorrat an Tod und Vernichtung in dem Ding
sein, das in der Lage war, Menschen, Vierbeiner, Vögel und alles in
der Nähe und in der Ferne zu töten, und das Erstaunen, das es bei
ihm hervorrief, wollte lange nicht schwinden; ich glaube, wenn ich
es zugelassen hätte, dann würde er mich und meine Flinte angebetet
haben. Was diese betraf, so wollte er sie tagelang nicht einmal anrühren, aber er sprach mit ihr, wenn er mit ihr allein war, und redete
auf sie ein, als hätte sie ihm geantwortet, und wie ich später von ihm
erfuhr, tat er das, um sie zu bitten, ihn nicht zu töten.

Nun, nachdem sich seine Bestürzung ein wenig gelegt hatte,
winkte ich ihm, hinzulaufen und den Vogel, den ich geschossen
hatte, zu holen; er tat es auch, blieb aber einige Zeit fort, denn der
Papagei war nicht ganz tot, und von der Stelle, wo er herabgefallen
war, noch ein gutes Stück weitergeflattert. Er fand ihn jedoch und
brachte ihn zu mir, und da ich zuvor seine Unwissenheit, was die
Flinte betraf, gesehen hatte, nahm ich die Gelegenheit wahr und lud
sie wieder, ohne dass ich es ihn sehen ließ, damit ich für ein anderes
Ziel, das sich bieten mochte, bereit war, aber es bot sich zu der Zeit
keins, und so brachte ich das Zicklein nach Hause; noch am selben
Abend häutete ich es ab und schlachtete es aus, so gut ich konnte,
und da ich zu diesem Zweck einen Topf besaß, kochte oder sott ich
einen Teil des Fleisches und machte eine sehr gute Brühe daraus.
Nachdem ich mit der Mahlzeit begonnen hatte, gab ich auch meinem

Diener etwas, der sich darüber zu freuen schien, und es schmeckte ihm sehr gut; am meisten wunderte er sich aber darüber, dass er mich Salz dazu essen sah. Er machte mir ein Zeichen, dass Salz nicht gut zu essen sei, nahm ein wenig davon in den Mund und tat, als werde ihm übel; er spuckte es aus, worauf er sich den Mund mit klarem Wasser ausspülte. Jetzt nahm ich etwas Fleisch ohne Salz in den Mund und tat, als speie und spucke ich, weil das Salz fehlte, so schnell, wie er es nach dem Salz getan hatte; aber es nützte nichts, er mochte niemals Salz zu Fleisch oder Brühe, zumindest erst nach langer Zeit, und auch dann nahm er nur ganz wenig.

Nachdem ich ihm nun gekochtes Fleisch und Brühe gegeben hatte, wollte ich ihm am folgenden Tag mit einem gebratenen Stück von dem Zicklein ein Festmahl bereiten; dazu hängte ich es an einem Strick über dem Feuer auf, wie ich es viele Leute in England hatte tun sehen: Ich stellte zwei Stöcke auf, einen an jeder Seite des Feuers, legte quer darüber einen dritten, an den ich das Fleisch band und es ständig drehte. Dies bewunderte Freitag sehr, als er das Fleisch aber gar kostete, zeigte er mir auf so vielfache Weise, wie gut es ihm schmecke, dass ich nicht umhinkonnte, ihn zu verstehen; endlich erklärte er mir, er wolle nie wieder Menschenfleisch essen, und ich war sehr froh, es zu hören.

Am nächsten Tag stellte ich ihn an, etwas Korn auszudreschen und es auf meine gewohnte Weise, die ich schon beschrieben habe, durchzusieben; er konnte es bald ebenso wie ich, besonders, nachdem er gesehen hatte, weshalb es gemacht wurde und dass es dazu diente, Brot herzustellen, denn danach ließ ich ihn beim Teiganrühren und auch beim Backen zusehen, und bald war Freitag in der Lage, alle Arbeiten genausogut zu verrichten wie ich selbst.

Ich begann jetzt zu überlegen, dass ich ja nun statt eines zwei Münder zu füttern hatte und deshalb mehr Boden für meine Ernte vorbereiten und eine größere Menge Korn säen musste als zuvor; so steckte ich also ein großes Stück Land ab und fing an, es ebenso zu umzäunen wie das andere, und Freitag arbeitete nicht nur sehr bereitwillig und sehr tüchtig mit, sondern auch sehr vergnügt. Ich erklärte ihm den Zweck, nämlich dass es dazu diente, mehr Brot zu backen, weil er ja nun bei mir war, damit ich genug für ihn und auch für mich selbst hätte; er schien das sehr zu würdigen und ließ mich wissen, dass er dachte, ich hätte nun seinetwegen viel mehr Arbeit auf dem Hals als für mich allein, und er werde um so härter für mich arbeiten, wenn ich ihm sagen wolle, was er tun sollte.

Dies war das angenehmste Jahr meines Lebens an diesem Ort. Freitag begann ziemlich gut zu sprechen und auch die Bezeichnung von fast allen Dingen, die ich von ihm verlangte, und von jedem Ort, an den ich ihn schicken musste, zu verstehen; er unterhielt sich viel mit mir, so dass ich, kurz gesagt, nun wieder Verwendung für meine Zunge hatte, wozu vorher wenig Gelegenheit gewesen war, wenigstens nicht zum Sprechen. Abgesehen von dem Vergnügen, mit ihm zu reden, hatte ich auch viel Freude an dem Burschen selbst, seine einfache, unverstellte Aufrichtigkeit wurde jeden Tag sichtbarer für mich, und ich gewann den Menschen wirklich lieb; ich glaube, er seinerseits liebte mich mehr als je zuvor etwas in seinem Leben.

Einmal wollte ich ihn prüfen, ob er irgendwelche Sehnsucht nach seiner Heimat verspürte, und da ich ihm so gut Englisch beigebracht hatte, dass er fast alle meine Fragen beantworten konnte, fragte ich ihn, ob denn das Volk, zu dem er gehörte, in der Schlacht niemals siegte. Darauf lächelte er und antwortete: »Ja, ja, wir immer besser kämpfen«, womit er meinte, dass sie im Kampf immer Sieger blieben, und so begann folgender Dialog:

»Ihr kämpft immer besser!«, sagte ich. »Wie kommt es dann, dass du gefangengenommen wurdest, Freitag?«

Freitag: »Mein Volk trotzdem viel schlagen.«

Master: »Wie schlagen? Wenn ihr sie geschlagen habt, wieso wurdest du dann gefangengenommen?«

Freitag: »Sie mehr als mein Volk an Stelle, wo ich sein, sie nehmen eins, zwei, drei und mich, mein Volk sie mehr schlagen an Ort drüben, wo ich nicht sein, dort mein Volk nehmen eins, zwei großes Tausend.«

Master: »Aber weshalb hat dich dann dein Volk nicht aus den Händen deiner Feinde befreit?«

Freitag: »Sie rannten mit eins, zwei, drei und mir und gingen in Kanu; mein Volk dann nicht haben Kanu.«

Master: »Nun, Freitag, und was tun deine Leute mit den Gefangenen, die sie gemacht haben? Schleppen sie sie auch fort und essen sie auf, wie diese es getan haben?«

Freitag: »Ja, mein Volk auch essen Menschen, essen alle auf.«

Master: »Wohin bringen sie sie?«

Freitag: »Gehen zu anderem Ort, wo sie meinen.«

Master: »Kommen sie auch hierher?«

Freitag: »Ja, ja, sie kommen hierher, kommen anderer Ort.«

Master: »Bist du schon mit ihnen hier gewesen?«

Freitag: »Ja, ich hier gewesen« (deutet auf die nordwestliche Seite der Insel, die anscheinend ihre Seite war).

Hieraus entnahm ich, dass mein Diener Freitag früher zu den Wilden gehört hatte, die auf der entfernteren Seite der Insel landeten, um die erwähnten Feste der Menschenfresserei abzuhalten, wozu man auch ihn jetzt hergeschleppt hatte; und einige Zeit danach, als ich mir ein Herz fasste und ihn auf diejenige Seite mitnahm, von der ich schon zuvor berichtet habe, erkannte er bald die Stelle wieder und erzählte mir, er sei einmal hier gewesen, als sie zwanzig Männer, zwei Frauen und ein Kind aufaßen. Er konnte auf Englisch nicht zwanzig sagen, aber er teilte mir die Anzahl mit, indem er ebenso viele Steine in eine Reihe legte und mir bedeutete, sie zu zählen.

Ich habe diesen Abschnitt deshalb hier niedergeschrieben, weil er zu dem folgenden überleitet: Nachdem ich diesen Dialog mit ihm geführt hatte, fragte ich ihn, wie weit es von unserer Insel zur Küste sei und ob nicht häufig Kanus untergingen; er sagte, es bestehe keine Gefahr, noch kein Kanu sei untergegangen, aber ein wenig weiter draußen auf dem Meer gebe es eine Strömung und immer Wind, morgens stets in die eine Richtung und nachmittags in die andere.

Dies hielt ich zuerst für nichts anderes als die Gezeiten, die das Wasser hinein- und hinausfluten ließen; später aber wurde mir klar, dass die große Mündungsströmung des mächtigen Orinoko sie veranlasste, in dessen Golf, wie ich später glaubte, unsere Insel lag, und dass das Land, das ich im Westen und Nordwesten erblickte, die große Insel Trinidad war, am nördlichsten Punkt der Flussmündung. Ich stellte Freitag tausend Fragen über das Land, die Bewohner, das Meer, die Küste und welche Völker dort in der Nähe wohnten; er erzählte mir mit der denkbarsten Offenheit alles, was er wusste. Ich fragte ihn nach den Namen seiner verschiedenen Volksstämme, vermochte jedoch keinen anderen als den der Karib aus ihm herauszubekommen, und ich verstand unschwer, dass es die Kariben waren, die nach unseren Landkarten in dem Teil Amerikas leben, der von der Mündung des Orinoko bis nach Guayana und weiter bis St. Marta reicht. Er erzählte mir, sehr weit fort, jenseits des Mondes – er meinte, wo der Mond untergeht, also wohl westlich ihres Landes –, lebten weißbärtige Leute wie ich, und er deutete auf meinen langen Backenbart, den ich schon erwähnt habe, und sie hätten viele ›Menschens‹ getötet, wie er sich ausdrückte. Ich entnahm daraus, dass er die Spanier meinte, denn die Kunde von ihren in Amerika begangenen Grausamkeiten hatte sich über ganze Länder verbreitet und sich bei allen Völkern vom Vater auf den Sohn vererbt.

Ich fragte ihn, ob er mir sagen könne, wie ich von der Insel fort zu den weißen Menschen käme; er antwortete, ja, ja, ich könne ›in zwei Kanu fahren‹. Ich verstand nicht, was er mit ›zwei Kanu‹ meinte, bis ich endlich unter großen Schwierigkeiten herausbekam, was er sagen wollte, nämlich es müsse ein sehr großes Boot sein, so groß wie zwei Kanus.

Dieser Teil meines Gesprächs mit Freitag war ganz nach meinem Geschmack, und von da an hatte ich einige Hoffnung, dass ich vielleicht früher oder später Gelegenheit fände, von dort zu entkommen, und dieser arme Wilde mir dabei helfen könnte.

In der langen Zeit, die Freitag nun schon bei mir war und begonnen hatte, mit mir zu sprechen und mich zu verstehen, hatte ich nicht versäumt, die Grundlage eines religiösen Wissens in sein Bewusstsein zu legen; so fragte ich ihn einmal, wer ihn gemacht habe? Das arme Geschöpf verstand mich überhaupt nicht, sondern dachte, ich hätte ihn gefragt, wer sein Vater sei. Ich fing es jedoch von einer anderen Seite an und fragte ihn, wer denn das Meer, die Erde, auf der er ging, die Hügel und die Wälder gemacht habe? Er antwortete mir, das sei ein gewisser alter Benamucki gewesen, der über allem lebe; er vermochte von dieser großen Persönlichkeit weiter nichts zu sagen als nur, dass er sehr alt sei, viel älter, sagte er, als das Meer und das Land, der Mond und die Sterne. Nun fragte ich, wenn dieser Alte alles gemacht habe, weshalb ihn dann nicht alle Geschöpfe anbeteten? Er blickte sehr ernst drein und antwortete mit völlig unschuldiger Miene, alle Geschöpfe sagten ›O‹ zu ihm. Ich fragte ihn, ob die Leute, die in seiner Heimat stürben, irgendwohin gingen? Er erwiderte, jawohl, sie gingen alle zu Benamucki. Nun fragte ich ihn, ob auch diejenigen, die sie aufaßen, dorthin gingen? Ja, sagte er.

Von diesen Dingen ausgehend, begann ich ihn in der Lehre vom wahren Gott zu unterweisen. Ich erzählte ihm, dass der Schöpfer aller Dinge dort wohne, und ich deutete auf den Himmel, dass er die Welt kraft derselben Macht und Voraussicht regiere, mit der er sie geschaffen habe, dass er allmächtig sei und alles für uns tun könne, uns alles geben und uns alles nehmen, und so öffnete ich ihm nach und nach die Augen. Er hörte mit großer Aufmerksamkeit zu und nahm den Gedanken, dass Jesus Christus ausgesandt wurde, um uns zu erlösen, mit Freude auf wie auch die Art, in der wir zu Gott beten, und dass er uns hören kann, sogar im Himmel oben. Er sagte eines Tages zu mir, wenn unser Gott uns jenseits der Sonne zu hören vermöge, dann müsse er unbedingt ein größerer Gott sein als ihr Benamucki, der nicht weit fort wohne und sie doch nicht hören könne, es sei denn, sie stiegen, um zu ihm zu sprechen, auf die großen Berge, auf denen er lebe. Ich fragte Freitag, ob er jemals dorthin gegangen sei, um mit ihm zu sprechen? Er antwortete, nein, junge Männer gingen niemals dorthin, keiner ginge dorthin als nur die alten Männer, die er Owookaki nannte – das sind, wie ich mir von ihm erklären ließ, ihre Geistlichen oder Priester –, und die gingen dorthin, um ›O‹ zu sagen (so nannte er das Beten), dann kämen sie wieder und erzählten ihnen, was Benamucki gesagt habe. Hieraus entnahm ich, dass es selbst bei den blindesten, unwissendsten Heiden der Welt den Pfaffenbetrug gibt; die Politik, ein Geheimnis aus der Religion zu machen, um der Geistlichkeit die Verehrung der Leute zu erhalten, ist nicht nur bei der römischen Kirche zu finden, sondern vielleicht bei allen Religionsgemeinschaften der Welt, sogar auch bei den rohesten und barbarischsten Wilden.

Ich bemühte mich, meinem Diener Freitag diesen Betrug auseinanderzusetzen, und erklärte ihm, dass die Behauptung ihrer alten Leute, sie gingen in die Berge hinauf, um zu ihrem Gott Benamucki ›O‹ zu sagen, ein Schwindel sei, und ein viel größerer noch, dass sie von da seine Worte mitbrächten; wenn sie überhaupt Antwort erhielten oder dort mit irgend jemand sprachen, dann müsse es ein böser Geist sein. Nun begann ich eine lange Unterhaltung mit ihm über den Teufel, dessen Ursprung, seine Auflehnung gegen Gott, seine

Feindschaft gegenüber dem Menschen, die Gründe dafür, die Tatsache, dass er sich in den finsteren Teilen der Welt niedergelassen hatte, um sich dort an Gottes Statt und als ein Gott anbeten zu lassen; ich sprach über die vielen Listen, deren er sich bediene, um die Menschheit ins Verderben zu locken, den geheimen Zugang, den er zu unseren Leidenschaften und Gefühlen habe, um seine Fallstricke unseren Neigungen anzupassen, damit er uns dazu bringe, unsere eigenen Verführer zu werden und aus eigener Wahl in unser Verderben zu rennen.

Ich stellte fest, dass es nicht ebenso leicht war, ihm die richtigen Vorstellungen über den Teufel einzuprägen wie über die Existenz Gottes; die Natur selbst half mir bei allen meinen Argumenten, um ihm die Notwendigkeit einer großen ersten Ursache und einer alles beherrschenden Macht, einer geheimen lenkenden Vorsehung offensichtlich zu machen, und dass es nur recht und billig sei, ihm, der uns geschaffen habe, Ehrfurcht zu erweisen, und dergleichen mehr, aber nichts von alldem schien auf den Begriff eines bösen Geistes zuzutreffen, auf seinen Ursprung, seine Existenz, seine Natur und vor allem seine Neigung, Böses zu tun und uns gleichfalls mit hineinzuziehen, und der arme Mensch brachte mich einmal durch eine ganz natürliche und unschuldige Frage so in Verlegenheit, dass ich kaum wusste, was ich ihm antworten sollte.

Ich hatte ihm viel von Gottes Größe erzählt, von seiner Allmacht, seinem furchtbaren Abscheu vor der Sünde, wie er den Übeltätern ein verzehrendes Feuer sei und dass er, da er uns alle geschaffen habe, uns und die gesamte Welt in einem einzigen Augenblick auch wieder vernichten könne; er hatte mir die ganze Zeit über mit großem Ernst zugehört.

Danach hatte ich ihm erzählt, dass der Teufel Gottes Feind in den Herzen der Menschen sei und alle Bosheit und List anwende, um die guten Absichten der Vorsehung zunichte zu machen, das Reich Christi in der Welt zugrunde zu richten und ähnliches.

»Nun«, sagte da Freitag, »du doch sagen, Gott sein so stark, so groß, er nicht sein viel stark, viel mächtig als der Teufel?«

»Ja, ja, Freitag«, antwortete ich, »Gott ist stärker als der Teufel, Gott steht über dem Teufel, und deshalb beten wir zu Gott, dass wir jenen mit unseren Füßen zu zertreten, seinen Versuchungen zu widerstehen und seine feurigen Pfeile zu löschen vermöchten.«

»Aber«, entgegnete er von neuem, »wenn Gott viel stark, viel mächtig als der Teufel, warum dann Gott nicht töten Teufel, damit er nicht mehr böse?«

Diese Frage verblüffte mich überaus, und schließlich war ich ja zwar nun ein alter Mann, aber doch nur ein junger Schriftgelehrter und für einen Kasuisten oder Deuter von kniffligen Fragen nicht genügend beschlagen; so tat ich also, als habe ich ihn nicht gehört, und fragte, was er gesagt habe. Ihm lag aber allzu ernstlich an einer Antwort, als dass er seine Frage vergessen hätte, und er wiederholte sie mit den gleichen gebrochenen Worten wie oben. Inzwischen hatte ich mich ein bisschen gefasst und sagte:

»Gott wird ihn schließlich streng bestrafen; er ist für das jüngste Gericht vorgesehen und wird in einen bodenlosen Abgrund geschleudert, wo er im ewigen Feuer bleiben muss.«

Dies befriedigte Freitag nicht, sondern er entgegnete mir, indem er meine Worte wiederholte: »Schließlich vorgesehen? Ich nicht verstehen – aber warum nicht Teufel jetzt töten, viel vorher töten?«

»Ebensogut könntest du mich fragen«, sagte ich, »warum Gott nicht dich und mich tötet, wenn wir hier sündhafte Dinge tun, die ihn beleidigen; er verschont uns, damit wir bereuen und damit uns vergeben wird.«

Eine Weile dachte er hierüber nach. »Nun, nun«, bemerkte er schließlich sehr liebevoll, »das gut – also du, ich, Teufel, alle sündhaft, alle verschonen, bereuen, Gott verzeihen allen.«

Damit hatte er mich wieder im höchsten Maße in die Enge getrieben, und es bewies mir, dass die einfachen Naturbegriffe vernünftige Kreaturen zwar infolge unserer Veranlagung zu einem Wissen von Gott und zur Verehrung oder Anbetung führen, die dem höchsten Wesen gebührt, einzig und allein aber göttliche Offenbarung das Wissen über Jesus Christus, über die für uns erkaufte Erlösung, über den Mittler eines neuen Bundes und Fürsprecher für uns an den Stufen von Gottes Thron entstehen lassen kann – nichts also als nur eine Offenbarung des Himmels kann das in unserer Seele erwecken, und deshalb sind das Evangelium unseres Heilands und Erlösers Jesus Christus, ich meine das Wort Gottes, und der Geist Gottes, den er seinem Volk als Herrscher und Rechtfertiger verheißen hat, die absolut unerlässlichen Lehrmeister der menschlichen Seele in der rettenden Erkenntnis von Gott und das Mittel zum Heil.

Darum lenkte ich von dem gegenwärtigen Gespräch zwischen mir und meinem Diener ab, indem ich mich eilends erhob, als gebe es einen plötzlichen Anlass für mich, rasch hinauszugehen; dann schickte ich ihn nach etwas, was weit entfernt war, und betete ernsthaft zu Gott, er möge mich befähigen, diesen armen Wilden zu belehren, um ihn zu retten, und durch den Beistand seines Geistes möge er dem Herzen dieses armen, unwissenden Geschöpfs helfen, das Licht der Erkenntnis Gottes in Christo zu empfangen und sich mit ihm zu versöhnen, mich aber führen, wenn ich zu ihm von dem Wort Gottes sprach, damit es sein Gewissen überzeugte, ihm die Augen öffnete und seine Seele rettete.

Als Freitag wieder zu mir zurückkehrte, begann ich ein langes Gespräch mit ihm über das Thema der Erlösung des Menschen durch den Heiland der Welt und die vom Himmel gekommene Lehre des Evangeliums, nämlich dass wir Gott gegenüber Reue zeigen müssen und an unseren geheiligten Herrn Jesus glauben. Danach erklärte ich ihm, so gut ich konnte, warum unser heiliger Erlöser nicht die Natur der Engel, sondern die des Samens Abrahams auf sich genommen habe, und dass darum die gefallenen Engel keinen Anteil hätten an der Erlösung, dass er nur um der verlorenen Schafe aus dem Hause Israel willen gekommen sei und dergleichen mehr.

Ich hatte weiß Gott mehr ehrlichen Willen als Wissen bei all den Methoden, die ich zur Unterweisung dieses armen Geschöpfes anwandte, und ich muss zugeben, dass ich mich, wie vermutlich alle finden werden, die nach dem gleichen System handeln, beim Erklären der Dinge tatsächlich oftmals selbst unterrichtete und belehrte; vieles, was ich entweder nicht wusste oder worüber ich vorher nicht gründlich nachgedacht hatte, fiel mir auf natürliche Weise ein, wenn ich tiefer in die Fragen eindrang, um diesen armen Wilden zu unterweisen; und ich forschte bei dieser Gelegenheit auch mit größerer Hingabe als je zuvor nach allem, so dass ich, ob dieser arme wilde Bursche nun durch mich besser wurde oder nicht, viel Ursache hatte, dafür dankbar zu sein, dass er zu mir gekommen war. Mein Kummer trug sich leichter, meine Wohnung schien mir über alle Maßen behaglich, und wenn ich darüber nachdachte, dass ich bei dem einsamen Leben, das ich führen musste, nicht nur selbst dazu gelangt war, zum Himmel emporzublicken und die Macht zu suchen, die mich hierher gebracht hatte, sondern jetzt mit Hilfe der Vorsehung auch noch zum Werkzeug wurde, einem armen Wilden das Leben und, soviel ich sehen konnte, die Seele zu retten und ihm zum Wissen von der Religion und der christlichen Lehre zu verhelfen, damit er Jesus Christus kannte, den zu kennen das ewige Leben bedeutet – wenn ich also über all das nachdachte, erfüllte eine geheime Freude meine ganze Seele, und ich frohlockte jetzt häufig darüber, dass ich an diesen Ort verschlagen worden war, was ich doch oft für das schlimmste Unglück gehalten hatte, das mir widerfahren konnte.

In dieser Stimmung der Dankbarkeit blieb ich die ganze übrige Zeit, und die Unterhaltungen, welche die Stunden mit Freitag ausfüllten, waren so, dass die drei Jahre, die wir dort zusammen lebten, vollkommen glücklich verliefen, wenn es überhaupt irgend so etwas wie vollkommenes Glück in einem irdischen Stadium gibt. Der Wilde war jetzt ein guter Christ, ein viel besserer als ich, wenn ich auch Grund zu der Hoffnung habe und Gott dafür segne, dass wir beide in gleichem Maße bußfertig, und zwar getröstete, erlöste Bußfertige waren. Wir besaßen das Wort Gottes, das wir lesen konnten, und sein Geist war zu unserer Belehrung nicht ferner, als hätten wir uns in England befunden.

Ich ließ es mir immer angelegen sein, Freitag die Bibel vorzulesen und ihm, so gut ich konnte, die Bedeutung dessen, was ich las, zu erklären, und er machte mich, wie gesagt, durch sein ernsthaftes Fragen und Forschen zu einem viel besseren Kenner der Heiligen Schrift, als ich es je geworden wäre, wenn ich sie nur für mich gelesen hätte. Noch etwas anderes muss ich hier aus der Erfahrung dieses meines zurückgezogenen Lebens erwähnen, nämlich was für ein unendlicher und unaussprechlicher Segen es ist, dass das Wissen um Gott und die Lehre von der Erlösung durch Jesus Christus im Wort Gottes so unmissverständlich niedergelegt ist und so leicht aufgenommen und verstanden werden kann, denn ebenso, wie das bloße Lesen der Bibel mich befähigt hatte, meine Pflicht genügend zu begreifen, so dass es mich unmittelbar weiterführte zum großen Werk der aufrichtigen Reue über meine Sünden und zum Vertrauen auf den Erlöser, um mich für dieses und das künftige Leben in meiner Handlungsweise zu bessern und mich allen Geboten Gottes gehorsam zu zeigen – und dies ohne jeden Lehrer und Unterweiser (ich meine ohne einen menschlichen) –, ebenso genügte auch der einfache Unterricht, um dieses wilde Geschöpf zu erleuchten und ihn zu einem solchen Christen zu machen, wie ich wenige in meinem Leben kennengelernt habe.

Was die Dispute und Streitereien, den Zank und die Zwietracht betrifft, die in der Welt um die Religion entstanden sind, ob es sich nun um Spitzfindigkeiten der Doktrin oder um Methoden der Kirchenleitung handelt, so waren alle für uns völlig unnütz, wie sie es auch, soviel ich sehen kann, für die ganze übrige Welt sind. Wir hatten den sicheren Führer zum Himmel, das Wort Gottes, und wir hatten – Gott sei gelobt! – die trostreiche Unterweisung des Heiligen Geistes, mit der er uns durch sein Wort lehrte und anleitete, uns zur Wahrheit führte und uns seinem Gebot gegenüber willig wie auch gehorsam machte, und ich kann nicht den geringsten Nutzen sehen, den uns selbst das größte Wissen über die religiösen Streitpunkte, die soviel Verwirrung in der Welt gestiftet haben, gebracht hätte, wenn wir es hätten erlangen können. Aber ich muss mit meinem Bericht der Ereignisse fortfahren und alles der Reihe nach erzählen.

Nachdem Freitag und ich vertrauter miteinander geworden waren und er fast alles, was ich ihm sagte, verstehen konnte und fließend, wenn auch in gebrochenem Englisch, mit mir sprach, machte ich ihn mit meiner Geschichte bekannt, wenigstens soweit sie mein Kommen auf diese Insel betraf und wie lange ich hier gelebt hatte; ich weihte ihn in das Geheimnis (denn für ihn war es eins) des Schießpulvers und der Kugeln ein und lehrte ihn zu schießen, ich gab ihm ein Messer, das ihn ganz entzückte, und ich machte ihm einen Gürtel mit einem daran hängenden Degenhalter, wie wir sie in England haben, um Hirschfänger darin zu tragen, aber anstatt eines solchen gab ich ihm für den Halter eine Axt, die in manchen Fällen nicht nur eine ebenso gute Waffe, sondern bei vielen Gelegenheiten auch bedeutend nützlicher war.

Ich beschrieb ihm die Länder Europas und besonders England, woher ich gekommen war – wie wir lebten, wie wir Gott anbeteten, wie wir uns zueinander verhielten und wie wir auf Schiffen in allen

Teilen der Welt Handel trieben. Ich erzählte ihm von dem Wrack, auf dem ich gewesen war, und zeigte ihm so genau wie möglich die Stelle, wo es lag; aber es war schon längst völlig in Stücke zerborsten und nicht mehr zu sehen.

Ich zeigte ihm auch die Überreste unseres Boots, das untergegangen war, nachdem wir das Schiff verlassen hatten, und das ich damals mit meiner ganzen Kraft nicht hatte bergen können; jetzt war es schon fast völlig zerfallen. Als Freitag dieses Boot sah, stand er lange überlegend davor und sagte nichts; ich fragte ihn, worüber er denn nachdenke. Schließlich antwortete er: »Ich sehen solches gleiche Boot kommen an Ort zu mein Volk.«

Ich verstand ihn eine ganze Weile nicht, endlich aber, nachdem ich eingehendere Fragen gestellt hatte, begriff ich, dass ein Boot wie dieses in seiner Heimat gelandet war, vom Wetter getrieben, wie er erklärte. Ich dachte mir dabei, dass ein europäisches Schiff an ihre Küste verschlagen worden sein musste, und das Boot mochte sich losgerissen haben und an den Strand getrieben sein; ich war aber so schwer von Begriff, dass mir überhaupt nicht einfiel, Leute von einem Wrack könnten dorthin entkommen sein, und noch weniger, woher sie vielleicht gekommen waren, und so erkundigte ich mich nur danach, wie das Boot ausgesehen hatte.

Freitag beschrieb mir das Boot recht gut, aber als er mit ziemlich viel Wärme hinzufügte: »Wir retten die weißen Männers vom Ertrinken«, verstand ich ihn endlich besser. Nun fragte ich, ob in dem Boot irgendwelche ›weißen Männers‹, wie er sie nannte, gewesen seien? »Ja«, antwortete er, »das Boot voll von weiße Männers.« Ich fragte ihn, wie viele? Er zählte an den Fingern ab: »Siebzehn.« Nun wollte ich wissen, was aus ihnen geworden sei? Er erzählte mir: »Sie leben. Sie wohnen bei mein Volk.«

Dies weckte in mir neue Gedanken, denn nun überlegte ich, dass es sich vielleicht um die Leute handelte, die zu dem Schiff gehört hatten, das in Sichtweite meiner Insel, wie ich sie jetzt nannte, gestrandet war; und die sich, nachdem es auf das Riff aufgelaufen war und sie gesehen hatten, dass es unweigerlich untergehen musste, in ihrem Boot gerettet hatten und an jener unkultivierten Küste bei den Wilden gelandet waren.

Hierauf fragte ich ihn eindringlicher, was denn aus ihnen geworden sei? Er versicherte mir, dass sie noch dort lebten, und zwar seit ungefähr vier Jahren, dass die Wilden sie in Ruhe ließen und ihnen Nahrungsmittel zum Leben gaben. Ich fragte ihn, wie es denn komme, dass sie sie nicht getötet und aufgegessen hätten? Er sagte: »Nein, sie machen Bruder mit ihnen«, was, wie ich ihn verstand, Waffenruhe bedeutete, und dann setzte er hinzu: »Sie nicht essen Menschens, nur wenn machen Krieg kämpfen«, was bedeuten sollte, sie äßen niemals Menschen außer solchen, die sie angegriffen und die sie im Kampf gefangen hätten.

Längere Zeit danach, als Freitag einmal bei sehr schönem Wetter auf dem Gipfel des Hügels an der östlichen Seite der Insel stand, von wo ich, wie bereits gesagt, an einem klaren Tag das amerikanische Festland oder den Kontinent entdeckt hatte, blickte er scharf zum Festland hinüber und fing plötzlich, wie vor Überraschung, zu springen und zu tanzen an; er rief mich, denn ich befand mich in einiger Entfernung von ihm, und ich fragte ihn, was denn los sei? »O Freude«, erwiderte er, »o froh! Dort sehen mein Land, dort mein Volk.«

Ich sah, dass sich eine außergewöhnliche Freude in seinem Gesicht widerspiegelte – seine Augen strahlten, und sein Antlitz drückte eine eigentümliche Begierde aus, als habe er Lust, wieder in seinem eigenen Land zu sein; diese Beobachtung stimmte mich sehr nachdenklich, und ich war zum ersten Mal wegen meines neuen Dieners Freitag nicht mehr so unbesorgt wie zuvor. Ich zweifelte nicht daran, dass er, wenn es ihm gelänge, zu seinem Volk zurückzukehren, nicht nur seine ganze Religion, sondern auch alle seine Pflichten mir gegenüber vergessen und so voreilig sein würde, seinen Landsleuten von mir zu berichten; dann käme er vielleicht mit hundert oder zweihundert von ihnen wieder und machte aus mir einen Festschmaus, bei dem er ebenso fröhlich sein mochte wie früher, als er seine im Kriege gefallenen Feinde verspeist hatte.

Ich tat dem armen, ehrlichen Kerl aber großes Unrecht und bedauerte es nachher sehr; da aber mein Argwohn noch wuchs und mich einige Wochen lang gepackt hielt, war ich ein wenig vorsichtiger und nicht so vertraut und freundlich mit ihm wie zuvor, worin ich ganz gewiss ebenfalls unrecht hatte, denn der ehrliche, dankbare

Bursche dachte überhaupt nichts dergleichen, sondern war erfüllt von den allerbesten Grundsätzen sowohl eines frommen Christen als auch eines erkenntlichen Freundes, wie sich später zu meiner vollen Zufriedenheit erwies.

Solange mein Argwohn gegen ihn anhielt, forschte ich ihn täglich aus, wie man mir glauben kann, denn ich wollte feststellen, ob er nicht irgendwelche von diesen neuen Gedanken, deren ich ihn verdächtigte, verriete; aber ich überzeugte mich: alles, was er sagte, war so aufrichtig und unschuldig, dass ich nichts, was meinen Verdacht nährte, darin finden konnte, und trotz aller meiner Unruhe gewann er mich schließlich wieder ganz und gar für sich; er bemerkte auch nicht im mindesten, dass ich unruhig war, und deshalb konnte ich ihn nicht in Verdacht haben, mich zu täuschen.

Während wir eines Tages auf denselben Hügel stiegen, jedoch bei Dunst über dem Meer, so dass wir das Festland nicht zu sehen vermochten, rief ich ihn zu mir und fragte: »Freitag, wünschst du nicht, du wärst wieder in deiner Heimat, bei deinem Volk?« -

»Ja«, sagte er, »ich sehr o froh sein wieder bei mein Volk.« »Was würdest du denn da tun?«, wollte ich wissen. »Würdest du wieder wild werden und Menschenfleisch essen, ein Wilder sein, wie du es früher gewesen bist?« Er sah ganz betroffen aus, schüttelte den Kopf und antwortete: »Nein, nein! Freitag ihnen sagen, wie gut leben, ihnen sagen, beten Gott, ihnen sagen, essen Kornbrot, Viehfleisch, Milch, nicht wieder essen Menschen.«

»Aber«, sagte ich zu ihm, »dann werden sie dich doch töten?«

Er blickte ernst vor sich hin und erwiderte dann: »Nein, sie nicht mich töten, sie bereit, lieben lernen!« Damit meinte er, sie wären bereit zu lernen. Er fügte hinzu, sie hätten viel von den ›bärtigen Männers‹ gelernt, die mit dem Boot gekommen waren. Nun fragte ich ihn, ob er zu ihnen zurückkehren wolle. Darüber lächelte er und sagte, er könne nicht so weit schwimmen. Ich erwiderte, ich wolle ein Boot für ihn machen. Da antwortete er, er würde fahren, wenn ich mit ihm käme. »Ich dorthin fahren?«, sagte ich. »Aber die fressen mich doch auf, wenn ich komme.« – »Nein, nein«, erklärte er. »Ich machen, dass sie nicht dich essen, ich machen, sie dich viel lieben.« Er meinte, er wolle ihnen berichten, wie ich seine Feinde getötet und ihm das Leben gerettet hätte, und so würde er sie dazu bringen, mich zu lieben. Dann erzählte er mir, so gut er es konnte, wie freundlich sie zu den siebzehn weißen Männern waren, den bärtigen Männers, wie er sie nannte, die in Seenot bei ihnen gelandet waren.

Ich gestehe, von da an hatte ich Lust, mich hinüberzuwagen und festzustellen, ob ich mich nicht mit diesen bärtigen Männern, die, gewiss Spanier oder Portugiesen waren, zusammentun konnte; wenn mir das gelänge, dann fänden wir schon irgendeine Methode, um von dort zu entkommen, daran zweifelte ich nicht, da wir ja auf dem Festland und eine ganze Gruppe wären – leichter, als ich es von einer vierzig Meilen von der Küste entfernten Insel ganz allein und ohne Hilfe konnte. So nahm ich mir denn Freitag nach einigen Tagen gesprächsweise wieder vor und erklärte ihm, ich wolle ihm ein Boot geben, damit er zu seinem Volk zurückkehren könne; ich führte ihn also zu meiner Fregatte, die auf der anderen Seite der Insel lag, und nachdem ich das Wasser herausgeschöpft hatte (denn ich hielt sie immer unter der Wasseroberfläche), brachte ich sie hervor, zeigte sie ihm, und wir stiegen beide hinein.

Ich stellte fest, dass er das Boot außerordentlich geschickt beherrschte und es fast ebenso flink und behände voranbringen konnte wie ich; als er darin saß, fragte ich ihn deshalb: »Nun, wie ist's, Freitag, wollen wir zu deinem Volk fahren?« Er sah ziemlich verdutzt aus, als ich das sagte, wohl deshalb, weil er das Boot für zu klein hielt, um so weit damit zu fahren. Nun erklärte ich ihm, ich hätte noch ein größeres, und am nächsten Tag gingen wir zu der Stelle, wo das erste Boot lag, das ich gebaut, aber nicht ins Wasser hatte bringen können; er sagte, es sei groß genug, da ich mich jedoch nicht darum gekümmert und es zwei- oder dreiundzwanzig Jahre lang dort gelegen hatte, war es von der Sonne ausgetrocknet und gesprungen, das heißt ganz verkommen. Freitag meinte, ein solches Boot würde es schaffen und ›viel genug Proviant, Trank, Brot‹ fassen, wie er sich ausdrückte.

Alles in allem war ich nun so fest entschlossen, meinen Plan durchzuführen und mit ihm zum Festland hinüberzufahren, dass ich ihm sagte, wir wollten ein ebenso großes Boot wie dieses hier bauen und er solle damit nach Hause fahren. Er erwiderte kein Wort, sondern blickte nur sehr ernst und traurig vor sich hin. Ich fragte ihn, was er denn habe? Darauf stellte er mir die Gegenfrage: »Warum du böse wütend mit Freitag? Was ich getan?« Ich wollte wissen, was er meine. Ich sagte zu ihm, ich sei überhaupt nicht böse mit ihm. »Nicht böse! Nicht böse!«, erwiderte er und wiederholte die Worte mehrmals. »Warum schicken Freitag fort heim zu mein Volk?«

»Aber Freitag«, antwortete ich, »hast du nicht gesagt, du wünschtest, du wärest dort?«

»Ja, ja«, sagte er, »wünschen, wir beide dort, nicht wünschen, Freitag dort, nicht Master dort.«

Mit einem Wort, er wollte nichts davon hören, ohne mich dorthin zu fahren. »Ich dorthin gehen, Freitag?«, sagte ich. »Was soll ich denn da?«

Hierauf wandte er sich mir rasch zu. »Du tun große Menge viel Gutes«, sagte er, »du lehren wilde Männers sein gute, ruhige, zahme Männers, du ihnen sagen, Gott kennen, Gott beten und leben neues Leben.«

»Ach, Freitag«, antwortete ich, »du weißt nicht, was du da sagst; ich bin ja selbst nur ein unwissender Mensch.«

»Doch, doch«, erwiderte er, »du mich lehren gut, du sie lehren gut.«

»Nein, nein, Freitag«, sagte ich, »du wirst ohne mich fahren, lass mich hier allein leben, wie ich es zuvor getan habe.«

Bei diesen Worten blickte er wieder ganz betreten drein, rannte zu einer der Äxte hin, die er gewöhnlich trug, nahm sie hastig auf und gab sie mir.

»Was soll ich damit?«, fragte ich ihn.

»Du nehmen töten Freitag!«, antwortete er.

»Weshalb soll ich dich töten?«, fragte ich wieder.

Er antwortete unverzüglich: »Weshalb du schicken fort Freitag? Nehmen töten Freitag, nicht fortschicken Freitag.« Dies sagte er so ernst, dass ich Tränen in seinen Augen stehen sah. Mit einem Wort, ich entdeckte in ihm so offensichtlich die größte Liebe zu mir und so feste Entschlossenheit, dass ich ihm damals und noch oft danach erklärte, ich wolle ihn nicht von mir fortschicken, wenn er bei mir zu bleiben wünsche.

So erkannte ich in allem, was er sagte, eine unbeirrbare Liebe zu mir und den Entschluss, sich durch nichts von mir trennen zu lassen, und ebenso stellte ich auch fest, dass der Grund seines Verlangens, in seine Heimat zurückzukehren, in seiner heißen Liebe zu seinem Volk lag und in seiner Hoffnung, dass ich dort Gutes täte – ein Unternehmen, das ich mir nicht zutraute, weshalb ich weder daran dachte noch die geringste Absicht oder den Wunsch hatte, es auf mich zu nehmen. Trotzdem aber hatte ich noch immer große Lust, auf die schon beschriebene Weise den Versuch zu wagen, von hier zu entkommen. Sie ergab sich aus der nach dem früheren Gespräch entstandenen Annahme, dass es dort siebzehn bärtige Männer gab; deshalb machte ich mich unverzüglich mit Freitag an die Arbeit, einen hohen Baum zu suchen, der sich dazu eignete, dass wir ihn fällten und eine große Piroge oder ein Kanu daraus fertigten, um darin die Fahrt zu unternehmen. Es gab auf der Insel Bäume genug für den Bau einer kleinen Flotte – nicht nur von Pirogen und Kanus, sondern sogar von guten, großen Schiffen –, aber mein Hauptaugenmerk richtete ich darauf, einen Stamm zu finden, der so nahe beim Wasser stand, dass wir das Boot nach der Fertigstellung vom Stapel lassen konnten und so den Fehler vermieden, den ich zuerst begangen hatte.

Endlich entschied sich Freitag für einen Baum, denn ich stellte fest, dass er viel besser als ich wusste, welche Art Holz die geeignetste war; ich kann auch bis zum heutigen Tag nicht sagen, wie der Baum hieß, den wir fällten, außer dass das Holz dem Gelbholz, wie wir es nennen, sehr ähnlich war oder eine Art zwischen diesem und dem Nicaraguaholz darstellte, denn es hatte fast die gleiche Farbe und den gleichen Geruch. Freitag hielt es für das beste, die Einbauchung oder Höhlung in den Stamm zu brennen, um ein Boot daraus zu machen; ich zeigte ihm jedoch, ihn vielmehr mit Hilfe von Werkzeugen auszuhöhlen, was er sehr geschickt tat, nachdem ich ihn gelehrt hatte, damit umzugehen; nach ungefähr einem Monat harter Arbeit waren wir fertig und hatten es sehr gut gemacht, besonders, nachdem die Außenseite mit Hilfe unserer Äxte, in deren Gebrauch ich ihn unterwiesen hatte, in die richtige Bootsform gehauen und geschnitten war. Hiernach brauchten wir aber fast vierzehn Tage, um das Boot – sozusagen Zoll für Zoll – über große Rollen ins Wasser zu bringen; als es jedoch darin war, hätte es ohne weiteres zwanzig Mann getragen.

Nun erstaunte es mich aber, mit welcher Geschicklichkeit und wie behände mein Diener Freitag es im Wasser lenken, wenden und paddeln konnte, obgleich es so groß war; und ich fragte ihn, ob er willens sei und ob wir es wagen könnten, damit hinüberzufahren? »Ja«, sagte er, »darin sehr gut hinüberwagen, auch wenn wehen großer Wind.« Ich hatte jedoch noch eine Absicht, von der er nichts wusste, nämlich, einen Mast und Segel anzufertigen und das Boot mit Anker und Ankertau auszurüsten. Was den Mast betraf, so war er leicht genug zu haben; ich suchte in der Nähe eine gerade gewachsene junge Zeder aus, wovon es auf der Insel eine Menge gab, ließ Freitag sie fällen und wies ihn an, wie er sie behauen und in Form bringen sollte. Was aber das Segel betraf, so war das meine besondere Aufgabe; ich wusste, dass ich eine Menge alter Segel oder vielmehr Stücke von alten Segeln besaß, da sie aber schon seit sechsundzwanzig Jahren dalagen und ich mir nicht viel Mühe gegeben hatte, sie gut zu erhalten, weil ich nicht daran gedacht hatte, ich könne jemals diese Verwendung für sie haben, hielt ich sie alle für morsch, und bei den meisten war das auch der Fall. Ich fand jedoch zwei Stücke, die noch ganz gut zu sein schienen, und machte mich an die Arbeit. Mit vieler Mühe und ungeschicktem, langwierigem Gestichel (dessen mag der Leser sicher sein), denn ich hatte keine Nadeln, fabrizierte ich schließlich ein dreieckiges hässliches Ding, ähnlich dem in England bekannten Gieksegel, zu dem unten eine Spiere und oben ein kleines kurzes Spriet gehörte, wie es gewöhnlich unsere Beiboote zum Segeln haben; mit diesem verstand ich am besten umzugehen, weil es von der Art war wie das in dem Boot, mit dem ich aus der Berberei entflohen war, wie ich im ersten Teil meiner Geschichte berichtet habe.

Zu dieser letzten Arbeit brauchte ich fast zwei Monate, nämlich um meine Masten und Segel zu montieren und zu takeln, denn ich machte sie sehr vollständig und fertigte ein kleines Stag und eine Art Focksegel dazu an, das uns helfen sollte, falls wir luvwärts wenden mussten, und vor allen Dingen brachte ich achtern ein Ruder zum Steuern an; und obwohl ich als Schiffbauer nur ein Stümper war, gab ich mir, da ich ja wusste, wie nützlich und sogar notwendig es war, mit alldem doch soviel Mühe, dass ich die Takelung schließlich zustande brachte, wenn sie mich auch, rechne ich die vielen unge-

schickten Versuche, die ich vergeblich unternahm, wohl fast ebensoviel Arbeit kostete wie der Bootsbau selbst.

Nachdem all das getan war, musste ich meinem Diener Freitag
die Beherrschung meines Boots beibringen, denn obgleich er das
Kanu sehr gut zu paddeln verstand, kannte er sich doch nicht mit Segel und Steuerruder aus und war daher sehr erstaunt, als er sah, wie
ich das Boot im Meer mit dem Steuer hin und her lenkte und wie das
Segel spielte und sich je nach dem Kurs, den wir hielten, hierhin und
dorthin blähte. Als er also das alles sah, stand er ganz erstaunt und
verdutzt da; durch ein bisschen Übung machte ich ihn jedoch mit
allem vertraut, und er wurde ein gewandter Segelschiffer, bloß was
den Kompass betraf, so konnte ich ihm nur sehr wenig Verständnis
dafür beibringen aber da das Wetter in dieser Gegend kaum jemals
trübe war und selten oder niemals Nebel herrschte, gab es wenig
Veranlassung, einen Kompass zu benutzen, denn nachts waren die
Sterne und tagsüber die Küste immer sichtbar, außer in der Regenzeit, und dann lag niemand daran, sich hinauszubegeben, weder an
Land noch auf See.

Für mich hatte jetzt das siebenundzwanzigste Jahr meiner Gefangenschaft an diesem Ort begonnen; freilich sollte ich die letzten drei
Jahre, während deren ich diesen Burschen bei mir hatte, eigentlich
nicht mitrechnen, da mein Dasein so ganz anders geworden war als
früher. Ich beging den Jahrestag meiner Landung mit der gleichen
Dankbarkeit gegenüber Gott und seiner Barmherzigkeit wie den ersten, und wenn ich schon zu Anfang Ursache dafür gehabt hatte, sie
auf solche Weise zu würdigen, so hatte ich sie jetzt um so mehr, da
ich zusätzlich jene Beweise der göttlichen Fürsorge für mich erhalten
und große Hoffnung hatte, endgültig und rasch befreit zu werden,
denn ich hatte das unerschütterliche Gefühl, dass meine Befreiung
unmittelbar bevorstehe und ich kein Jahr mehr an diesem Ort
verbringen müsse. Ich führte jedoch meine Wirtschaft fort, grub,
pflanzte, zäunte ein wie gewöhnlich; ich sammelte und trocknete
meine Trauben und besorgte wie bisher alles Nötige.

Inzwischen war die Regenzeit über uns gekommen, in der ich
mich mehr als sonst drinnen aufhielt, und deshalb hatten wir unser
neues Schiff, so sicher es nur ging, untergebracht; wir fuhren es in
den Wasserlauf, wo ich mit meinen Flößen vom Schiff gelandet war,

wie ich zu Anfang berichtete. Nachdem wir das Boot bei Flut an Land gezogen hatten, ließ ich meinen Diener Freitag ein kleines Becken graben, das gerade groß genug war, damit das Boot darin schwimmen konnte, und bei Ebbe bauten wir quer davor einen starken Damm, der das Wasser abhielt, und so lag es, vor der Flut geschützt, trocken da; um den Regen fernzuhalten, bedeckten wir es so dicht mit unzähligen Zweigen von den Bäumen dass es ebenso gut überdacht war wie ein Haus, und nun warteten wir auf die Monate November, Dezember, in denen ich mein Abenteuer zu unternehmen gedachte.

Als die schöne Jahreszeit einsetzte, wandten sich mit dem guten Wetter meine Gedanken von neuem meinem beabsichtigten Unternehmen zu, und ich bereitete täglich unsere Reise vor. Zunächst legte ich einen gewissen Lebensmittelvorrat an, der unser Proviant für die Fahrt sein sollte, und ich beabsichtigte, in einer Woche oder in vierzehn Tagen das Becken zu öffnen und das Schiff flottzumachen. Eines Morgens, als ich mit Vorbereitungen dieser Art beschäftigt war, rief ich Freitag und hieß ihn, an den Strand zu gehen und nachzusehen, ob er nicht eine Schildkröte finden konnte – wie wir sie gewöhnlich einmal in der Woche holten, sowohl der Eier als auch des Fleisches wegen. Freitag war noch nicht lange fort, als er wieder zurückgelaufen kam und über meinen äußeren Wall oder Zaun stürmte, als fühle er nicht den Boden noch die Sprossen unter den Füßen, und bevor ich Zeit hatte, etwas zu sagen, rief er: »O Herr, o Herr, o Kummer, o schlecht!« – »Was ist denn los, Freitag?«, fragte ich. »O dort drüben«, antwortete er, »eins, zwei, drei Kanus! Eins, zwei, drei!« Aus seiner Ausdrucksweise schloss ich, dass sechs dort waren, als ich aber nachfragte, stellte sich heraus, dass es nur drei waren. »Nun, Freitag«, sagte ich, »fürchte dich nicht«, und so ermutigte ich ihn, so gut ich konnte. Ich sah aber, dass der arme Kerl schreckliche Angst hatte, denn er vermochte keinen anderen Gedanken zu fassen, als dass sie gekommen wären, um ihn zu suchen, und dass sie ihn in Stücke schneiden und fressen würden. Der arme Bursche zitterte so sehr, dass ich kaum wusste, was ich mit ihm anfangen sollte. Ich tröstete ihn, so gut ich es vermochte, und erklärte ihm, ich sei in der gleichen Gefahr wie er und sie würden mich ebenso fressen wie ihn. »Aber, Freitag«, sagte ich, »wir müssen uns ent-

schließen, mit ihnen zu kämpfen. Kannst du kämpfen, Freitag?« –
»Ich schießen«, erwiderte er, »aber kommen viele große Zahl.« –
»Das macht nichts«, antwortete ich, »unsere Gewehre werden den
Wilden, die wir nicht töten, Furcht einjagen.« So fragte ich ihn, ob er
– so wie ich entschlossen sei, ihn zu verteidigen – auch mich verteidigen, mir beistehen und genau das tun wolle, was ich ihn hieße? Er
sagte: »Ich sterben, wenn du befehlen sterben, Master.« So ging ich
denn einen ordentlichen Schluck Rum holen und gab ihm davon zu
trinken, denn ich hatte so gut mit meinem Rum hausgehalten, dass
noch viel von ihm übrig war. Als er getrunken hatte, ließ ich ihn die
beiden Vogelflinten nehmen, die wir immer bei uns trugen, und sie
mit grobem Schrot laden, das so groß war wie kleine Pistolenkugeln;
dann nahm ich vier Musketen und lud jede mit zwei Bleistücken und
fünf kleinen Kugeln; meine beiden Pistolen lud ich mit je zwei Kugeln. Wie gewöhnlich hängte ich mir meinen großen Säbel ohne
Scheide an die Seite und gab Freitag seine Axt.

Als ich mich auf diese Weise vorbereitet hatte, nahm ich mein
Fernglas und stieg den Hang des Hügels hinauf, um zu sehen, was
ich entdecken konnte; mit dem Glas stellte ich sehr bald fest, dass
sich einundzwanzig Wilde, drei Gefangene und drei Kanus dort befanden und dass sie anscheinend ausschließlich vorhatten, mit diesen
drei menschlichen Körpern einen Siegesschmaus abzuhalten – wirklich ein barbarisches Festmahl, das aber, wie ich schon berichtete,
bei ihnen üblich war.

Ich bemerkte gleichfalls, dass sie nicht an derselben Stelle gelandet waren wie damals, als Freitag seine Flucht unternommen hatte,
sondern näher bei meinem Wasserlauf, wo das Ufer flach war und
der Wald dichter bis fast zum Meer hinunter wuchs; dies und der
Abscheu, den ich angesichts des unmenschlichen Vorhabens dieser
elenden Kreaturen empfand, erfüllten mich so mit Empörung, dass
ich wieder zu Freitag hinunterstieg und ihm sagte, ich sei entschlossen, zu ihnen hinabzugehen und alle zu töten, und ich fragte ihn, ob
er mir beistehen wolle. Er hatte seine Angst jetzt überwunden, und
da sich seine Stimmung durch den Schluck, den ich ihm zu trinken
gegeben, ein wenig gehoben hatte, war er sehr munter und erklärte,
wie schon zuvor, er wolle sterben, wenn ich zu sterben befähle.

In diesem Zornesanfall nahm ich zuerst die Waffen, die ich, wie schon beschrieben, geladen hatte, und teilte sie zwischen uns auf: Freitag gab ich eine Pistole, damit er sie in seinen Gürtel steckte, und drei Flinten, die er über die Schulter hängte; ich nahm eine Pistole und die anderen drei Flinten, und in dieser Aufmachung zogen wir los. Ich steckte mir eine kleine Flasche Rum in die Tasche und gab Freitag einen großen Beutel mit zusätzlichem Pulver und Kugeln, und was die Befehle betraf, so wies ich ihn an, sich dicht hinter mir zu halten und sich nicht zu rühren, nicht zu schießen oder sonst etwas zu tun, bis ich es ihn hieß, und in der Zwischenzeit nicht ein Wort zu sprechen. In dieser Marschordnung machte ich einen Umweg von fast einer Meile nach rechts, sowohl um über den Wasserlauf als auch um in den Wald zu gelangen, so dass ich die Wilden in Schussweite bekäme, bevor sie mich entdecken konnten, was leicht zu bewerkstelligen war, wie ich durch mein Fernrohr gesehen hatte.

Während ich mich auf dem Marsch befand, kehrten meine früheren Überlegungen wieder, und ich wurde in meinem Entschluss schwankend – ich meine nicht, dass ich vor ihrer Überzahl irgendwie Angst gehabt hätte, denn da es sich um nackte, unbewaffnete Wilde handelte, war ich ihnen mit Gewissheit überlegen, ja selbst dann, wenn ich allein gewesen wäre. Mir kam aber der Gedanke, welche Berechtigung, welcher Anlass und vielmehr noch, welche Notwendigkeit es denn für mich gab, hinzugehen und meine Hände in Blut zu tauchen – Menschen zu überfallen, die mir weder Böses getan hatten noch Böses tun wollten, die mir gegenüber unschuldig waren und deren barbarische Bräuche ihr eigenes Unglück bedeuteten, denn sie waren ja ein Zeichen dafür, dass Gott sie zusammen mit den anderen Völkern in diesem Teil der Welt einer solchen Dummheit und einem so unmenschlichen Verhalten überlassen hatte; mich aber hatte er nicht aufgerufen, mir anzumaßen, Richter über ihre Taten zu sein, und noch viel weniger, sein gerechtes Urteil zu vollstrecken – sobald er es für richtig hielt, würde er die Sache selbst in die Hand nehmen und sie durch seine Rache am ganzen Volk für die vom ganzen Volk begangenen Verbrechen bestrafen, inzwischen aber war das nicht meine Angelegenheit. Freitag allerdings war wohl dazu berechtigt, denn er war ihr erklärter Feind und befand sich gerade mit diesen Menschen im Kriegszustand; für ihn war es rechtmäßig, sie anzugreifen, ich aber konnte von mir nicht das gleiche sagen. Diese Dinge gingen mir den ganzen Weg über so lebhaft im Kopf herum, dass ich beschloss, mich nur in ihre Nähe zu stellen, ihr barbarisches Festmahl zu beobachten und dann zu handeln, wie Gott es mir eingebe; wenn sich aber nichts ereignete, was ein deutlicherer Ruf war als das, wovon ich jetzt wusste, wollte ich nicht eingreifen.

Mit diesem Entschluss betrat ich den Wald und ging so vorsichtig und leise wie möglich (während mir Freitag dicht auf den Fersen folgte) bis zum Waldrand auf der den Wilden am nächsten liegenden Seite; nur eine Waldspitze war noch zwischen mir und ihnen. Hier rief ich Freitag leise an und zeigte ihm einen großen Baum, der dicht am Waldessaum stand. Ich hieß ihn, dort hinzugehen und mir Nachricht zu bringen, ob er genau erkennen konnte, was sie trieben. Er tat es, kehrte sogleich zurück und berichtete mir, dass sie von dort deutlich zu sehen seien, sie säßen alle ums Feuer und fräßen das Fleisch eines ihrer Gefangenen; ein zweiter liege etwas abseits von ihnen gebunden im Sand; ihn würden sie als nächsten umbringen, sagte er, und das ließ eine heiße Flamme in mir auflodern. Er berichtete mir, dass es sich um keinen Mann seines Volkes, sondern um einen der bärtigen Männer handele, die mit dem Boot zu ihnen gekommen seien und von denen er mir erzählt habe. Mich erfüllte Entsetzen, als er den bärtigen, weißen Mann auch nur erwähnte; ich ging zu dem Baum und sah durch mein Glas deutlich einen weißen Mann am Strand liegen, der an Händen und Füßen mit Schilf oder Binsen gefesselt war – ein Europäer, und er war bekleidet.

Ungefähr fünfzig Yard dichter daran als mein jetziger Standort befand sich noch ein zweiter Baum mit einem kleinen Dickicht dahinter, und ich sah, dass ich über einen geringen Umweg vielleicht unbemerkt dorthin kommen konnte und dann, in halber Schussweite von ihnen wäre; ich bezwang meinen Zorn, obgleich ich tatsächlich im höchsten Maße wuterfüllt war, ging etwa zwanzig Schritte weiter zurück, gelangte hinter ein paar Büsche, die den ganzen Weg entlang standen, bis ich zu dem anderen Baum kam, und befand mich nun auf einer kleinen Anhöhe, von wo aus ich sie in einer Entfernung von etwa achtzig Yard deutlich sehen konnte.

Jetzt durfte ich keinen Augenblick mehr verlieren, denn neunzehn von diesen scheußlichen Kerlen saßen auf der Erde, alle dicht beieinander, und hatten eben die anderen beiden ausgeschickt, damit sie den armen Christen schlachteten und ihn vielleicht Glied für Glied zum Feuer brächten; die beiden beugten sich gerade nieder, um ihm die Fesseln an den Füßen zu lösen. Ich wandte mich zu Freitag um. »Freitag«, sagte ich, »tu jetzt, was ich dir auftrage.« Freitag erwiderte, das wolle er. »Freitag«, sagte ich, »dann tu genau das, was du mich tun siehst, und lass nichts aus.« Nun setzte ich eine von den Musketen und die Vogelflinte auf den Boden ab, und Freitag tat das gleiche mit den seinen; mit der anderen Muskete zielte ich auf die Wilden und hieß ihn, es ebenso zu machen. Jetzt fragte ich, ob er bereit sei; er antwortete: »Ja.« – »Dann schieß auf sie!«, sagte ich, und im selben Augenblick schoss auch ich.

Freitag zielte so viel besser als ich, dass er auf seiner Seite zwei Wilde getötet und drei weitere verwundet hatte; auf meiner Seite tötete ich einen und verwundete zwei. Sie waren furchtbar bestürzt, dessen kann der Leser gewiss sein; alle, die nicht verwundet waren, sprangen sofort auf, wussten aber nicht, in welche Richtung sie laufen oder wohin sie blicken sollten, denn sie ahnten ja nicht, woher diese Vernichtung kam. Freitag hielt den Blick fest auf mich gerichtet, um zu beobachten, was ich tat, wie ich es ihn geheißen hatte; sobald also der erste Schuss gefallen war, warf ich die Muskete hin und nahm die Vogelflinte auf. Freitag tat das gleiche, und als er mich den Hahn spannen sah, machte er es sofort nach.

»Bist du bereit, Freitag?«, fragte ich. »Ja«, antwortete er. »Dann los«, sagte ich, »im Namen Gottes!« Und mit diesen Worten schoss ich wieder auf die verblüfften Kerle und Freitag ebenfalls. Da unsere Flinten jetzt mit sogenanntem Schwanenschrot oder kleinen Pistolenkugeln geladen waren, sahen wir nur zwei Wilde umfallen, aber sehr viele waren verwundet und rannten brüllend und schreiend umher, als seien sie wahnsinnig, alle blutend und die meisten böse verletzt; noch drei von ihnen fielen bald danach um, waren aber nicht ganz tot.

»Jetzt folge mir, Freitag!«, sagte ich, legte die abgeschossene Flinte hin und nahm die noch geladene Muskete auf. Er tat es auch mit recht großem Mut, und ich stürzte nun aus dem Wald und zeigte mich; Freitag folgte mir dicht auf den Fersen. Sobald ich bemerkte, dass sie mich sahen, brüllte ich so laut wie möglich und hieß Freitag, es ebenso zu machen; ich rannte, so schnell ich nur konnte (nebenbei gesagt, nicht sehr schnell, da ich ja so mit Waffen beladen war), direkt zu dem armen Opfer hin, das sich, wie schon gesagt, am Strand zwischen ihrem Lagerplatz und dem Meer befand; die beiden Schlächter, die drauf und dran gewesen waren, ihn sich vorzunehmen, hatten ihn aus Überraschung bei unserer ersten Salve liegenlassen, waren voll schrecklicher Angst zum Meeresufer hinuntergelaufen und in ein Kanu gesprungen, und auch drei von den übrigen hatten den gleichen Weg genommen. Ich wandte mich zu Freitag um und hieß ihn, voranzugehen und auf sie zu schießen; er verstand mich sofort, lief etwa vierzig Yard weit, um nahe bei ihnen zu sein, und schoss auf sie. Ich dachte, er habe alle getötet, denn ich sah sie sämtlich ins Boot auf einen Haufen fallen; zwei von ihnen standen aber rasch wieder auf. Immerhin hatte er zwei getötet und den dritten verwundet, so dass dieser im Boot auf dem Boden lag, als wäre er tot.

Während mein Diener Freitag auf sie schoss, zog ich mein Messer und zerschnitt die Binsen, mit denen das arme Opfer gefesselt war, und nachdem ich ihm Hände und Füße befreit hatte, hob ich ihn auf und fragte ihn auf portugiesisch, wer er sei? Er antwortete auf lateinisch: »Christianus«, war aber so schwach und matt, dass er kaum stehen und sprechen konnte; ich zog meine Flasche aus der Tasche und gab sie ihm, wobei ich ihm bedeutete, er solle trinken, was er tat, ich gab ihm auch ein Stück Brot, und er aß es; danach fragte ich ihn, was für ein Landsmann er sei. »Spanier«, sagte er, und da er sich nun ein wenig erholt hatte, gab er mir durch alle Zeichen, die er nur machen konnte, zu verstehen, wie tief er für seine Befreiung in meiner Schuld stehe. »Señor«, sagte ich in dem Spanisch, das ich zusammenbringen konnte, »sprechen werden wir hinterher, jetzt aber müssen wir kämpfen. Wenn Ihr noch Kraft übrig habt, dann nehmt diese Pistole und dieses Schwert und haut um Euch!« Er nahm sie voller Dankbarkeit, und kaum hielt er die Waffen in den Händen, da war es, als hätten sie ihm neue Kraft eingegeben; wie eine Furie stürzte er sich auf seine Mörder und hatte im Nu zwei von ihnen in Stücke gehauen. Tatsächlich waren die armen Geschöpfe, da das Ganze so überraschend für sie kam, von dem Lärm unserer Schusswaffen derartig erschreckt, dass sie vor lauter Verblüffung und Angst umfielen;

sie hatten keine Kraft zu fliehen, und ihre Körper vermochten unseren Kugeln nicht zu widerstehen. So ging es den fünfen im Boot, auf die Freitag geschossen hatte, denn wenn auch drei an den davongetragenen Verwundungen zusammenbrachen, so fielen die beiden anderen aus Furcht um.

Ich hielt meine Flinte noch in der Hand, ohne zu schießen, denn ich wollte meine Ladung bereithalten, weil ich dem Spanier Pistole und Schwert gegeben hatte; ich rief also Freitag, hieß ihn hinauf zu dem Baum laufen, von dem aus wir zuerst geschossen hatten, und die entladenen Waffen holen, die dort lagen; er tat es mit größter Eile, dann gab ich ihm meine Muskete, setzte mich, um die übrigen Flinten alle wieder zu laden, und wies die anderen beiden an, zu mir zu kommen, wenn sie sie brauchten. Während ich die Waffen lud, entspann sich ein heftiger Kampf zwischen dem Spanier und einem der Wilden, der sich mit einer ihrer großen hölzernen Schwerter auf ihn gestürzt hatte – derselben Waffe, die ohne mein Eingreifen den Spanier zuvor getötet hätte. Dieser, ein denkbar kühner und tapferer Mensch, obgleich er noch schwach war, kämpfte schon eine gute Weile mit dem Indianer und hatte ihm zwei große Wunden am Kopf beigebracht; der Wilde aber, ein gedrungener, kräftiger Bursche, war ihm auf den Leib gerückt, hatte ihn (da jener ja noch schwach war) zu Boden geworfen und war im Begriff, ihm meinen Säbel aus der Hand zu winden, als der Spanier, obwohl er unten lag, vernünftigerweise den Säbel fahrenließ, die Pistole aus dem Gürtel zog, dem Wilden eine Kugel durch den Leib schoss und ihn auf der Stelle tötete, bevor ich, der ich zu seiner Hilfe herbeirannte, in seine Nähe gelangen konnte.

Freitag, der jetzt sich selbst überlassen war, verfolgte die fliehenden Kerle mit keiner anderen Waffe in den Händen als nur seinem Beil, und damit erledigte er die drei, die, wie schon gesagt, zuerst verwundet worden und zu Boden gefallen waren, sowie auch alle übrigen, die er erwischen konnte; und als der Spanier zu mir kam, um eine Flinte zu holen, gab ich ihm eine von den Vogelflinten, mit der er zwei der Wilden verfolgte und beide verwundete, da er aber nicht rennen konnte, entkamen sie ihm in den Wald, wo Freitag ihnen nachjagte und einen von ihnen tötete. Der andere aber war zu gewandt für ihn, trotz seiner Verletzung tauchte er ins Meer und schwamm mit ganzer Kraft zu denen hinüber, die im Boot geblieben waren; und diese drei im Kanu zusammen mit dem Verwundeten, von dem wir nicht wussten, ob er gestorben war oder nicht, waren alle, die von einundzwanzig unseren Händen entkamen. Die Aufstellung der übrigen lautet wie folgt:

3 durch unsere Schüsse vom Baum aus getötet
2 bei der nächsten Salve getötet
2 durch Freitag im Boot getötet
2 von den zuerst Verwundeten durch denselben getötet
1 im Wald durch denselben getötet
3 durch den Spanier getötet
4 hier und da infolge ihrer Wunden zusammengebrochen oder durch Freitag auf der Flucht getötet
4 im Boot entkommen, davon einer verwundet, wenn nicht tot
----------------
21 im ganzen

Diejenigen, die sich im Kanu befanden, ruderten aus Leibeskräften, um außer Schussweite zu kommen, und obgleich Freitag zwei oder drei Schüsse auf sie abgab, konnte ich nicht erkennen, ob einer von ihnen traf. Freitag hätte es gern gesehen, dass ich eines ihrer Kanus genommen und sie verfolgt hätte; ihr Entkommen machte mir auch tatsächlich große Sorgen, falls sie die Nachricht ihrem Volk überbrachten, vielleicht mit zwei- oder dreihundert von ihren Kanus zurückkehrten und uns durch ihre große Anzahl überwältigten; so stimmte ich also zu, dass wir sie auf See verfolgten, rannte zu einem ihrer Kanus, sprang hinein und hieß Freitag, mir zu folgen; als ich aber drinnen war, fand ich zu meiner Überraschung noch ein anderes armes Geschöpf, lebend und an Händen und Füßen gebunden, dort liegen, so wie es der Spanier gewesen war, um geschlachtet zu werden; der Mensch war fast tot vor Angst, da er nicht wusste, was geschehen war, denn er hatte nicht über den Bootsrand blicken können, weil er an Genick und Fersen so fest gebunden war und so lange Fesseln getragen hatte, dass tatsächlich kaum noch Leben in ihm war.

Ich zerschnitt sogleich die aus Schilf oder Binsen gedrehten Stricke, mit denen ihn die Wilden gefesselt hatten, und wollte ihm aufhelfen; er konnte jedoch weder stehen noch sprechen, sondern stöhnte nur jämmerlich, da er anscheinend noch immer glaubte, man habe ihn nur losgebunden, um ihn zu töten.

Als Freitag herbeikam, forderte ich ihn auf, mit ihm zu sprechen und ihm seine Befreiung mitzuteilen; ich zog meine Flasche hervor und ließ ihn dem armen Kerl einen Schluck daraus geben, was ihn, zusammen mit der Eröffnung von seiner Befreiung, belebte, und er setzte sich im Boot auf. Als ihn Freitag aber sprechen hörte und ihm ins Gesicht blickte, da hätte es wohl jeden zu Tränen gerührt, zu sehen, wie Freitag ihn küsste, ihn umarmte, ihn an sich drückte, weinte, lachte, brüllte, umhersprang, tanzte, sang, dann wieder weinte, die Hände rang, sich ins Gesicht und an den Kopf schlug und danach von neuem sang und umhersprang wie ein Verrückter. Es dauerte eine ganze Weile, bevor ich ihn dazu bringen konnte, mit mir zu sprechen und mir zu sagen, was los war; als er aber ein bisschen zu sich gekommen war, erklärte er mir, dass es sein Vater sei.

Es fällt mir nicht leicht, auszudrücken, wie es mich rührte, zu sehen, in welche Ekstase und kindliche Zärtlichkeit der Anblick seines Vaters und dessen Errettung vor dem Tode diesen armen Wilden versetzte, und ich kann auch die Ausbrüche seiner Zuneigung, die dann folgten, kaum zur Hälfte beschreiben, denn er sprang viele Male ins Boot und wieder hinaus, und wenn er drinnen bei seinem Vater war, setzte er sich neben ihn, machte sich die Brust frei und hielt den Kopf seines Vaters eine halbe Stunde lang an seinen Busen, als wolle er ihn stärken, dann nahm er seine von den Fesseln taub und steif gewordenen Arme und Fußgelenke und knetete und rieb sie mit den Händen, und da ich bemerkte, worum es ging, gab ich ihm etwas Rum aus meiner Flasche, um sie damit einzureiben, und das tat ihnen sehr gut.

Dieses Ereignis setzte unserer Verfolgung des Kanus mit den anderen Wilden, die jetzt fast außer Sicht gelangt waren, ein Ende, und es war ein Glück für uns, dass wir ihnen nicht nachjagten, denn innerhalb von zwei Stunden, bevor sie noch ein Viertel ihres Weges zurückgelegt haben konnten, kam ein steifer Wind auf; er wehte die ganze Nacht über so heftig, und zwar vom Nordwesten, also ihnen entgegen, dass ich annahm, ihr Boot könne es keinesfalls überdauert haben und sie zu ihrer Heimatküste gelangt sein.

Um aber auf Freitag zurückzukommen: Er war so mit seinem Vater beschäftigt, dass ich es nicht übers Herz bringen konnte, ihn für die nächste Zeit fortzuholen. Als ich aber dachte, er könne ihn ein wenig allein lassen, rief ich ihn zu mir, und er kam springend, lachend und ungeheuer froh herbei. Nun fragte ich ihn, ob er seinem Vater denn Brot gegeben habe? Er schüttelte den Kopf und sagte: »Nein, hässlicher Hund alles selbst essen.« So gab ich ihm denn aus einem kleinen Beutel, den ich zu dem Zweck bei mir trug, einen Brotkuchen; ich gab ihm auch einen Schluck Rum, für ihn selbst, aber er wollte ihn nicht anrühren, sondern brachte ihn seinem Vater. Ich hatte ebenfalls zwei oder drei Trauben von meinen Rosinen in der Tasche, und so gab ich ihm für seinen Vater eine Handvoll. Kaum hatte er sie diesem gebracht, da sah ich ihn aus dem Boot gelaufen kommen und wie behext fortrennen. Er rannte mit solcher Geschwindigkeit, denn er war der schnellste Läufer, den ich je gesehen hatte – er rannte also mit solcher Geschwindigkeit, dass er im Nu außer Sicht war, und obgleich ich ihm nachrief und ›Hallo!‹ schrie, nützte es nichts; fort war er, und nach einer Viertelstunde sah ich ihn wiederkehren, wenn auch nicht so rasch, wie er davongelaufen war; bei seinem Näherkommen sah ich, dass sich sein Schritt verlangsamt hatte, weil er etwas in der Hand trug.

Als er bei mir ankam, stellte ich fest, dass er bis nach Hause gelaufen war, um einen irdenen Krug zu holen, damit er seinem Vater frisches Wasser bringen konnte, und dass er auch noch zwei Brotkuchen oder -laibe mitbrachte. Das Brot gab er mir, das Wasser jedoch trug er zu seinem Vater; da ich aber sehr durstig war, nahm ich auch einen kleinen Schluck davon. Das Wasser belebte seinen Vater mehr als der Rum oder Schnaps, den ich ihm gegeben hatte, denn er war vor Durst fast umgekommen.

Als sein Vater getrunken hatte, rief ich Freitag, um zu fragen, ob noch Wasser übrig sei? Er sagte ›ja‹, und ich wies ihn an, es dem armen Spanier zu geben, der es ebenso nötig brauchte wie sein Vater, und ich sandte dem Spanier auch einen der Brotkuchen, die Freitag gebracht hatte, denn er war wirklich sehr schwach und ruhte sich im Schatten der Bäume auf einer grünen Wiese aus; auch seine

Glieder waren sehr steif und geschwollen von den groben Bandagen, mit denen man ihn gebunden hatte. Als ich sah, dass er sich, nachdem Freitag mit dem Wasser zu ihm gekommen war, aufsetzte und trank, das Brot nahm und zu essen begann, ging ich zu ihm hinüber und gab ihm eine Handvoll Rosinen. Er blickte mir mit allen Anzeichen der Dankbarkeit und Erkenntlichkeit, die ein Antlitz nur auszudrücken vermag, ins Gesicht, aber obwohl er sich im Kampf sehr kräftig gezeigt hatte, war er so schwach, dass er nicht auf den Füßen stehen konnte; er versuchte es zwei-, dreimal, war jedoch nicht dazu in der Lage, denn seine Fußknöchel waren sehr geschwollen und schmerzten ihn; so bat ich ihn also stillzusitzen und veranlasste Freitag, ihm die Gelenke zu kneten und sie mit Rum einzureiben, wie er es bei seinem Vater getan hatte.

Ich beobachtete, dass der arme, zärtliche Kerl alle zwei Minuten oder vielleicht noch öfter, solange er hier war, den Kopf wandte, um zu sehen, ob sein Vater noch an demselben Ort und in derselben Stellung dasaß, wie er ihn verlassen hatte; schließlich bemerkte er, dass er nicht mehr zu sehen war, da sprang er auf und rannte so schnell zu ihm hinüber, dass man seine Füße beim Laufen kaum den Boden berühren sah. Als er bei ihm anlangte, stellte er jedoch fest, dass sein Vater sich niedergelegt hatte, um seine Glieder auszustrecken, und so kehrte Freitag unverzüglich zu mir zurück. Nun redete ich mit dem Spanier, damit er sich von Freitag aufhelfen und, wenn er konnte, ins Boot führen ließ; dann sollte er ihn in unsere Wohnung bringen, wo ich mich um ihn kümmern wollte; Freitag aber, der ein kräftiger junger Bursche war, nahm den Spanier einfach auf den Rücken und trug ihn zum Boot hinüber, wo er ihn sanft auf der Seitenwand oder dem Dollbord absetzte, die Füße im Boot, und dann hob er ihn gänzlich hinein und setzte ihn neben seinen Vater. Danach stieg er wieder aus, schob das Boot an und paddelte es schneller die Küste entlang, als ich zu Fuß gehen konnte, obwohl ein ziemlich heftiger Wind wehte; so brachte er die beiden wohlbehalten in unseren Wasserlauf, ließ sie im Boot und rannte davon, um auch das andere Kanu zu holen. Als er an mir vorbeilief, sprach ich ihn an und fragte, wohin er denn renne? Er antwortete: »Laufen mehr Boot holen« und war auf und davon wie der Wind, denn ganz gewiss ist weder ein Pferd noch ein Mensch jemals so schnell gelaufen wie er, und

er hatte das zweite Kanu fast ebenso rasch in den Wasserlauf gebracht, wie ich an Land dorthin gelangte; so setzte er mich über und
ging dann zu unseren neuen Gästen, um ihnen aus dem Boot zu helfen. An Land aber vermochte keiner von beiden zu gehen, so dass
der arme Freitag nicht wusste, was er tun sollte.

Ich überlegte, welchen Ausweg es gab, rief Freitag zu, er solle sie
bitten, sich ans Ufer zu setzen, und zu mir kommen. Ich hatte bald
eine Art Trage angefertigt, auf die wir sie legen konnten, und zusammen trugen Freitag und ich beide damit hinauf; als wir aber an
die Außenseite unseres Walls oder unserer Befestigung kamen, gab
es noch größere Schwierigkeiten als zuvor, denn es war unmöglich,
sie hinüberzuschaffen, und ich war entschlossen, den Wall nicht ein-
zureißen. So machte ich mich denn wieder an die Arbeit, und innerhalb von zwei Stunden errichteten Freitag und ich ein sehr ordentli-
ches Zelt, welches wir mit alten Segeln bedeckten und darüber
Zweige von den Bäumen legten; es stand außerhalb unseres äußeren
Walls, und zwar zwischen diesem und dem Hain von jungen Bäumen, die ich gepflanzt hatte. In dem Zelt machten wir aus dem, was
uns zur Verfügung stand, zwei Betten – wir breiteten Decken über
gutes Reisstroh zum Daraufliegen und versahen jedes Bett mit einer
zweiten Decke zum Zudecken.

Nun war meine Insel bevölkert, und ich kam mir sehr reich an
Untertanen vor; ich stellte oft die spaßige Überlegung an, wie sehr
ich jetzt einem König glich: erstens war das ganze Land mein allei-
niges Eigentum, so dass ich unzweifelhaft ein Recht auf die Herrschaft darüber hatte; zweitens waren meine Leute mir gänzlich ergeben, ich war absoluter Herr und Gesetzgeber, sie verdankten mir
sämtlich ihr Leben und waren bereit, es für mich zu opfern, wenn
sich ein Anlass dazu bot; bemerkenswert war auch, dass, obgleich
ich nur drei Untertanen hatte, alle drei verschiedenen Religionen an-
gehörten. Mein Diener Freitag war Protestant, sein Vater Heide und
Kannibale und der Spanier Papist; ich gestattete in meinem Herr-
schaftsgebiet jedoch Gewissensfreiheit. Dies aber nur nebenbei.

Sobald ich meine beiden schwachen befreiten Gefangenen in Sicherheit gebracht, ihnen ein Dach über dem Kopf und ein Bett zum
Ruhen gegeben hatte, begann ich daran zu denken, Proviant für sie
herbeizuschaffen, und als erstes befahl ich Freitag, aus meiner pri-

vaten Herde eine einjährige Ziege, zwischen Zicklein und ausgewachsener Geiß, zu schlachten; dann schnitt ich das hintere Viertel heraus, zerhackte es in kleine Stücke und ließ es von Freitag kochen und dünsten. Ich machte ihnen, wie ich dem Leser versichere, ein sehr gutes Gericht aus Fleisch und Brühe, in die ich auch Gerste und Reis getan hatte, und weil ich es draußen gekocht hatte (denn innerhalb meines inneren Walls zündete ich kein Feuer an), trug ich alles hinüber in das neue Zelt; nachdem ich dort für sie einen Tisch aufgestellt hatte, setzte ich mich ebenfalls und aß mit ihnen zusammen. Ich ermunterte und ermutigte sie, so gut ich konnte, und Freitag war mein Dolmetscher, besonders gegenüber seinem Vater, aber auch gegenüber dem Spanier, denn der beherrschte die Sprache der Wilden recht gut.

Nachdem wir zu Mittag oder vielmehr zu Abend gegessen hatten, befahl ich Freitag, eines der Kanus zu nehmen und unsere Musketen und andere Feuerwaffen zu holen, die wir aus Zeitmangel auf dem Schlachtfeld zurückgelassen hatten, und am nächsten Tag befahl ich ihm, die Leichen der Wilden zu beerdigen, die in der Sonne lagen und bald widerwärtig sein würden; ich befahl ihm auch, die scheußlichen Überreste ihres barbarischen Festmahls zu begraben, die, wie ich wusste, ziemlich zahlreich waren, was zu tun ich mir selbst nicht zumuten konnte, ja ich konnte nicht einmal ertragen, sie zu sehen, wenn ich dorthin kam. Er erledigte alles pünktlich und beseitigte jede Spur vom Aufenthalt der Wilden, so dass ich, als ich wieder dahin ging, den Ort kaum noch durch etwas anderes erkennen konnte als nur durch die Waldspitze, die auf die Stelle wies.

Danach begann ich ein kleines Gespräch mit meinen beiden neuen Untertanen; als erstes veranlasste ich Freitag, seinen Vater zu fragen, was er vom Entkommen der Wilden im Kanu hielt und ob sie vielleicht in solcher Stärke zurückkämen, dass wir ihnen nicht gewachsen wären? Er glaubte, dass die Wilden im Boot den Sturm in der Nacht, in der sie davonfuhren, keinesfalls überlebt hatten, sondern unweigerlich ertrunken oder südwärts an jene andere Küste getrieben waren, wo sie ebenso gewiss aufgefressen wurden, wie sie bei einem Schiffbruch ertrinken mussten; was sie aber täten, wenn sie unversehrt an Land gelangten, wisse er nicht, sagte er. Seine Meinung sei jedoch, die Art, in der sie überfallen wurden, der Lärm und das Feuer, habe sie so erschreckt, dass er glaube, sie würden ihrem Volk erzählen, alle seien durch Donner und Blitz und nicht durch Menschenhand getötet worden, und die beiden, die erschienen waren (nämlich Freitag und ich), seien zwei himmlische Geister oder Furien gewesen, herabgestiegen, um sie zu vernichten, nicht aber bewaffnete Menschen. Dies wisse er, so sagte er, weil er gehört hatte, wie sie es einander in ihrer Sprache zuriefen, denn es war ihnen unmöglich, zu begreifen, dass ein Mensch Feuer schleudern, Donner sprechen und aus der Entfernung töten könne, ohne die Hand zu heben, so wie es jetzt geschehen war. Und der alte Wilde hatte Recht, denn wie ich seither von anderen erfuhr, unternahmen die Leute aus dieser Gegend danach niemals mehr den Versuch, zur Insel hinüberzufahren. Der Bericht der vier Männer hatte sie so erschreckt (denn sie waren dem Meer anscheinend doch entkommen), dass sie glaubten, alle, die zu der verzauberten Insel hinüberführen, würden von den Göttern durch Feuer vernichtet.

Dies wusste ich jedoch nicht und lebte deshalb lange in ständiger Sorge; ich und meine ganze Armee hielten auch stets die Augen offen, denn da wir jetzt zu viert waren, hätte ich es auf freiem Feld gut und gern jederzeit auch mit hundert Wilden aufgenommen.

Weil aber keine Kanus mehr erschienen, verlor sich die Angst vor ihrem Kommen bald, und ich begann wieder wie vorher an eine Fahrt zum Festland zu denken, da auch Freitags Vater versicherte, ich könne mich darauf verlassen, dass mich sein Volk um seinetwillen gut aufnehmen werde, wenn ich dorthin führe.

Nachdem ich jedoch ein ernsthaftes Gespräch mit dem Spanier geführt hatte, stellte ich meine Pläne ein wenig zurück, denn ich hörte, dass sich dort noch sechzehn seiner Landsleute und Portugiesen befanden, die, nachdem sie Schiffbruch erlitten und sich an diese Küste gerettet hatten, dort zwar in Frieden mit den Wilden lebten, aber große Schwierigkeiten hatten, sich das Notwendige zu beschaffen, sich überhaupt am Leben zu erhalten. Ich fragte ihn nach allen Einzelheiten ihrer Fahrt und erfuhr, dass es ein spanisches Schiff gewesen, welches vom Rio de la Plata nach Havanna gefahren war, mit dem Auftrag, dort seine Ladung zu löschen, die hauptsächlich aus Häuten und Silber bestanden hatte, und dafür an diesem Ort erhältliche europäische Waren zurückzubringen. Fünf portugiesische

Matrosen waren bei ihnen an Bord, die sie aus einem anderen Schiffbruch aufgenommen hatten; fünf von ihren eigenen Leuten ertranken, als das Schiff scheiterte, und die übrigen waren unter unendlichen Nöten und Gefahren entkommen und in fast verhungertem Zustand an die Kannibalenküste gelangt, wo sie jeden Augenblick damit rechneten, aufgefressen zu werden.

Er berichtete mir, dass sie ein paar Waffen bei sich führten, die aber völlig nutzlos waren, da sie kein Pulver und kein Blei hätten, denn durch den Seegang sei ihr ganzes Pulver bis auf einen Rest verdorben, und diesen hätten sie gleich nach ihrer Landung verbraucht, um sich mit Nahrung zu versorgen.

Ich fragte ihn, was wohl seiner Meinung nach dort aus ihnen würde und ob sie keinerlei Plan gemacht hätten, von da loszukommen? Er erwiderte, sie hätten oft darüber beraten, weil sie aber weder über ein Schiff noch über Werkzeug zu dessen Bau noch über irgendwelche Vorräte verfügten, endeten ihre Besprechungen stets in Tränen und Verzweiflung.

Ich fragte ihn, wie sie seiner Ansicht nach einen Vorschlag von mir aufnehmen würden, der vielleicht zu einer Flucht führte, und ob dies von hier aus nicht zu bewerkstelligen sei? Ich erklärte ihm ganz offen, dass ich am meisten fürchtete, sie könnten Verrat an mir üben und mich schlecht behandeln, wenn ich mein Leben in ihre Hand legte, denn die Dankbarkeit sei keine den Menschen angeborene Tugend, und sie richteten sich in ihren Handlungen auch nicht immer so sehr nach ihren Dankesverpflichtungen als vielmehr nach den Vorteilen, die sie sich versprachen.

Ich sagte zu ihm, es wäre sehr hart, wenn ich ihnen zuerst zur Flucht verhülfe und sie mich dann in Neuspanien zu ihrem Gefangenen machten, wo ein Engländer mit Gewissheit dem Untergang geweiht wäre, welche Notwendigkeit oder welcher Zufall ihn auch dorthin verschlagen haben mochte, und dass ich mich lieber den Wilden auslieferte, um bei lebendigem Leibe verschlungen zu werden, als den erbarmungslosen Priestern in die Klauen zu fallen und mich vor die Inquisition schleppen zu lassen. Ich fügte hinzu, andererseits sei ich überzeugt, dass wir, wären alle hier, mit diesen vielen Händen ein Schiff bauen könnten, das groß genug wäre, uns alle davonzutragen, entweder in südliche Richtung nach Brasilien oder in nördliche zu den Inseln oder zur spanischen Küste; wenn sie mich aber zum Entgelt, nachdem ich ihnen Waffen in die Hände gegeben hatte, gewaltsam zu ihren Leuten brächten, würde es mir vielleicht zum Dank für meine ihnen erwiesene Güte schlecht ergehen und ich schlimmer dran sein als zuvor.

Er antwortete mir darauf offenherzig und schlicht, ihre Lage sei so schlimm und sie seien sich dessen so bewusst, dass er glaubte, sie würden jeden Gedanken daran verabscheuen, einen Menschen unfreundlich zu behandeln, der zu ihrer Rettung beitrüge, und wenn ich wollte, würde er mit dem alten Mann zu ihnen hinüberfahren, mit ihnen darüber sprechen und wiederkommen, um mir ihre Antwort zu bringen. Er wolle sie den feierlichen Eid leisten lassen, dass sie die Bedingung annehmen, sich völlig unter meine Führung zu stellen als ihren Befehlshaber und Kapitän; sie sollten auf die heiligen Sakramente und auf das Evangelium schwören, mir die Treue zu wahren, in dasjenige christliche Land zu fahren, das meine Zustimmung fände, und in kein anderes, sowie gänzlich und in allem meinen Befehlen zu folgen, bis wir in dem von mir gewünschten Land sicher angekommen seien; er wolle einen eigenhändig von ihnen unterschriebenen Vertrag dieses Inhalts mitbringen.

Danach erklärte er, zuerst wolle er selbst mir schwören, dass er, solange er lebe, nicht von mir weichen werde, bis ich ihm den Befehl dazu gäbe, und er wolle bis zum letzten Blutstropfen zu mir halten, wenn es unter seinen Landsleuten zur geringsten Treulosigkeit kommen sollte.

Er erzählte mir, es seien alles sehr anständige, ehrliche Leute und sie befänden sich in der denkbar größten Not, weil sie weder Waffen noch Kleidung noch Nahrungsmittel hätten und von der Gnade und dem guten Willen der Wilden abhingen; es gebe für sie keine Hoffnung, jemals in ihre Heimat zurückzukehren, und er wisse, sie würden für mich leben und sterben, wenn ich ihre Rettung unternähme.

Nach diesen Versicherungen wollte ich es wagen, sie, wenn möglich, zu befreien und den alten Wilden mit dem Spanier zu Verhandlungen zu ihnen hinüberzuschicken; als aber alles für die Fahrt bereit war, wandte der Spanier selbst etwas ein, was einerseits soviel Vorsicht und andererseits soviel Ehrlichkeit bewies, dass ich ihm nur zustimmen konnte und auf seinen Rat hin die Befreiung seiner Kameraden um mindestens ein halbes Jahr verschob. Die Sache war die:

Er befand sich nun seit ungefähr einem Monat bei uns; während dieser Zeit hatte ich ihm gezeigt, auf welche Weise ich mit Hilfe der Vorsehung für meinen Lebensunterhalt sorgte, und natürlich sah er, wieviel Vorrat an Korn und Reis ich angelegt hatte; dieser genügte völlig für mich allein, reichte aber nicht, jedenfalls nicht ohne gutes Haushalten, für meine Familie, die nun auf vier Köpfe angewachsen war. Um so weniger würde er ausreichen, wenn seine Landsleute, von denen, wie er sagte, noch vierzehn am Leben waren, herüberkämen, am allerwenigsten aber könnten wir ein Schiff, wenn wir uns eins bauten, mit Proviant für eine Reise nach irgendeiner der christlichen Kolonien von Amerika ausrüsten. Deshalb sagte er zu mir, er hielte es für ratsamer, ihn und die beiden anderen noch mehr Boden umgraben und so viel, wie ich an Saat zu dieser Bestellung erübrigen konnte, anbauen zu lassen; wir sollten also noch eine Ernte abwarten, damit wir für seine Landsleute, wenn sie kämen, einen Vorrat an Korn hätten, denn Nahrungsmittel könnten sie in Versuchung bringen, aufzubegehren oder zu meinen, sie seien nicht befreit worden und hätten nur eine Not gegen die andere eingetauscht. »Ihr wisst ja«, sagte er, »dass die Kinder Israels, obgleich sie zuerst über ihre Befreiung aus Ägypten jubelten, sich gegen Gott selbst, der sie befreit hatte, auflehnten, als es ihnen in der Wüste an Brot mangelte.«

Seine Mahnung war so angebracht und sein Rat so gut, dass ich mit seinem Vorschlag nur ebenso einverstanden sein konnte, wie mich seine Treue befriedigte. Wir machten uns also alle vier ans Umgraben, so gut es die Holzgeräte zuließen, mit denen wir ausgerüstet waren, und nach ungefähr einem Monat, als die Zeit zum Säen gekommen war, hatten wir genügend Land gerodet und bearbeitet, um zweiundzwanzig Scheffel Gerste und sechzehn Maß Reis darauf auszusäen, mit einem Wort, alles Getreide, das wir erübrigen konnten; wir behielten sogar nicht einmal genug für unsere eigene Ernährung während der sechs Monate übrig, die es dauern würde, bis wir unsere Ernte einbringen konnten, das heißt von der Zeit an gerechnet, wo wir unser Saatkorn beiseite legten, denn in jenem Land braucht es keine sechs Monate im Boden zu bleiben.

Da unsere Gesellschaft jetzt groß genug war und unsere Zahl ausreichte, um keine Furcht mehr vor möglicherweise ankommenden Wilden zu haben, es sei denn, es waren allzu viele, durchstreiften wir ungehemmt die ganze Insel, wann immer wir einen Anlass fanden, und da uns hierbei unsere Flucht oder Befreiung beschäftigte, war es uns oder zumindest mir unmöglich, nicht auch an die dazu notwendigen Mittel zu denken. Zu diesem Zweck markierte ich mehrere Bäume, die ich für unser Vorhaben geeignet hielt, und trug Freitag und seinem Vater auf, sie zu fällen; dann veranlasste ich den Spanier, dem ich meine Gedanken über die Sache mitgeteilt hatte, ihre Arbeit zu beaufsichtigen und zu leiten: Ich zeigte ihnen, mit welch unermüdlicher Mühe ich aus einem großen Baum einzelne Planken gehauen hatte, und ließ sie das gleiche tun, bis sie etwa ein Dutzend große Bretter aus gutem Eichenholz angefertigt hatten, die beinahe zwei Fuß breit, fünfunddreißig Fuß lang und zwei bis vier Zoll dick waren; wieviel harte Arbeit das kostete, kann sich wohl jeder ausmalen.

Zur gleichen Zeit überlegte ich mir, wie ich meine kleine Herde zahmer Ziegen möglichst vergrößern konnte; zu diesem Zweck schickte ich an einem Tag Freitag und den Spanier aus und ging am nächsten selbst zusammen mit Freitag hinaus, denn wir wechselten uns ab; auf diese Weise holten wir uns etwa zwanzig Zicklein, um sie wie die übrigen aufzuziehen, und zwar verschonten wir jedes Mal, wenn wir das Muttertier schossen, die Jungen und vergrößerten mit ihnen unsere Herde. Vor allem aber ließ ich, da jetzt die Zeit für das Trocknen der Trauben kam, eine so riesige Menge davon in die Sonne hängen, dass wir wohl, wären wir in Alicante gewesen, wo die Trauben getrocknet werden, sechzig bis achtzig Fässer damit gefüllt hätten; zusammen mit dem Brot bildeten sie einen erheblichen Bestandteil unserer Kost, und davon lebte es sich sehr gut, wie ich dem Leser versichern kann, denn sie sind außerordentlich nahrhaft.

Nun kam die Erntezeit, und unser Getreide stand recht ordentlich; zwar war der Ertrag nicht der reichste, den ich auf der Insel erlebt hatte, aber er genügte für unsere Zwecke, denn aus zweiundzwanzig Scheffel Gerste brachten wir über zweihundertzwanzig Scheffel ein und droschen sie aus; ähnlich war das Verhältnis auch beim Reis – ein Lebensmittelvorrat, der bis zur nächsten Ernte reichte, selbst wenn sich alle sechzehn Spanier bei mir befunden hätten, und wären wir für eine Seefahrt bereit gewesen, dann hätten wir unser Schiff zur Genüge mit Nahrungsmitteln versorgen können, um an irgendeinen Teil der Welt, das heißt Amerikas, zu fahren.

Nachdem wir auf diese Weise unseren Getreidevorrat unter Dach und Fach gebracht hatten, machten wir uns an die Arbeit, noch mehr Körbe zu flechten, und fertigten große Kiepen an, um das Korn darin aufzubewahren; hierbei war der Spanier sehr anstellig und geschickt, und er warf mir oft vor, dass ich nicht auch zur Befestigung derartiges Flechtwerk hergestellt hatte, aber ich sah hierzu keine Notwendigkeit. Und da ich nun für alle zu erwartenden Gäste einen genügend großen Lebensmittelvorrat hatte, erteilte ich dem Spanier die Erlaubnis, zum Festland hinüberzufahren, um zu sehen, was er mit den Leuten, die dort verblieben waren, anfangen konnte. Ich gab ihm schriftlich die strenge Anweisung, keinen Mann mitzubringen, der nicht vorher in seiner und in Gegenwart des alten Wilden geschworen hatte, dass er die Person, die er auf der Insel antreffen würde und die so freundlich gewesen war, nach ihnen zu schicken, um sie zu befreien, in keiner Weise schädigen, bekämpfen oder angreifen werde, sie vielmehr gegen alle derartigen Versuche verteidigen wolle und dass er, wo immer sie auch hinfuhren, gänzlich von seiner Befehlsgewalt abhängig sein und sich ihr unterwerfen werde; dies sollte schriftlich niedergelegt und von ihnen eigenhändig unterschrieben werden. Wie dies zu tun war, wo ich doch wusste, dass sie weder Tinte noch Feder hatten, war eine Frage, die wir gar nicht stellten.

Mit diesen Anweisungen fuhren der Spanier und der alte Wilde (Freitags Vater) in einem der Kanus ab, mit denen sie gekommen oder vielmehr gebracht worden waren, um als Gefangene von den Wilden gefressen zu werden. Ich gab jedem eine Muskete mit einem Luntenschloss und über acht Ladungen Pulver und Blei, wobei ich sie ermahnte, mit beidem sparsam umzugehen und es nur in dringenden Fällen zu benutzen.

Dies war eine freudige Tätigkeit, denn es waren die ersten Maßnahmen, die ich seit nunmehr siebenundzwanzig Jahren und ein paar Tagen zu meiner Befreiung traf. Ich gab ihnen einen Vorrat an Brot und getrockneten Trauben mit, der genügte, sie selbst viele Tage und ihre Landsleute etwa acht Tage lang zu versorgen, ich wünschte ihnen eine gute Reise und ließ sie abfahren, nachdem ich mit ihnen ein Signal verabredet hatte, das sie bei ihrer Rückkehr heraushängen sollten, damit ich sie vor ihrer Landung schon von weitem erkannte.

Sie fuhren bei einer frischen Brise am Tage des Vollmonds ab – nach meiner Berechnung im Monat Oktober; was aber die genaue Bestimmung des Tages betrifft, so konnte ich sie, nachdem ich einmal davon abgekommen war, nie mehr wieder nachholen; ich hatte auch nicht einmal die Jahre so genau festgehalten, dass ich sicher gewesen wäre, mich nicht zu irren, wenn es sich auch beim späteren Überprüfen meiner Berechnung herausstellte, dass ich die Jahre richtig aufgezeichnet hatte.

Ich wartete schon acht Tage auf sie, als ein merkwürdiger, unvorhergesehener Zwischenfall eintrat, wie man ihn in der Geschichte vielleicht noch nie gehört hat. Ich schlief eines Morgens fest in der Hütte, als mein Diener Freitag hereinstürzte und laut rief: »Herr, Herr, sie sind gekommen, sie sind gekommen!«

Ich sprang auf, und ohne Rücksicht auf Gefahr ging ich, sobald ich nur meine Sachen hatte anlegen können, durch meinen kleinen Hain hinaus, der, nebenbei gesagt, inzwischen zu einem sehr dichten Wald herangewachsen war – ohne Rücksicht auf Gefahr ging ich also unbewaffnet hinaus, was sonst nicht in meiner Gewohnheit lag; als ich aber aufs Meer hinausblickte, überraschte es mich, etwa anderthalb Meilen weit draußen ein Boot zu sehen, das auf den Strand zuhielt und ein sogenanntes Gieksegel führte; der Wind wehte recht kräftig und trieb es heran. Gleich darauf beobachtete ich auch, dass es nicht aus der Richtung kam, wo die Festlandsküste lag, sondern vom südlichen Ende der Insel. Darauf rief ich Freitag und hieß ihn sich still verhalten, da dies nicht die Leute wären, nach denen wir Ausschau hielten, und wir noch nicht wüssten, ob es Freund oder Feind sei.

Als nächstes ging ich hinein, um mein Fernglas zu holen, denn ich wollte sehen, was ich über sie feststellen konnte; nachdem ich die Leiter hinausgestellt hatte, stieg ich – wie ich es gewöhnlich tat, wenn irgend etwas meine Besorgnis erregte – zur Hügelspitze empor, um einen besseren Ausblick zu haben, ohne entdeckt zu werden.

Kaum hatte ich meinen Fuß auf den Hügel gesetzt, als ich ganz deutlich ein Schiff erblickte, das etwa zweieinhalb Seemeilen süd-

südöstlich von mir, aber nicht weiter als anderthalb Seemeilen vom Ufer entfernt, vor Anker lag. Meiner Beobachtung nach schien es sich eindeutig um ein englisches Schiff und um ein englisches Beiboot zu handeln.

Ich kann nicht beschreiben, in welcher Verwirrung ich mich befand, trotz der unsagbaren Freude darüber, ein Schiff zu sehen, und noch dazu eins, das, wie ich Grund hatte anzunehmen, mit meinen eigenen Landsleuten, also Freunden bemannt war; dennoch verspürte ich einen geheimen Zweifel – ich weiß nicht, warum –, der mich mahnte, auf der Hut zu sein. Zuerst überlegte ich mir, was wohl ein englisches Schiff hier zu schaffen haben mochte, denn diese Gegend lag abseits der Welthandelswege der Engländer, und ich wusste, dass es keinen Sturm gegeben hatte, der sie in Seenot gebracht und hergetrieben haben könnte, und wenn es tatsächlich Engländer waren, dann befanden sie sich wahrscheinlich zu keinem guten Zweck hier, und es wäre für mich besser, weiterzuleben wie bisher, anstatt Dieben und Mördern in die Hände zu fallen.

Niemand sollte die geheimen Hinweise und Warnzeichen einer Gefahr verachten, die man zuweilen eben dann erhält, wenn man glaubt, sie könnten unmöglich zutreffen. Dass wir solche Hinweise und Warnzeichen erhalten, können wohl nur wenige leugnen, welche die Dinge beobachtet haben; daran, dass sie ganz gewiss Enthüllungen aus einer unsichtbaren Welt und eine Verbindung mit Geistern sind, können wir nicht zweifeln, und wenn sie anscheinend das Ziel haben, uns vor Gefahren zu warnen, weshalb sollen wir dann nicht annehmen, dass sie von irgendeinem freundlichen Wesen kommen (ob es ein höheres, ein niederes oder ein untergeordnetes ist, tut dabei nichts zur Sache) und uns zu unserem Besten erteilt werden!

Der gegenwärtige Fall beweist mir zur Genüge, wie berechtigt solche Überlegungen sind, denn wenn mir diese geheime Eingebung – woher sie auch immer stammen mochte – nicht Vorsicht geboten hätte, dann wäre ich unweigerlich verloren gewesen und hätte mich in einer viel schlimmeren Lage befunden als zuvor, wie der Leser gleich sehen wird.

Ich hatte meine Stellung noch nicht lange eingenommen, da sah ich, wie sich das Boot dem Ufer näherte, als suchten die Insassen nach einer zur Landung geeigneten Bucht, in die sie einfahren konnten; da sie aber nicht weit genug herüberblickten, entging ihnen die kleine Einfahrt, in der ich früher meine Flöße ans Ufer gebracht hatte; so ließen sie ihr Boot in etwa einer halben Meile Entfernung von mir auf den Strand auflaufen, was ein Glück für mich war, denn sonst wären sie sozusagen genau vor meiner Tür gelandet und hätten mich bald aus meiner Burg getrieben und mir vielleicht alles, was ich besaß, geraubt.

Als sie sich am Ufer befanden, überzeugte ich mich davon, dass es Engländer waren, zumindest die meisten von ihnen; einen oder zwei hielt ich für Holländer, was sich aber als Irrtum erwies. Im ganzen waren es elf Männer, von denen drei, wie ich feststellte, keine Waffen hatten und anscheinend Fesseln trugen; als die ersten vier oder fünf an den Strand gesprungen waren, holten sie die drei als Gefangene aus dem Boot. Ich konnte erkennen, wie einer die leidenschaftlichsten Gebärden des Flehens, des Kummers und der Verzweiflung machte, die sogar geradezu übertrieben schienen; die anderen beiden hoben zuweilen die Hände empor, wie ich bemerken konnte, und schienen gleichfalls Angst zu haben, aber nicht in solchem Maße wie der erste.

Ich war von diesem Anblick ganz bestürzt und wusste nicht, was das alles bedeuten sollte; Freitag rief mir auf englisch, so gut er es beherrschte, zu – »O Herr, du sehen englische Männers essen Gefangene ebenso wie wilde Männers!« – »Wieso, Freitag?«, fragte ich. »Glaubst du etwa, sie werden sie essen?« – »Ja«, erwiderte Freitag. »Sie werden sie essen.« – »Nein, nein, Freitag«, erklärte ich, »Ich fürchte zwar, sie werden sie tatsächlich ermorden, aber aufessen werden sie sie nicht.«

Inzwischen war mir noch nicht klargeworden, was eigentlich los war, aber ich stand, zitternd vor Entsetzen, bei dem schrecklichen Anblick da und erwartete jeden Moment, dass die drei Gefangenen getötet würden; ja plötzlich sah ich sogar, wie einer der Schurken den Arm hob und einen großen Stutzsäbel (wie ihn die Seeleute nennen) schwang, um einen der armen Menschen niederzustrecken, und ich erwartete, ihn augenblicklich fallen zu sehen, was mir fast das Blut in den Adern gerinnen ließ.

Ich wünschte jetzt von Herzen, unser Spanier und der Wilde, der mit ihm gefahren war, wären hier oder es gäbe einen Weg, unbemerkt in Schussweite dieser Leute zu gelangen, damit ich die drei Männer retten konnte, denn ich sah bei ihnen keine Feuerwaffen; aber es kam auf andere Weise so, wie ich es wünschte.

Nachdem ich beobachtet hatte, wie empörend die drei Männer von den unverschämten Seeleuten behandelt wurden, sah ich die Kerle sich über die Insel verstreuen, als wollten sie die Gegend besichtigen. Ich beobachtete auch, dass die drei anderen die Freiheit hatten, zu gehen, wohin es ihnen beliebte; sie setzten sich jedoch alle drei sehr nachdenklich auf die Erde und sahen ganz verzweifelt aus.

Dies erinnerte mich daran, wie ich damals an Land gekommen war und begonnen hatte, mich umzusehen – wie ich mich schon für verloren hielt und wild um mich blickte, was für schreckliche Befürchtungen ich hatte und wie ich die ganze Nacht auf dem Baum verbrachte, aus Furcht, von wilden Tieren gefressen zu werden. Ebenso, wie ich in jener Nacht noch nichts von der Hilfe wusste, die mir zuteil werden sollte, weil das Schiff dank der Vorsehung durch die Stürme und den Seegang näher ans Ufer getrieben wurde, wodurch ich mich seitdem so lange Zeit ernähren und versorgen konnte, wussten auch diese drei armen verlassenen Menschen nicht, wie gewiss ihnen Befreiung und Hilfe war, wie nahe sie ihnen bevorstand und dass sie sich tatsächlich in Sicherheit befanden, während sie sich für verloren und ihre Lage für verzweifelt hielten.

So wenig vermögen wir in dieser Welt vorauszuschauen und soviel Ursache haben wir, freudig dem großen Schöpfer der Welt zu vertrauen, dass er seine Geschöpfe nicht völlig der Hilflosigkeit überlässt, sondern dass sie unter den schlimmsten Umständen stets etwas haben, wofür sie dankbar sein müssen, und manchmal der Rettung näher sind, als sie glauben, ja, dass sogar gerade das Mittel zu ihrer Rettung beiträgt, das zu ihrem Untergang zu führen schien.

Die Flut hatte eben ihren höchsten Stand erreicht, als diese Leute an Land gekommen waren, und während sie dastanden und mit den mitgeführten Gefangenen verhandelten, während sie umherstreiften, um zu sehen, an was für einem Ort sie sich befanden, waren sie sorgloserweise so lange geblieben, bis die Flut vorüber und das Wasser beträchtlich gefallen war, so dass ihr Boot auf dem Trocknen saß.

Sie hatten zwei Mann darin zurückgelassen, die, wie ich später feststellte, ein bisschen zuviel Branntwein getrunken hatten und eingeschlafen waren; einer davon erwachte jedoch früher als der andere, und da er sah, dass das Boot allzu fest saß und er es nicht allein zu bewegen vermochte, rief er nach den übrigen, die umherstreiften; darauf kamen bald alle zum Boot, aber ihre vereinte Kraft genügte nicht, um es flottzumachen, denn es war sehr schwer, und der Strand bestand auf dieser Seite aus weichem, schlickerigem Sand – fast wie Treibsand.

Als alte Seeleute – die vielleicht am wenigsten von allen Menschen zur Vorausschau neigen – gaben sie es unter diesen Umständen auf und streiften weiter umher; ich hörte, wie einer von ihnen laut zu einem anderen sagte (indem er ihn vom Boot fortrief: »Ach was, lass es doch liegen, Jack! Warum auch nicht. Mit der nächsten Flut wird es wieder flott!« Wodurch ich in der Hauptfrage, was für Landsleute es waren, völlige Gewissheit erhielt.

All dies geschah, während ich mich still verhielt und nicht wagte, auch nur einmal weiter hinaus aus meiner Burg zu gehen als bis zu meinem Beobachtungsposten in der Nähe der Hügelspitze; ich war recht froh bei dem Gedanken, wie gut meine Behausung befestigt war. Ich wusste, dass es nicht weniger als zehn Stunden dauern würde, bis das Boot wieder flott wäre, und dann wäre es dunkel, und ich hätte größere Bewegungsfreiheit, um ihre Schritte zu beobachten und ihren Gesprächen zuzuhören, falls sie welche führten.

Inzwischen rüstete ich wieder zu einer Schlacht, diesmal aber mit größerer Sorgfalt, denn ich wusste ja, dass ich es mit einer anderen Art von Feinden zu tun hatte als vorher. Ich befahl also Freitag, aus dem ich einen ausgezeichneten Flintenschützen gemacht hatte, sich mit Waffen zu beladen; ich selbst nahm zwei Vogelflinten und gab ihm drei Musketen. Meine Erscheinung war wirklich sehr grimmig: Ich trug meinen schrecklichen Rock aus Ziegenfell mitsamt der schon erwähnten hohen Kappe, einen Säbel ohne Scheide und zwei Pistolen im Gürtel sowie auf jeder Schulter eine Flinte.

Bis es dunkelte, wollte ich also nichts wagen; gegen zwei Uhr aber, in der Mittagshitze, stellte ich fest, dass sich alle in den Wäldern verstreut und, wie ich annahm, zum Schlafen niedergelegt hatten. Die drei armen verängstigten Leute, die über ihre Lage zu besorgt waren, um schlafen zu können, hatten sich jedoch in den Schatten eines großen Baumes gesetzt, der etwa eine Viertelmeile von mir entfernt stand und wo die anderen sie vermutlich nicht sehen konnten.

Daraufhin beschloss ich, mich ihnen zu zeigen und etwas über ihre Lage in Erfahrung zu bringen. Sogleich marschierte ich in dem oben beschriebenen Aufzug los, mein Diener Freitag in einiger Entfernung hinter mir, ebenso schreckenerregend bewaffnet, aber von nicht ganz so verblüffend gespensterhaftem Aussehen wie ich.

Ich näherte mich ihnen unbemerkt, so weit ich konnte, und dann, bevor mich einer von ihnen sah, rief ich laut auf Spanisch: »Wer seid Ihr, meine Herren?«

Beim Klang meiner Stimme fuhren sie zusammen, waren aber noch zehnmal bestürzter, als sie mich erblickten und meine seltsame Erscheinung wahrnahmen. Sie antworteten nicht, und es schien, dass sie sich anschickten, vor mir zu fliehen; da sprach ich sie auf Englisch an. »Gentlemen«, sagte ich, »erschreckt nicht über mich, vielleicht habt Ihr hier einen Freund, in einem Augenblick, wo Ihr es nicht erwartet habt.« – »Dann muss ihn der Himmel geradenwegs hergesandt haben«, antwortete mir einer von ihnen sehr ernst und nahm dabei den Hut ab, »denn unsere Lage ist so schlimm, dass menschliche Hilfe nicht mehr ausreicht.« – »Jede Hilfe kommt vom Himmel, Sir«, sagte ich, »aber würdet Ihr wohl einem Fremden mitteilen, wie man Euch helfen kann! Ihr scheint mir in großer Not zu sein; ich habe Euch landen sehen, und als Ihr, wie es schien, die brutalen Kerle, die mit Euch gekommen sind, anflehtet, sah ich, wie einer den Degen hob, um Euch zu töten.«

Tränen strömten dem einen über das Gesicht, er zitterte und erwiderte voller Staunen: »Spreche ich mit Gott oder mit einem Menschen? Ist es ein wirklicher Mensch oder ein Engel?«

»Habt deshalb keine Furcht, Sir«, antwortete ich, »wenn Gott zu Eurer Rettung einen Engel geschickt hätte, dann wäre er besser gekleidet und anders bewaffnet gekommen, als Ihr mich hier seht. Ich bitte Euch, lasst Eure Furcht beiseite: Ich bin ein Mensch, ein Engländer, und bereit, Euch zu helfen; Ihr seht ja, dass ich nur einen Diener habe; wir verfügen über Waffen und Munition – sagt uns freiheraus: Können wir Euch nützlich sein? Wie liegt Euer Fall?«

»Euch meinen Fall zu erklären dauerte zu lange, während unsere Mörder so in der Nähe sind; aber, um es kurz zu sagen, Sir, ich war

Kapitän jenes Schiffes dort; meine Leute haben gegen mich gemeutert und sich mit knapper Not davon abhalten lassen, mich zu ermorden, schließlich haben sie mich an diesem verlassenen Ort an Land gesetzt, zusammen mit den beiden Leuten hier, meinem Maat und einem Passagier; wir erwarteten, umkommen zu müssen, denn wir glaubten, der Ort sei unbewohnt, und wissen noch nicht, was wir von ihm halten sollen.«

»Wo sind denn diese brutalen Kerle, Eure Feinde«, fragte ich, »wisst Ihr, wohin sie gegangen sind?«

»Sie sind dort, Sir«, antwortete er und deutete auf ein Dickicht, »mein Herz zittert vor Furcht, dass sie uns vielleicht gesehen und Euch sprechen gehört haben, denn in diesem Fall werden sie uns ganz gewiss alle umbringen.«

»Haben sie Feuerwaffen?«, fragte ich.

Er antwortete: »Sie haben nur zwei Flinten, und eine ist noch im Boot.«

»Also«, sagte ich, »dann überlasst das übrige nur mir; ich sehe, sie schlafen, es ist nicht schwer, sie alle zu töten, oder sollen wir sie lieber gefangennehmen?«

Er erzählte mir, es seien zwei hoffnungslose Schurken darunter, und ihnen Gnade zu zeigen sei gefährlich; er glaube aber, wenn man sie unschädlich machte, dann würden sich die anderen auf ihre Pflicht besinnen. Ich erkundigte mich, welche beiden das seien? Er sagte, auf diese Entfernung hin könne er sie nicht beschreiben, er wolle jedoch meinen Befehlen in allem gehorchen.

»Also gut«, erwiderte ich, »dann lasst uns aus ihrer Seh- und Hörweite gehen, für den Fall, dass sie aufwachen, und wir werden das Weitere beschließen.« So gingen sie denn bereitwillig mit mir zurück, bis uns der Wald vor den Blicken der anderen verbarg.

»Hört, Sir«, sagte ich, »wenn ich Eure Befreiung wagte, wäret Ihr dann bereit, auf zwei Bedingungen einzugehen?«

Er kam meinen Vorschlägen zuvor und erklärte, er wie auch sein Schiff sollten, wenn er es zurückgewänne, in allem ganz und gar unter meiner Führung und meinem Kommando stehen; wenn er das Schiff nicht zurückgewänne, dann wolle er in jedem Teil der Welt, wohin ich ihn auch immer schicken mochte, mit mir zusammen leben und sterben; die beiden anderen Männer erklärten das gleiche.

»Gut«, sagte ich, »ich habe nur zwei Bedingungen: Erstens, dass Ihr, solange Ihr hier bei mir auf der Insel seid, keinen Anspruch auf eine Befehlsgewalt erhebt; und wenn ich Euch Waffen in die Hände gebe, dann müsst Ihr sie mir jederzeit wieder aushändigen; Ihr dürft mir oder meinen Leuten hier auf der Insel keinen Schaden zufügen und müsst Euch währenddessen an meine Befehle halten. Zweitens, dass Ihr mich und meinen Diener, wenn das Schiff zurückgewonnen ist, unentgeltlich nach England bringt.«

Er gab mir alle Versicherungen, welche die Erfindungskraft und Ergebenheit eines Menschen nur hervorbringen können, dass er diese beiden äußerst vernünftigen Bedingungen erfüllen wolle; außerdem werde er mir sein Leben verdanken und dies von nun an bei jeder Gelegenheit bezeugen.

»Also gut«, erwiderte ich, »hier habt Ihr drei Musketen mit Pulver und Blei; sagt mir, was Ihr als nächstes zu tun für richtig haltet.« – Er zeigte mir auf jede nur mögliche Weise seine Dankbarkeit, schlug aber vor, mir gänzlich die Führung zu überlassen. Ich erklärte, dass es auf alle Fälle ein gewagtes Unternehmen sei, aber die beste Methode schiene mir, unverzüglich auf sie zu schießen, solange sie dalagen, und wenn einige von der ersten Salve nicht getötet würden und sich ergeben wollten, könnten wir sie ja verschonen und es so gänzlich Gottes Vorsehung überlassen, die Schüsse zu lenken.

Er sagte sehr bescheiden, es widerstrebe ihm, sie zu töten, wenn er es vermeiden könne; diese beiden aber seien unverbesserliche Schufte und die Urheber der ganzen Meuterei auf dem Schiff. Wenn sie entkämen, seien wir auf jeden Fall verloren, denn sie würden an Bord gehen und die ganze Schiffsmannschaft herbeiholen, um uns alle umzubringen.

»Also dann«, erwiderte ich, »rechtfertigt die Notwendigkeit meinen Rat, denn es ist der einzige Weg, unser Leben zu retten.« Da ich aber sah, dass er noch immer zögerte, Blut zu vergießen, erklärte ich, sie sollten selbst zu ihnen gehen und nach eigenem Gutdünken handeln.

Mitten in unserem Gespräch hörten wir, dass einige von ihnen erwacht waren, und kurz darauf sahen wir zwei herumlaufen. Ich fragte ihn, ob einer davon zu den Männern gehörte, die, wie er erklärt hatte, an der Spitze der Meuterei standen? »Nein«, sagte er.

»Also dann könnt Ihr sie entkommen lassen«, sagte ich, »und die Vorsehung scheint sie absichtlich geweckt zu haben, damit sie sich retten. Aber wenn Euch jetzt die übrigen entwischen«, fuhr ich fort, »dann ist es Eure Schuld!«

Hiervon aufgemuntert, nahm er die Muskete auf, die ich ihm gegeben hatte, und steckte sich eine Pistole in den Gürtel; seine beiden Kameraden taten das gleiche, und jeder von ihnen hielt ein Gewehr in der Hand. Die beiden, die vor ihm hergingen, verursachten ein Geräusch, worauf einer der Seeleute, die erwacht waren, sich umdrehte und nach den anderen rief, als er sie kommen sah; aber da war es schon zu spät, denn in dem Augenblick, wo er zu rufen begann, schossen sie, ich meine die beiden Begleiter, denn der Kapitän sparte seinen Schuss klugerweise auf. Sie hatten so gut auf die Männer, die sie kannten, gezielt, dass einer von ihnen auf der Stelle getötet und der andere schwer verwundet wurde; da er aber nicht tot war, stand er auf und rief die anderen nachdrücklich zu Hilfe; der Kapitän trat jedoch zu ihm und sagte, es sei zu spät, um nach Hilfe zu schreien, er solle lieber Gott anrufen, damit er ihm seine Schurkerei vergebe, und mit diesen Worten schlug er ihn mit dem Musketenkolben nieder, so dass er kein Wort mehr von sich gab. Jetzt blieben noch drei übrig, und einer davon war ebenfalls leicht verwundet. Inzwischen war ich herangekommen, und als sie sahen, in welcher Gefahr sie sich befanden und dass jeder Widerstand nutzlos war, flehten sie um Gnade. Der Kapitän erklärte ihnen, er wolle sie verschonen, wenn sie ihm versichern könnten, dass sie den Verrat bereuten, dessen sie sich schuldig gemacht hatten, und schwören wollten, sich ihm treu zu erweisen, sowohl bei der Wiedereinnahme des Schiffs als auch danach auf der Rückfahrt nach Jamaika, ihrem Ausgangsort. Sie versicherten ihm ihre Aufrichtigkeit, sosehr man es nur wünschen konnte, und er war bereit, ihnen zu glauben und ihr Leben zu schonen, wogegen ich nichts einzuwenden hatte; ich verpflichtete ihn nur, sie an Händen und Füßen gebunden zu halten, solange sie auf der Insel waren.

Während dies geschah, schickte ich Freitag und den Maat des Kapitäns zum Boot, mit dem Befehl, es sicherzustellen und die Riemen sowie das Segel mitzubringen, was sie auch taten; einer nach dem anderen kehrten auf die Flintenschüsse hin drei Männer zurück, die umhergestreift waren und sich (zu ihrem Glück) von den übrigen getrennt hatten; als sie ihren Kapitän, der zuvor ihr Gefangener gewesen war, jetzt als Sieger vor sich sahen, erklärten sie sich bereit, sich ebenfalls fesseln zu lassen, und so war unser Sieg vollständig.

Jetzt mussten der Kapitän und ich einander nur noch in unsere Lebensumstände einweihen. Ich fing an, ihm meine ganze Geschichte zu erzählen, die er aufmerksam und voller Staunen anhörte, besonders den Bericht über meine wunderbare Versorgung mit Vorräten und Munition, und da ja tatsächlich meine ganze Geschichte eine Kette von Wundern ist, war er tief bewegt; als er aber daraus für sich selbst schloss, dass Gott mich anscheinend eigens zu dem Zweck, ihm das Leben zu retten, erhalten hatte, liefen ihm die Tränen über das Gesicht, und er vermochte nicht ein Wort mehr zu sagen.

Nach diesen Mitteilungen brachte ich ihn und seine beiden Leute in meine Wohnung und führte sie genauso hinein, wie ich herausgekommen war, nämlich durch das Dach des Hauses; drinnen stärkte ich sie mit meinen Vorräten, so gut sie zur Verfügung standen, und zeigte ihnen alle Vorrichtungen, die ich während meines langen, langen Aufenthaltes an diesem Ort angefertigt hatte.

Alles, was ich ihnen zeigte und erzählte, versetzte sie in großes Staunen; am meisten aber bewunderte der Kapitän meine Befestigung und die vollendete Weise, in der ich meinen Zufluchtsort durch einen Hain verborgen hatte, der, da er vor nun fast zwanzig Jahren gepflanzt war und die Bäume viel schneller wuchsen als in England, zu einem kleinen, undurchdringlich dichten Wald geworden war; nur auf einer Seite hatte ich einen schmalen gewundenen Pfad gelassen, der ins Innere führte. Dies, so sagte ich ihm, sei meine Burg und Residenz, ich hätte aber auch noch einen Landsitz wie die meisten Fürsten, auf den ich mich gelegentlich zurückziehen konnte; diesen wolle ich ihm ein andermal zeigen, augenblicklich aber sollten wir darüber nachdenken, wie wir das Schiff wieder einnehmen könnten. Hierin stimmte er mir zu, sagte aber, er habe keine Ahnung, welche Maßnahmen dafür angebracht wären, denn an Bord befänden sich noch sechsundzwanzig Leute, die, weil sie sich einmal in eine solche verfluchte Verschwörung eingelassen und dadurch dem Gesetz nach alle ihr Leben verwirkt hatten, sich jetzt aus Verzweiflung darin verhärten und weitermachen würden, denn sie wüssten, wenn man sie

266

erst einmal unterworfen habe, kämen sie an den Galgen, sobald sie nach England oder in irgendeine der englischen Kolonien gelangten; darum sei es undurchführbar, sie mit einer so kleinen Anzahl, wie wir es waren, anzugreifen.

Eine Zeitlang ließ ich mir das, was er gesagt hatte, durch den Kopf gehen und fand, es sei eine sehr vernünftige Schlussfolgerung; deshalb musste rasch eine Entscheidung getroffen werden, sowohl um die Leute an Bord überraschend in irgendeine Falle zu locken, als auch um zu verhindern, dass sie uns hier an Land auf den Hals kämen und uns vernichteten. Darauf fiel mir bald ein, dass sich die Schiffsmannschaft binnen kurzem die Frage stellen musste, was denn aus ihren Kameraden und aus dem Boot geworden sei, und ganz gewiss mit ihrem anderen Boot an Land käme, um nach ihnen zu suchen; dann wären diese Leute vielleicht bewaffnet und zu stark für uns. Er gab zu, dass dies logisch sei.

Nun sagte ich zu ihm, als erstes müssten wir das Boot, das am Strand lag, leck schlagen, damit sie es nicht fortbringen könnten; wir müssten alles herausnehmen und es seeuntüchtig machen, dass es nicht mehr schwimmen konnte. Wir gingen also an Bord, nahmen die Waffen, die noch im Boot lagen, heraus und auch alles übrige, was wir darin fanden – nämlich eine Flasche mit Branntwein, eine zweite mit Rum, ein paar Stückchen Zwieback, ein Pulverhorn und einen großen in Segeltuch eingewickelten Klumpen Zucker, der fünf oder sechs Pfund wog; alles das war mir sehr willkommen, besonders der Branntwein und der Zucker, denn ich hatte schon seit vielen Jahren keinen mehr.

Als wir all das an Land getragen hatten (Riemen, Mast, Segel und Steuerruder des Boots hatten wir, wie schon gesagt, vorher herausholen lassen), schlugen wir ein großes Loch in den Bootsboden, so dass sie, wenn sie in genügender Anzahl kämen, um uns zu überwältigen, doch das Boot nicht fortbringen konnten. Ich machte mir tatsächlich keine Gedanken darüber, dass wir in der Lage sein könnten, das Schiff wiedereinzunehmen; meine Vorstellung war vielmehr, dass ich das Boot, wenn sie es hierließen, zweifellos wieder genügend instand zu setzen vermöchte, damit es uns zu den Inseln unter dem Winde tragen und ich unterwegs unsere Freunde, die Spanier, aufsuchen könnte, an die ich auch weiterhin dachte.

Nachdem wir auf diese Art unsere Pläne geschmiedet und zunächst mit unserer ganzen Körperkraft das Boot so hoch auf den Strand hinaufgezogen hatten, dass die Flut es auch bei ihrem höchsten Stand nicht davonschwemmen würde, und außerdem noch ein Loch in den Boden gestoßen hatten, das zu groß war, um sich schnell wieder flicken zu lassen, setzten wir uns wieder hin, um darüber nachzudenken, was wir tun sollten; da hörten wir, wie vom Schiff aus eine Kanone abgefeuert wurde, und sahen, wie die Leute dort mit der Flagge signalisierten, unser Boot solle an Bord des Schiffes zurückkommen, dies aber rührte sich nicht vom Fleck, und sie gaben noch mehr Schüsse ab und signalisierten weiter für das Boot.

Als sich schließlich alle ihre Signale und Schüsse als aussichtslos erwiesen hatten und sie feststellten, dass sich das Boot nicht von der Stelle bewegte, sahen wir (mit Hilfe unserer Ferngläser), wie sie ein zweites Boot zu Wasser ließen und auf den Strand zuruderten; als sie näher kamen, stellten wir fest, dass nicht weniger als zehn Mann darin saßen und diese Feuerwaffen trugen.

Da das Schiff fast zwei Meilen weit vom Strand entfernt war, konnten wir sie beim Herausrudern gut sehen und die Männer – sogar ihre Gesichter – deutlich unterscheiden; da nämlich die Flut sie vom anderen Boot in östlicher Richtung abgetrieben hatte, ruderten sie am Strand entlang, um an die Stelle zu gelangen, wo die vorigen gelandet waren und wo das Boot lag.

Auf diese Weise sahen wir sie also ganz genau, und der Kapitän konnte Person und Charakter aller Bootsinsassen beschreiben; er sagte, es seien drei sehr ehrliche Burschen darunter, bei denen er sicher sei, dass die anderen sie nur in die Verschwörung hineingezogen hätten, indem sie sie übermannten und bedrohten; was aber den Bootsmann, anscheinend der kommandierende Offizier unter ihnen, und alle übrigen betreffe, so gehörten sie zu den Skrupellosesten unter der Schiffsmannschaft, und ohne Frage habe sie ihr neues Unternehmen zum Äußersten getrieben. Er hatte entsetzliche Furcht, sie würden sich als zu stark für uns erweisen.

Ich lächelte ihn an und sagte, Leute in unserer Lage müssten über alle Furcht erhaben sein, denn da fast jeder nur mögliche Zustand besser sei als der, in dem wir uns befanden, stehe zu erwarten, dass das Ergebnis, sei es nun Tod oder Leben, ganz gewiss eine Befreiung für uns bedeute. Ich fragte ihn, was er denn von meinen Lebensumständen halte und ob eine Befreiung daraus etwa nicht ein Wagnis lohne? »Und wo bleibt denn Euer Euch noch vor kurzem so stärkender Glaube, Sir, dass ich hier eigens dafür erhalten wurde, um Euer Leben zu retten?«, fragte ich. «Was mich betrifft«, sagte ich, »so scheint mir an der ganzen Sache nur eins nicht in Ordnung zu sein.« – »Und das wäre?«, fragte er.

»Also folgendes«, antwortete ich, »wie Ihr sagt, befinden sich unter ihnen drei oder vier ehrliche Kerle, die wir verschonen sollten; hätten alle zum schlechten Teil der Mannschaft gehört, dann wäre ich der Meinung gewesen, Gottes Vorsehung habe sie ausgesondert, um sie Euch in die Hand zu geben, denn, verlasst Euch darauf jeder einzelne von ihnen, der hier an Land geht, ist uns ausgeliefert und wird leben oder sterben, je nachdem wie er sich uns gegenüber verhält.«

Da ich dies mit erhobener Stimme und heiterem Gesicht sagte, munterte es ihn sehr auf, wie ich merkte, und so machten wir uns entschlossen ans Werk. Bei den ersten Anzeichen, dass ein Boot vom Schiff herüberkam, dachten wir daran, unsere Gefangenen voneinander zu trennen, und brachten sie auch sicher unter.

Zwei von ihnen, deren der Kapitän weniger sicher war als der anderen, hatte ich mit Freitag und einem der drei befreiten Männer zu meiner Höhle geschickt, wo sie weit genug fort waren und keine Gefahr bestand, dass man sie hören oder entdecken könnte oder dass sie den Weg aus den Wäldern finden würden, falls es ihnen gelang, sich selbst zu befreien; hier ließen sie sie gefesselt, gaben ihnen Essen und versprachen, ihnen in einem oder zwei Tagen die Freiheit zu schenken, wenn sie sich auch weiterhin ruhig verhielten; sollten sie aber zu fliehen versuchen, dann fänden sie ohne jede Gnade den Tod. Die Männer versprachen aufrichtig, ihre Gefangenschaft mit Geduld zu ertragen, und waren dankbar dafür, dass man sie so gut behandelte und ihnen Lebensmittel und Beleuchtung daließ, denn Freitag gab ihnen zu ihrer Behaglichkeit Kerzen (die wir selbst hergestellt hatten), und sie glaubten, er halte am Eingang Wache.

Die anderen Gefangenen wurden besser behandelt; zwei davon hielten wir freilich ebenfalls gefesselt, weil ihnen der Kapitän nicht trauen konnte, die übrigen beiden aber nahm ich auf dessen Empfehlung in meine Dienste, nachdem sie sich feierlich verpflichtet hatten, mit uns leben und sterben zu wollen; so waren wir zusammen mit ihnen und den drei ehrlichen Männern sieben gut bewaffnete Leute, und ich zweifelte nicht daran, dass wir durchaus mit den zehn Ankommenden fertig würden, vor allem, weil der Kapitän gesagt hatte, auch unter ihnen befänden sich drei oder vier ehrliche Leute.

Sobald sie an die Stelle kamen, wo das andere Boot lag, ließen sie ihres auf den Strand auflaufen, stiegen alle an Land und zogen das Boot hinter sich herauf, was ich mit Freuden beobachtete; ich hatte schon gefürchtet, sie würden es in einiger Entfernung vom Ufer vor Anker legen und ein paar Leute zur Bewachung darin lassen, so dass wir uns seiner nicht hätten bemächtigen können.

Nach der Landung liefen sie als erstes alle zum anderen Boot, und es war offensichtlich, wie überrascht sie waren, als sie es, wie oben beschrieben, von allem entblößt und mit einem großen Leck im Boden vorfanden.

Nachdem sie sich hierüber eine Weile den Kopf zerbrochen hatten, riefen sie zwei-, dreimal sehr laut und grölten aus vollem Halse, um sich ihren Kameraden vernehmlich zu machen, aber umsonst; dann versammelten sich alle im Kreis und gaben aus ihren Pistolen eine Salve ab, die wir allerdings vernahmen und deren Echo in den Wäldern widerhallte; aber es nützte nichts – die Leute in der Höhle konnten es keinesfalls hören, und die in unserer Hütte hörten es zwar recht gut, wagten aber nicht, ihnen zu antworten.

Über diese unerwartete Tatsache waren sie so überrascht, dass sie, wie sie uns später erzählten, beschlossen, alle wieder an Bord des Schiffes zu gehen und dort zu berichten, die Leute seien sämtlich ermordet und das Beiboot zerschlagen worden; sie machten also ihr Boot unverzüglich wieder flott und stiegen alle ein.

Das versetzte nun den Kapitän in großes Erstaunen und sogar in Bestürzung, denn er glaubte, sie würden wieder an Bord gehen, die Segel hissen und ihre Kameraden aufgeben, so dass er nun doch das Schiff verlöre, von dem er gehofft hatte, er werde es zurückerlangen; bald aber fürchtete er ebensosehr das Gegenteil.

Sie waren mit ihrem Boot noch nicht lange in See gestochen, da sahen wir, dass alle wieder an Land kamen, diesmal aber trafen sie eine neue Maßnahme, die sie anscheinend beschlossen hatten; sie ließen drei Mann im Boot, während die übrigen an Land und ins Innere der Insel gingen, um zu versuchen, ihre Gefährten zu finden.

Das war eine große Enttäuschung für uns, denn wir wussten nicht, was wir nun tun sollten; nahmen wir die sieben Mann an Land gefangen und ließen das Boot entkommen, dann hätten wir nichts gewonnen, denn die Leute darin würden zum Schiff rudern und die übrigen daraufhin ganz gewiss den Anker lichten und die Segel setzen; mit unserem Vorhaben, das Schiff zurückzugewinnen, wäre es dann vorbei.

Wir konnten nur noch abwarten, welcher Ausweg sich bot. Die sieben Leute kamen an Land, und die drei, die im Boot blieben, ruderten ein beträchtliches Stück vom Ufer weg und gingen dort vor Anker, um auf die anderen zu warten; so war es uns unmöglich, im Boot an sie zu gelangen.

Diejenigen, die an Land kamen, blieben dicht beisammen und stiegen zum Gipfel des kleinen Hügels empor, unter dem meine Wohnung lag; obgleich sie uns nicht erkennen konnten, sahen wir sie deutlich. Wir wären sehr froh gewesen, wenn sie sich uns entweder bis auf Schussweite genähert hätten oder wenn sie weiter fortgegangen wären, damit wir aus unserem Versteck hätten herauskommen können.

Als sie jedoch die Spitze des Hügels erreichten, von der aus sie das Tal und die sich nach Norden hin erstreckenden Wälder, wo sich der niedrigste Teil der Insel befand, weithin zu überblicken vermochten, riefen und grölten sie, bis sie müde waren; und da ihnen anscheinend nicht viel daran lag, sich weit vom Strand noch voneinander fortzuwagen, setzten sie sich gemeinsam unter einen Baum, um zu beraten. Hätten sie es für empfehlenswert gehalten, sich dort schlafen zu legen wie die andere Gruppe ihrer Leute, dann hätten sie uns die Arbeit abgenommen; sie argwöhnten aber zu sehr eine Gefahr, um zu wagen, sich dem Schlaf hinzugeben, obwohl sie nicht hätten sagen können, worin sie bestand.

Der Kapitän machte mir, was diese Beratung betrifft, einen sehr richtigen Vorschlag: wenn vielleicht alle gemeinsam noch eine Salve abschießen würden, damit ihre Gefährten sie hörten, sollten wir uns genau in dem Augenblick auf sie stürzen, wo sie ihre Flinten entladen hätten; dann müssten sie sich gewiss ergeben, und wir hätten sie ohne jedes Blutvergießen. Der Vorschlag gefiel mir, vorausgesetzt, wir führten ihn dann aus, wenn wir uns ihnen so weit genähert hätten, dass sie ihre Flinten nicht wieder laden konnten.

Nichts dergleichen geschah jedoch, und wir lagen lange still da, ohne uns zu irgendeiner Tat entschließen zu können. Endlich erklärte ich, meiner Meinung nach sei bis zum Einbruch der Nacht kaum etwas zu machen; falls sie bis dahin nicht ins Boot zurückgekehrt waren, könnten wir vielleicht einen Weg finden, zwischen sie und den Strand zu gelangen und die Leute im Boot durch eine List an Land zu bekommen.

Wir hatten schon sehr lange gewartet, obgleich wir ungeduldig ihren Aufbruch herbeiwünschten und stark beunruhigt waren, als wir sie endlich nach ausgedehnten Beratungen alle aufstehen und zum Meer hinuntermarschieren sahen; anscheinend plagte sie eine so furchtbare Angst vor der Gefährlichkeit des Orts, dass sie beschlossen hatten, wieder an Bord zu gehen, ihre Kameraden verloren zu geben und ihre Fahrt mit dem Schiff plangemäß fortzusetzen.

Sobald ich sah, dass sie zum Strand hinuntergingen, dachte ich mir, wie es auch tatsächlich der Fall war, dass sie ihre Suche aufgeben und zurückkehren wollten; als ich dem Kapitän diese Gedanken mitgeteilt hatte, wäre er vor Schreck darüber fast umgefallen; so überlegte ich mir rasch eine List, wie sie zurückzuholen seien, und deren Ergebnis entsprach auch genau meiner Absicht.

Ich befahl Freitag und dem Steuermann des Kapitäns, westwärts über den Wasserlauf zu der Stelle zu gehen, wo die Wilden an Land gekommen waren, als ich Freitag rettete, und ich hieß sie, sobald sie zu einem etwa eine halbe Meile weiter liegenden Abhang gelangten, so laut sie konnten, zu rufen und dort zu warten, bis sie feststellten, dass die Seeleute sie gehört hatten; sobald sie aber eine Antwort der Matrosen hörten, sollten sie sie erwidern und einen Bogen schlagen, sich dabei versteckt halten und immer, wenn die anderen riefen, darauf antworten, um sie so weit wie möglich ins Innere der Insel und in den Wald hineinzulocken; zuletzt sollten sie – auf Wegen, die ich ihnen bezeichnete – zu mir umschwenken.

Die Männer wollten eben das Boot besteigen, als Freitag und der Maat ›Hallo!‹ riefen; sie hörten sie sogleich, antworteten und rannten den Strand entlang nach Westen, auf die Stimme zu, die sie hörten, bis sie von dem Wasserlauf aufgehalten wurden, über den sie, weil Flut war, nicht gelangen konnten; genau wie ich erwartet hatte, riefen sie nach dem Boot, um sich übersetzen zu lassen.

Als sie drüben waren, beobachtete ich, dass das Boot ziemlich weit den Wasserlauf hinaufgefahren war, und da es dort wie in einem Binnenhafen lag, nahmen sie daraus noch einen der drei Männer mit auf ihren Weg und ließen nur zwei in dem Fahrzeug zurück, nachdem sie es am Stumpf eines kleinen Baumes neben dem Ufer festgemacht hatten.

Gerade das hatte ich gewünscht, ich überließ Freitag und den Steuermann des Kapitäns ihrer Aufgabe und nahm die übrigen mit; wir überquerten den Wasserlauf, ohne dass die beiden Leute uns sehen konnten, und überfielen sie, bevor sie wussten, was ihnen geschah, denn der eine lag am Ufer, und der andere hielt sich im Boot auf. Der Bursche am Ufer dämmerte im Halbschlaf vor sich hin; als er aufspringen wollte, rannte der Kapitän, der vorn war, auf ihn zu, schlug ihn nieder und rief dann dem anderen im Boot zu, er solle sich ergeben, sonst sei er des Todes.

Nur wenige Argumente waren nötig, um einen einzelnen Mann davon zu überzeugen, dass er sich ergeben musste, wo er sich fünf Mann gegenüber sah und seinen Kameraden zu Boden geschlagen wusste; außerdem war dies anscheinend einer der drei, die sich der Meuterei nicht so bereitwillig wie die übrige Mannschaft angeschlossen hatten; er ließ sich deshalb leicht überzeugen und unterwarf sich uns nicht nur, sondern ging auch aufrichtigen Herzens auf unsere Seite über.

Inzwischen machten Freitag und der Steuermann des Kapitäns ihre Sache mit den anderen so gut, dass sie sie, rufend und antwortend, bis zu deren völliger Erschöpfung von Hügel zu Hügel und von Wald zu Wald lockten und sie zuletzt die Gewissheit hatten, dass die Männer vor Einbruch der Dunkelheit nicht zum Boot zurückgelangen konnten; sie selbst waren ebenfalls rechtschaffen müde, als sie schließlich wieder zu uns kamen.

Wir konnten nichts weiter tun, als im Dunkeln auf die anderen zu warten, um sie dann zu überfallen und mit Sicherheit zu überwältigen.

Erst mehrere Stunden später, nachdem Freitag wieder zu uns gestoßen war, kehrten sie zu ihrem Boot zurück, und schon lange vor
ihrem Ziel hörten wir den ersten rufen, die übrigen sollten sich beei-
len, und auch die anderen antworteten und klagten, wie lahm und
müde sie wären, schneller könnten sie nicht laufen, und das war uns
eine willkommene Nachricht.

Endlich erreichten sie ihr Boot, aber unmöglich lässt sich ihre
Verwirrung beschreiben, als sie feststellten, dass es im Wasserlauf
auf dem Trocknen lag, da die Ebbe das Wasser hatte abfließen lassen
und ihre beiden Leute verschwunden waren; wir hörten, wie sie einander voller Jammer zuriefen, sie seien auf eine verzauberte Insel
geraten, die entweder bewohnt sei, dann würden sie alle ermordet,
oder auf der es Teufel oder Geister gebe, die sie sämtlich da-
vonschleppen und verschlingen würden.

Sie brüllten noch einmal ›Hallo!‹ und riefen immer wieder ihre
Kameraden beim Namen, aber keine Antwort erfolgte, und nach einiger Zeit sahen wir bei dem bisschen Licht, das noch vorhanden
war, wie sie händeringend und voller Verzweiflung umherrannten,
zuweilen zu dem Boot gingen, um sich auszuruhen, dann wieder am
Ufer entlangliefen und so immerfort von neuem.

Meinen Leuten wäre es am liebsten gewesen, wenn ich ihnen die
Erlaubnis gegeben hätte, sogleich im Dunkeln über sie herzufallen,
aber ich wollte auf irgendeine günstige Gelegenheit warten, um sie
zu schonen und so wenige wie nur möglich zu töten; vor allem aber
wollte ich nicht riskieren, dass einer von unseren Leuten fiele, denn
ich wusste ja, dass die anderen gut bewaffnet waren. Ich beschloss
also, abzuwarten, ob sie sich nicht vielleicht voneinander trennten,
und um ihrer sicher zu sein, schlichen wir uns näher heran. Freitag
und dem Kapitän befahl ich, auf Händen und Füßen flach am Boden,
damit die anderen sie nicht entdeckten, so weit sie nur konnten, zu
ihnen hinzukriechen, bevor sie einen Schuss abgaben.

Sie hatten sich noch nicht lange in dieser Stellung befunden, als
der Bootsmann, welcher der Anführer der Meuterei gewesen und
jetzt der Mutloseste und Niedergeschlagenste von allen war, mit
zwei anderen Leuten der Mannschaft auf sie zugeschlendert kam; der
Kapitän war so voller Ungeduld, als er den Hauptschurken in seiner
Gewalt sah, dass er kaum abwarten konnte, bis dieser nahe genug

heran war, um seiner ganz sicher zu sein, denn vorher hörten Freitag und er ihn nur sprechen; als er aber näher kam, sprangen die beiden auf und gaben Feuer.

Der Bootsmann war sofort tot, der nächste wurde in den Leib getroffen und fiel gleich neben ihm nieder, starb aber erst ein oder zwei Stunden danach, und der dritte rannte davon.

Beim Knallen der Schüsse rückte ich sogleich mit meiner ganzen Armee vor, zu der jetzt acht Mann gehörten: ich selbst als Generalissimus, Freitag als Generalleutnant, der Kapitän und seine beiden Leute sowie die Kriegsgefangenen, denen wir Waffen anvertraut hatten.

Wir überfielen sie in völliger Dunkelheit, so dass sie nicht sehen konnten, wie viele wir waren; ich veranlasste den Mann, den sie im Boot zurückgelassen hatten und der jetzt einer von uns war, sie bei Namen zu rufen, um sie vielleicht zum Verhandeln und so möglicherweise auch dazu zu bringen, meine Bedingungen anzunehmen; und es kam genau, wie wir es wünschten, denn es ließ sich ja leicht denken, dass sie in ihrer Lage zur Kapitulation bereit sein mussten; er rief also, so laut er konnte, einen von ihnen an: »Tom Smith! Tom Smith!« Der antwortete sogleich: »Wer ruft da? Robinson?« Denn anscheinend erkannte er dessen Stimme. Der andere erwiderte: »Ja, ja, um Gottes willen, Tom Smith, werft die Waffen fort und ergebt euch, oder ihr seid alle noch in diesem Augenblick des Todes!«

»Wem müssen wir uns denn ergeben? Wo sind sie?«, fragte Smith wieder. »Hier sind sie«, erwiderte der andere, »hier steht unser Kapitän mit fünfzig Mann, wir jagen euch schon seit zwei Stunden nach, der Bootsmann ist tot, Will Frye ist verwundet, und ich bin gefangen; wenn ihr euch nicht ergebt, seid ihr alle verloren!«

»Werden sie uns auch Pardon geben?«, erkundigte sich Tom Smith. »Dann ergeben wir uns.« – »Wenn ihr versprecht, euch zu ergeben, werde ich fragen gehen«, sagte Robinson. So fragte er also den Kapitän, und dieser rief selbst: »He, Smith, du kennst meine Stimme, wenn ihr sofort die Waffen niederlegt und euch ergebt, wird euer Leben verschont, außer dem von Will Atkins.«

Darauf rief Will Atkins: »Um Gottes willen, Kapitän, gebt mir Pardon! Was habe ich denn getan? Sie sind doch alle ebenso schlimm gewesen wie ich!« (Was, nebenbei gesagt, keineswegs stimmte, denn anscheinend hatte dieser Will Atkins bei Ausbruch der Meuterei als erster Hand an den Kapitän gelegt und ihn schändlich behandelt, indem er ihm die Hände fesselte und ihn beschimpfte.) Der Kapitän aber erklärte ihm, er müsse die Waffen bedingungslos niederlegen und auf die Barmherzigkeit des Gouverneurs hoffen, womit er mich meinte, denn sie nannten mich alle Gouverneur.

Sie legten also sämtlich ihre Waffen nieder und flehten um ihr Leben; ich befahl dem Mann, der mit ihnen verhandelt hatte, und noch zwei anderen, alle zu fesseln, und dann kam meine große Armee von fünfzig Mann, die zusammen mit diesen dreien nur aus acht Mann bestand, heraus und bemächtigte sich ihrer sowie auch des Boots, nur ich selbst hielt mich zusammen mit einem anderen verborgen – aus Gründen der Staatsräson.

Unsere nächste Aufgabe war, das Boot zu reparieren und daran zu denken, uns des Schiffs zu bemächtigen; der Kapitän, der jetzt genügend Muße hatte, mit ihnen zu verhandeln, machte ihnen ernste Vorhaltungen über ihr schändliches Benehmen ihm gegenüber und setzte ihnen ausführlich auseinander, wie sündhaft ihre weiteren Absichten gewesen seien und dass diese sie am Ende in Elend und Not, vielleicht sogar an den Galgen gebracht hätten.

Sie schienen alle innig zu bereuen und baten inständig um ihr Leben; was das betraf, so sagte er zu ihnen, seien sie nicht seine Gefangenen, sondern die des Gouverneurs der Insel. Sie hätten geglaubt, ihn auf einer öden, unbewohnten Insel auszusetzen, es habe Gott aber gefallen, sie so zu lenken, dass die Insel bewohnt und der Gouverneur ein Engländer war; wenn es ihm beliebte, könne er sie alle dort aufhängen lassen, da er ihnen jedoch Pardon gewährt habe, nehme der Kapitän an, er werde sie nach England schicken, damit dort dem Gesetz entsprechend mit ihnen verfahren werde – alle außer Atkins; er habe Befehl vom Gouverneur, jenem zu sagen, er solle sich auf den Tod vorbereiten, am Morgen würde er gehängt.

Obwohl das Ganze eine Erfindung des Kapitäns war, hatte es doch die gewünschte Wirkung. Atkins fiel auf die Knie und flehte ihn an, sich bei dem Gouverneur für sein Leben zu verwenden; alle übrigen baten, sie um Gottes willen nicht nach England zu schicken.

Nun dachte ich mir, die Stunde unserer Befreiung sei gekommen und es müsse ein leichtes sein, diese Burschen dazu zu überreden, dass sie sich nach Kräften dafür einsetzten, das Schiff in unseren Besitz zu bringen; so zog ich mich ins Dunkle zurück, damit sie nicht sahen, was für einen Gouverneur sie hatten, und rief den Kapitän zu mir; auf meinen wie aus weiter Ferne kommenden Ruf erhielt einer der Leute den Befehl, ihn zu wiederholen und zu dem Kapitän zu sagen: »Herr Kapitän, der Gouverneur ruft Euch!«, und darauf antwortete jener: »Sag Seiner Exzellenz, dass ich gleich komme.« Dies führte sie gänzlich hinters Licht, und alle glaubten, der Kommandant stehe mit seinen fünfzig Mann ganz in der Nähe.

Als der Kapitän zu mir kam, teilte ich ihm meinen Plan zur Einnahme des Schiffes mit, und dieser gefiel ihm ausgezeichnet; er beschloss, ihn am nächsten Morgen auszuführen. Um ihn aber kunstgerecht auszuführen und des Erfolges sicher zu sein, müssten wir die Gefangenen aufteilen, sagte ich; er sollte Atkins und die beiden schlimmsten von den anderen holen und sie gefesselt in die Höhle schicken, wo die übrigen lagen. Dies übertrugen wir Freitag und den beiden Leuten, die mit dem Kapitän an Land gekommen waren.

Sie brachten sie in die Höhle, die als Gefängnis diente, und sie war auch wirklich ein düsterer Ort, besonders für Männer in ihrer Lage.

Die anderen ließ ich zu meinem Landsitz bringen, den ich schon ausführlich beschrieben habe; da er umzäunt war und sie Fesseln trugen, bot er genügend Sicherheit, zumal ihr Schicksal ja von ihrem Verhalten abhing.

Zu ihnen sandte ich am Morgen den Kapitän, der mit ihnen verhandeln sollte – mit einem Wort, er sollte sie prüfen und mir sagen, ob er glaubte, man könne ihnen trauen oder nicht, um sie mit aufs Schiff zu nehmen und die Leute dort zu überraschen. Er sprach mit ihnen über das Unrecht, das sie ihm angetan hatten, die Lage, in die sie nun geraten waren, und darüber, dass der Gouverneur ihnen zwar die Todesstrafe für ihre gegenwärtige Tat erlassen habe, aber wenn man sie nach England schickte, dann würden sie ganz gewiss alle in Ketten gehängt; wenn sie sich aber an einem Versuch beteiligten, das Schiff zurückzugewinnen, dann werde er das Versprechen ihrer Begnadigung vom Gouverneur erlangen können.

Jeder kann erraten, wie bereitwillig ein solcher Vorschlag von Leuten in ihrer Situation angenommen wurde; sie fielen vor dem Kapitän auf die Knie und versprachen ihm mit den kräftigsten Flüchen, ihm bis zum letzten Blutstropfen die Treue zu halten, ihm würden sie ihr Leben verdanken und mit ihm durch die ganze Welt fahren, sie wollten ihn als ihren Vater betrachten, solange sie lebten.

»Also gut«, erwiderte der Kapitän, »Ich muss zum Gouverneur gehen und ihm mitteilen, was ihr gesagt habt; ich will sehen, was ich tun kann, damit er einwilligt.« Er berichtete mir also, in welcher Stimmung er sie gefunden hatte, und sagte, er glaube ernsthaft, sie würden uns treu sein.

Damit wir dessen aber ganz sicher waren, erklärte ich ihm, solle er zu ihnen zurückkehren, fünf von ihnen auswählen und ihnen sagen, sie würden sehen, dass es an Leuten nicht mangelte, aber dennoch wolle er diese fünf als seine Gehilfen mitnehmen; der Gouverneur wolle die beiden übrigen sowie die drei, die man als Gefangene in die Burg (meine Höhle) gebracht habe, zum Unterpfand für die Treue der fünf als Geiseln zurückbehalten, und falls jene sich bei dem Unternehmen als treulos erwiesen, würden die fünf Geiseln lebendig am Strand in Ketten aufgehängt.

Dies klang streng und überzeugte sie davon, dass es dem Gouverneur Ernst war; es blieb ihnen jedoch nichts weiter übrig, als darauf einzugehen, und nun war es ebenso Sache der Gefangenen wie des Kapitäns, die anderen fünf zu überzeugen, dass sie ihre Pflicht tun mussten.

Unsere Kräfte waren jetzt folgendermaßen für die Expedition eingeteilt:

1. Der Kapitän, sein Steuermann, sein Passagier.

2. Die beiden Gefangenen aus dem ersten Trupp, denen ich auf Fürsprache des Kapitäns hin die Freiheit geschenkt und Waffen anvertraut hatte.

3. Die anderen beiden, die ich bisher gefesselt auf meinem Landsitz gehalten, jetzt aber auf Empfehlung des Kapitäns freigelassen hatte.

4. Diese fünf zuletzt Freigelassenen, also im Ganzen zwölf, außer den fünf, die wir als Geiseln in der Höhle gefangenhielten.

Ich fragte den Kapitän, ob er bereit sei, sich mit diesen Leuten an Bord des Schiffs zu wagen, denn was mich und meinen Diener Freitag betraf, so hielt ich es nicht für zweckmäßig, sich von hier fortzurühren, da ja noch sieben Mann dablieben und wir genügend damit beschäftigt waren, sie voneinander getrennt zu halten und mit Lebensmitteln zu versorgen.

Die fünf in der Höhle beschloss ich, gefesselt zu lassen, aber Freitag ging zweimal am Tag zu ihnen hin, um ihnen das Notwendige zu bringen, und ich ließ die zwei anderen den Proviant eine gewisse Strecke weit tragen, wo er ihn übernehmen sollte.

Als ich mich den beiden Geiseln zeigte, geschah es in Gegenwart des Kapitäns, der ihnen sagte, ich sei die Person, die auf Befehl des Gouverneurs nach ihnen sehen sollte, und der Wille des Gouverneurs sei, dass sie keinen Schritt ohne meine Anweisung unternähmen, wenn sie es aber doch täten, würden sie in die Burg gebracht und in Eisen geschlossen; und da wir nie zugelassen hatten, dass sie mich als Gouverneur zu Gesicht bekamen, erschien ich nun als eine andere Person und sprach bei jeder Gelegenheit vom Gouverneur, von der Garnison, der Burg und so weiter.

Vor dem Kapitän lagen jetzt keine großen Schwierigkeiten mehr; er musste nur noch seine beiden Boote ausrüsten, das Leck in dem einen flicken und die Boote bemannen; seinen Passagier ernannte er zum Kapitän des einen Boots und gab ihm vier Leute mit; er selbst, sein Steuermann und fünf andere stiegen in das zweite, und sie fingen ihre Sache sehr geschickt an, da sie gegen Mitternacht zum Schiff kamen.

Sobald sie in dessen Rufweite gelangten, hieß er Robinson die Mannschaft anrufen und den Leuten sagen, er habe die Männer und das Boot mitgebracht, sie aber erst nach langer Zeit gefunden und desgleichen mehr; so verwickelte er sie in einen Schwatz, bis die Boote längsseits des Schiffs lagen; da schlugen der Kapitän und der Steuermann, die es als erste mit ihren Waffen enterten, sogleich mit ihren Musketenkolben den Steuermannsmaat und den Schiffszimmermann nieder, und da ihnen ihre Leute getreulich beistanden, nahmen sie alle übrigen, die sich auf dem Haupt und Achterdeck befanden, gefangen und begannen eben die Lukendeckel dicht zu machen, um diejenigen, die unter Deck waren, unten festzuhalten, als die Mannschaft ihres anderen Boots, die über die Fockpüttings enterten, sich des Vorderdecks sowie auch der Luke bemächtigten, die zur Kombüse hinunterführte, und die drei Leute, die sie dort antrafen, gefangennahmen.

Als dies erledigt war und sich alle sicher an Deck befanden, befahl der Kapitän dem Steuermann, mit drei Mann in die Wache einzubrechen, wo der neue Rebellenkapitän lag; dieser hatte sich aufgeschreckt erhoben und zusammen mit zwei Mann und einem Schiffsjungen Feuerwaffen zur Hand genommen; als nun der Steuermann die Tür mit einer Brechstange einschlug, schossen der neue Kapitän und seine Leute kühn auf sie, verwundeten den Steuermann mit einer Musketenkugel, die ihm den Arm zerschmetterte, und verletzten noch zwei weitere Leute, ohne jedoch jemand zu töten.

Der Steuermann rief um Hilfe, stürzte sich aber doch, verwundet wie er war, in die Wache und schoss dem neuen Kapitän mit der Pistole durch den Kopf, so dass dem die Kugel durch den Mund eindrang und hinter dem Ohr wieder herauskam und er keinen Laut mehr äußerte; daraufhin ergaben sich die übrigen, und das Schiff war nun tatsächlich eingenommen, ohne dass es noch ein weiteres Menschenleben gekostet hätte.

Sobald es auf diese Weise sicher in ihrer Hand war, befahl der Kapitän, sieben Kanonenschüsse abzugeben – das Signal, das er mit mir verabredet hatte, um mich seinen Erfolg wissen zu lassen, und der Leser mag sicher sein, dass ich sehr froh war, als ich es hörte, denn ich hatte bis fast drei Uhr früh am Strand wach gesessen und darauf gewartet.

Als ich nun das Signal deutlich gehört hatte, legte ich mich nieder, und da der Tag sehr anstrengend für mich gewesen war, schlief ich ganz fest, bis mich das Dröhnen eines Kanonenschusses ziemlich überraschte; ich fuhr sogleich auf und hörte, wie mich ein Mann mit »Gouverneur, Gouverneur!« anrief, und dann erkannte ich die Stimme des Kapitäns; nun stieg ich auf den Gipfel des Hügels, wo er stand; er zeigte auf das Schiff und umarmte mich. »Mein lieber Freund und Befreier«, sagte er, »dort liegt Euer Schiff, denn es gehört ganz und gar Euch und wir, mitsamt allem, was darauf ist, ebenfalls!«

Ich wandte den Blick zum Schiff, und dort lag es, nur wenig über eine halbe Meile vom Strand entfernt, denn die Leute des Kapitäns hatten, sobald sie die Herren darauf waren, den Anker gelichtet; und da gutes Wetter herrschte, waren sie genau gegenüber der Einfahrt des kleinen Wasserlaufs vor Anker gegangen. Das war zur Flutzeit geschehen, deshalb hatte der Kapitän die Barkasse in der Nähe der Stelle einlaufen lassen, wo ich einst meine Flöße ans Ufer gebracht hatte, und war somit gerade vor meiner Tür gelandet.

Ich wäre zuerst vor Überraschung fast umgesunken, denn nun sah ich meine Befreiung tatsächlich sichtbar in meine Hand gegeben, und alles war leicht: Ein großes Schiff lag bereit, mich fortzutragen, wohin ich nur wollte. Zuerst vermochte ich eine Weile kein Wort hervorzubringen, und da mich der Kapitän in die Arme genommen hatte, hielt ich mich an ihm fest, sonst wäre ich zu Boden gefallen.

Er bemerkte meinen freudigen Schreck, zog sogleich eine Flasche aus der Tasche und gab mir einen Schluck Magenlikör, den er eigens für mich mitgebracht hatte; nachdem ich getrunken hatte, setzte ich mich auf die Erde, und obwohl ich durch den Schluck zu mir gekommen war, dauerte es doch eine ganze Weile, bis ich ein Wort zu ihm sagen konnte.

Die ganze Zeit über befand sich der Ärmste in ebenso großer Aufregung wie ich, wenn er auch nicht so überrascht war; er sagte mir tausend freundschaftliche, aufmerksame Worte, damit ich mich fasste und mich besann; die meine Brust durchströmende Freude war aber so groß, dass sie mein Gemüt ganz durcheinanderbrachte, schließlich brach ich in Tränen aus, und dann fand ich auch bald die Sprache wieder.

Nun war ich an der Reihe, ihn als meinen Befreier zu umarmen, und wir schwelgten gemeinsam in der Freude; ich sagte zu ihm, ich betrachte ihn als einen Menschen, den mir der Himmel zu meiner Befreiung gesandt habe, und das Ganze sehe aus wie eine Kette von Wundern – Ereignisse dieser Art gäben uns Zeugnis von der unsichtbaren Hand der Vorsehung, welche die Welt regiere, und seien der Beweis, dass ein Gott in den entferntesten Winkel der Welt zu blicken und den Unglücklichen Hilfe zu senden vermag, wenn immer es ihm beliebe.

Ich vergaß nicht, mein Herz voller Dankbarkeit dem Himmel zu-
zuwenden – und wessen Herz hätte es auch unterlassen können, je-
manden zu preisen, der einem auf so wunderbare Weise in der Wildnis und in einer derart verzweifelten Lage beigestanden hatte und
von dem ja auch, wie man bekennen muss, jegliche Hilfe stammt!

Nachdem wir eine Weile miteinander gesprochen hatten, sagte
der Kapitän, er habe mir ein paar kleine Erfrischungen mitgebracht,
wie sie das Schiff eben bieten könne und soweit sie ihm die Schufte,
die so lange die Herren darauf gewesen seien, nicht geraubt hätten.
Darauf rief er laut zum Boot hinüber und befahl seinen Leuten, die
Sachen an Land zu bringen, die für den Gouverneur bestimmt seien,
und es war tatsächlich ein Geschenk, als sollte ich nicht mit ihnen
abfahren, sondern noch weiter auf der Insel bleiben, und als wollten
sie ohne mich reisen.

Als erstes brachte er mir eine Kiste voll Flaschen ausgezeichneten
Magenbitters, sechs große Flaschen Madeirawein, die je zwei Liter
enthielten, zwei Pfund ganz ausgezeichneten Tabak, zwölf gute Stücke gepökeltes Rindfleisch und sechs Stücke Schweinefleisch sowie
einen Beutel Erbsen und einen Zentner Zwieback.

Dann übergab er mir eine Kiste Zucker, eine Kiste Mehl, einen
Beutel Zitronen und zwei Flaschen Limettensaft sowie noch eine
große Menge anderer Dinge; außerdem aber brachte er mir, und das
war tausendmal nützlicher für mich, sechs saubere neue Hemden,
sechs sehr gute Halstücher, zwei Paar Handschuhe, ein Paar Schuhe,
einen Hut und ein Paar Strümpfe sowie einen sehr guten Anzug, der
ihm gehörte, den er aber kaum getragen hatte. Mit einem Wort, er
kleidete mich von Kopf bis Fuß ein.

Das war für einen Menschen in meiner Lage ein sehr gutes und
willkommenes Geschenk, wie sich der Leser gewiss vorstellen kann;
diese Kleidung allerdings das erste Mal anzulegen und zu tragen ist
wohl noch niemand so unangenehm, so unbequem und lästig gewesen wie mir.

Nachdem diese Zeremonien vorüber und all die guten Dinge in
meiner kleinen Wohnung verstaut waren, berieten wir darüber, was
wir mit unseren Gefangenen anfangen wollten, denn es lohnte sich,
darüber nachzudenken, ob wir sie mitnehmen sollten oder nicht, besonders bei zweien, von denen wir wussten, dass sie im höchsten

Grad unverbesserlich und widerspenstig waren, und der Kapitän sagte, er halte sie für solche Schufte, dass man sie durch nichts verpflichten könne, und wenn er sie mitnehme, dann nur als Übeltäter in Fesseln, um sie in der ersten englischen Kolonie, die er anlaufen könne, auszuliefern; und ich bemerkte, dass dies dem Kapitän selbst großes Kopfzerbrechen bereitete.

Darauf erklärte ich ihm, dass ich, wenn er wolle, die beiden Leute, von denen er gesprochen hatte, so weit zu bringen vermöge, dass sie von sich aus verlangten, er solle sie auf der Insel lassen. »Darüber wäre ich von ganzem Herzen froh«, erwiderte der Kapitän.

»Also gut«, sagte ich, »dann lasse ich sie holen und spreche an Eurer Stelle mit ihnen.« Ich schickte nun Freitag und die beiden Geiseln – die jetzt freigelassen waren, da ihre Kameraden ihr Versprechen gehalten hatten – zu ihnen in die Höhle, damit sie die fünf Leute, gefesselt wie sie waren, auf den Landsitz brachten und sie dort festhielten, bis ich kam.

Nach einer Weile ging ich in meiner neuen Kleidung dorthin und hieß nun wieder Gouverneur. Nachdem wir alle dort versammelt waren und sich auch der Kapitän bei mir eingefunden hatte, ließ ich mir die Männer vorführen und erklärte ihnen, ich hätte einen ausführlichen Bericht über ihr schuftiges Betragen gegenüber dem Kapitän erhalten, dass sie das Schiff entführt und weitere Räubereien beabsichtigt hätten; die göttliche Vorsehung habe sie jedoch in ihren eigenen Schlingen gefangen und sie seien in die Grube gefallen, die sie anderen gegraben hatten.

Ich teilte ihnen mit, auf meinen Befehl sei das Schiff eingenommen worden, es liege jetzt auf Reede, und sie würden noch zu sehen bekommen, dass ihr neuer Kapitän den Lohn für seine Schurkerei erhalten habe, denn sie könnten ihn am Rahnock hängen sehen. Was sie nun betreffe, so wolle ich hören, was sie zu sagen hätten und welche Gründe es gebe, sie nicht als Piraten, die man auf frischer Tat ertappt hatte, hinrichten zu lassen, denn sie brauchten nicht daran zu zweifeln, dass ich kraft meines Amtes dazu berechtigt sei.

Einer antwortete im Namen der übrigen, sie hätten weiter nichts zu sagen als nur, dass ihnen der Kapitän bei der Gefangennahme das Leben versprochen habe, und sie bäten mich demütig um Gnade. Ich erwiderte ihnen jedoch, ich wisse nicht, welche Gnade ich ihnen erweisen solle, denn was mich betreffe, so hätte ich beschlossen, die Insel zu verlassen und alle meine Leute mitzunehmen, ich wolle mich bei dem Kapitän nach England einschiffen; und was diesen betreffe, so könne er sie nicht nach England mitnehmen, außer als Gefangene in Fesseln, die wegen Meuterei und Entführung des Schiffes vor Gericht gestellt würden, und sie müssten ja wissen, dass darauf der Galgen stehe. Deshalb könne ich nicht sagen, was das Beste für sie wäre, es sei denn, sie beabsichtigten, ihr Glück auf der Insel zu versuchen. Wenn sie das wünschten, hätte ich nichts dagegen, da es mir freistand, die Insel zu verlassen; ich sei nicht abgeneigt, ihnen das Leben zu schenken, wenn sie meinten, sie könnten hier an Land zurechtkommen. Sie schienen mir dafür sehr dankbar zu sein und antworteten, sie wollten lieber wagen hierzubleiben, als dass sie nach England gebracht und gehängt würden, und so ließ ich es also dabei bewenden.

Der Kapitän gab sich jedoch den Anschein, als mache er Schwierigkeiten, weil er nicht wagte, sie hierzulassen; darauf tat ich, als sei ich ihm ein wenig böse, und sagte zu ihm, es seien meine Gefangenen, nicht seine, und da ich ihnen eine solche Gnade angeboten hätte, wolle ich auch Wort halten, und wenn er seine Zustimmung verweigere, wolle ich die Leute wieder freilassen, so, wie ich sie gefunden hätte, und wenn ihm das nicht gefalle, könne er sie sich ja holen, falls es ihm gelinge, sie einzufangen.

Nun schienen sie sehr dankbar zu sein, und ich ließ sie daraufhin frei und hieß sie, sich in die Wälder zurückziehen, an den Ort, woher sie kamen; ich wolle ihnen ein paar Feuerwaffen und Munition sowie Ratschläge hinterlassen, wie sie sehr gut leben könnten, wenn sie wollten.

Danach traf ich Vorbereitungen, mich an Bord des Schiffes zu begeben, sagte aber zum Kapitän, ich wolle über Nacht noch dableiben, um meine Sachen zu ordnen; ich bat ihn, inzwischen schon an Bord zu gehen und auf dem Schiff nach dem Rechten zu sehen; am nächsten Tag solle er das Boot nach mir schicken. Ich befahl ihm auch, inzwischen den neuen Kapitän, der getötet worden war, an der Rahnock aufhängen zu lassen, damit diese Leute ihn sahen.

Als der Kapitän fort war, ließ ich die Männer in meine Wohnung hinaufkommen und begann ein ernsthaftes Gespräch mit ihnen über ihre Lage – ich sagte ihnen, meiner Meinung nach hätten sie die richtige Wahl getroffen, denn wenn der Kapitän sie mitnähme, würden sie ganz gewiss gehängt; ich zeigte ihnen ihren Kapitän, der an der Rahnock des Schiffs hing, und erklärte ihnen, etwas Besseres hätten sie nicht zu erwarten. Als alle ihre Bereitwilligkeit dazubleiben erklärt hatten, sagte ich, ich wolle sie in die Geschichte meines Lebens auf der Insel einweihen und sie in die Lage versetzen, ihr Dasein leichter zu bewältigen.

Ich berichtete ihnen also die ganze Chronik des Orts und wie ich dahin gekommen war; ich zeigte ihnen meine Befestigungen, wie ich mir mein Brot gebacken, mein Korn gepflanzt, meine Trauben getrocknet hatte, mit einem Wort alles, was notwendig war, um ihnen das Leben zu erleichtern. Ich erzählte ihnen auch von den sechzehn Spaniern, die zu erwarten waren, ließ einen Brief für diese da und nahm den Männern das Versprechen ab, sie wie ihresgleichen zu behandeln.

Ich gab ihnen meine Feuerwaffen, nämlich fünf Musketen, drei Vogelflinten und drei Schwerter; ich hatte noch ungefähr ein Fass Pulver übrig, denn nach Ablauf der ersten ein oder zwei Jahre hatte ich nur wenig gebraucht und keins vergeudet. Ich beschrieb ihnen auch, wie ich die Ziegen gehalten hatte und wie sie zu melken und fett zu füttern waren, um sowohl Butter wie auch Käse bereiten zu können. Ich erzählte ihnen also meine Geschichte in allen ihren Einzelheiten und sagte, ich wolle mich bei dem Kapitän verwenden, dass er ihnen noch zwei Fass Schießpulver dalasse und ein bisschen Gartensamen, über den ich, wie ich ihnen berichtete, selbst sehr froh gewesen wäre; ich gab ihnen auch den Beutel Erbsen, den mir der Kapitän zum Essen gebracht hatte, und hieß sie, sie ja auszusäen und zu vermehren.

Nachdem all das getan war, verließ ich sie am nächsten Morgen und ging an Bord des Schiffs; wir machten es unverzüglich segelfertig, lichteten aber an diesem Abend noch nicht den Anker. Am nächsten Morgen kamen in der Frühe zwei von den fünf Männern zum Schiff geschwommen, erhoben höchst jammervoll Klage über die anderen drei und bettelten darum, dass man sie um Gottes willen auf das Schiff lassen solle, sonst würden sie ermordet; sie flehten den Kapitän an, sie an Bord zu nehmen, selbst wenn er sie sogleich aufhängen lasse.

Darauf tat der Kapitän, als habe er keine Macht, ohne mich zu entscheiden; nach einigen Schwierigkeiten jedoch und nachdem sie feierlich versprochen hatten, sich zu bessern, nahmen wir sie an Bord; einige Zeit darauf wurden sie tüchtig durchgeprügelt und mit Essig eingerieben, wonach sie sich als sehr ehrliche und ruhige Burschen erwiesen.

Eine Weile danach ging ich, da Flut war, mit dem Boot an Land und brachte den Leuten dort die versprochenen Sachen – der Kapitän hatte auf meine Fürsprache hin noch ihre Seemannskisten und Kleidungsstücke hinzufügen lassen, die sie voller Dankbarkeit entgegennahmen; ich machte ihnen auch Mut, indem ich ihnen sagte, wenn ich Gelegenheit hätte, ihnen ein Schiff herzusenden, das sie aufnähme, dann wolle ich sie nicht vergessen.

Als ich von der Insel Abschied nahm, brachte ich zum Andenken die große Mütze aus Ziegenfell, die ich angefertigt hatte, meinen Schirm und einen meiner Papageien mit an Bord; ich vergaß auch nicht, das schon früher erwähnte Geld mitzunehmen, welches so lange nutzlos bei mir herumgelegen hatte, dass es rostig geworden oder angelaufen war und man es kaum noch als Silber erkennen konnte, bis ich es ein wenig gerieben und angefasst hatte; ebenso dachte ich auch an das im Wrack des spanischen Schiffs gefundene Geld.

Und so verließ ich also die Insel am 19. Dezember des Jahres 1686, wie ich nach dem Schiffskalender feststellte, nachdem ich achtundzwanzig Jahre, zwei Monate und neunzehn Tage darauf verbracht hatte; am gleichen Tag des Monats, an dem ich in der Schaluppe den Mauren von Salé entkommen war, wurde ich aus meiner zweiten Gefangenschaft befreit.

Mit diesem Schiff langte ich nach einer langen Reise am 11. Juni des Jahres 1687 in England an, von wo ich fünfunddreißig Jahre abwesend gewesen war.

Bei meiner Ankunft war ich allen so fremd, als habe mich dort nie ein Mensch gekannt; meine Wohltäterin und getreue Verwalterin, der ich mein Geld anvertraut hatte, war noch am Leben, hatte aber viel Unglück in der Welt erlitten, war zum zweiten Mal verwitwet und lebte in sehr ärmlichen Verhältnissen. Ich beruhigte sie, was ihre Schulden bei mir betraf, und versicherte ihr, ich würde ihr keine Schwierigkeiten bereiten; vielmehr unterstützte ich sie aus Dankbarkeit für ihre frühere Fürsorge und Treue mir gegenüber, soweit mein kleines Vermögen es zuließ, das mir freilich zu der Zeit nicht erlaubte, viel für sie zu tun. Ich versprach ihr jedoch, ich wolle die Güte, die sie mir einst gezeigt hatte, nie vergessen, und ich vergaß sie auch nicht, als ich genügend besaß, um ihr zu helfen, wie der Leser an gegebener Stelle noch erfahren wird.

Danach begab ich mich nach Yorkshire, aber mein Vater, meine Mutter und die ganze Familie waren tot, bis auf zwei Schwestern und zwei Kinder von einem meiner Brüder; weil ich aber schon lange als tot gegolten hatte, war für mich kein Anteil am Erbe vorgesehen, und so fand ich, mit einem Wort, nichts, was mir Hilfe und Unterstützung gewesen wäre, und das bisschen Geld, das ich besaß, reichte nicht weit, um mich häuslich niederzulassen.

Ich erfuhr aber einen Beweis der Dankbarkeit, den ich nicht erwartet hatte: als nämlich der Kapitän des Schiffes, das ich auf so glückliche Weise befreit und damit Schiff und Ladung gerettet hatte, den Besitzern des Fahrzeugs einen sehr lobenden Bericht gab, auf welche Art ich das Leben der Leute sowie das Schiff gerettet hatte, luden sie und ein paar andere beteiligte Kaufleute mich zu sich ein, und alle zusammen machten mir über die Sache große Komplimente und gaben mir ein Geschenk von fast zweihundert Pfund Sterling.

Nachdem ich aber über meine Lebensumstände etwas nachgedacht und überlegt hatte, dass dieses Geld nicht weit reichen würde, wenn ich mich niederlassen wollte, beschloss ich, nach Lissabon zu reisen und zu versuchen, etwas über den Zustand meiner Pflanzung in Brasilien in Erfahrung zu bringen sowie auch darüber, was aus meinem Teilhaber geworden war, der mich, wie ich annehmen musste, schon seit einer Reihe von Jahren für tot hielt.

Mit dieser Absicht schiffte ich mich nach Lissabon ein, wo ich im darauffolgenden April eintraf. Bei all diesem Umherstreifen begleitete mich mein Diener Freitag, der sich bei jeder Gelegenheit als äußerst zuverlässig erwies.

Als ich in Lissabon eingetroffen war, fand ich durch Nachforschungen zu meiner besonderen Befriedigung meinen alten Freund, den Kapitän des Schiffs, das mich damals auf dem Meer vor der Küste von Afrika an Bord genommen hatte. Er war jetzt alt geworden und hatte die Seefahrt aufgegeben und seinem Sohn, der schon längst kein junger Mann mehr war, das Schiff überlassen, das noch immer als Kauffahrteischiff nach Brasilien fuhr. Der alte Mann erkannte mich nicht und ich ihn tatsächlich ebenfalls kaum, aber ich brachte mich ihm bald in Erinnerung, als ich ihm sagte, wer ich war.

Nach einigen stürmischen Äußerungen unserer alten Bekanntschaft erkundigte ich mich, wie sich der Leser wohl vorstellen kann, nach meiner Pflanzung und meinem Teilhaber. Der alte Mann erzählte mir, er sei seit ungefähr neun Jahren nicht in Brasilien gewesen, er könne mir aber versichern, dass mein Teilhaber noch am Leben gewesen sei, als er fortfuhr, die Treuhänder jedoch, die ich ihm als Vertreter meiner Interessen beigegeben hatte, seien beide tot; er glaube aber, ich würde eine sehr gute Abrechnung über die Ertragsvermehrung meiner Pflanzung erhalten, denn nachdem man allgemein angenommen hatte, ich sei schiffbrüchig geworden und ertrunken, hätten die Treuhänder dem Finanzverweser Abrechnung über die Einkünfte aus meinem Anteil der Pflanzung erstattet, und dieser habe sie für den Fall, dass ich niemals einen Anspruch erheben käme, zu einem Drittel für den König und zu zwei Dritteln für das Kloster St. Augustin zugunsten der Armen und für die Bekehrung der Indianer zum katholischen Glauben an sich genommen; wenn ich mich aber einstellte oder ein anderer an meiner Statt, um das Erbe einzufordern, dann würde es zurückerstattet, bis auf die Einkünfte oder den jährlichen Erlös, die nicht zurückerstattet werden könnten, da man sie für wohltätige Zwecke verteilt habe; aber er versicherte mir, dass der Schatzmeister der königlichen Ländereieinkünfte und der Provedore oder Schatzmeister des Klosters die ganze Zeit über sorgfältig darauf geachtet hatten, dass der Abgabepflichtige, das heißt also mein Teilhaber, jedes Jahr den Erlös zuverlässig abrechnete, von dem sie meine Hälfte ordnungsgemäß erhielten.

Ich fragte ihn, ob er wisse, wie hoch der Ertragszuwachs sei, den mein Teilhaber erzielt habe, und ob er wohl glaube, dass es sich lohne, sich darum zu kümmern, und ob ich, falls ich mich dorthin begäbe, auch keine Schwierigkeiten bekäme, meinen rechtmäßigen Anspruch auf meine Hälfte geltend zu machen.

Er erwiderte, er wisse nicht genau, wie hoch der Ertragszuwachs der Pflanzung sei, wohl aber wisse er, dass mein Teilhaber allein nur aus dem Ertrag der Hälfte außerordentlich reich geworden sei, und wenn er sich recht erinnere, dann habe er gehört, dass das Drittel des Königs aus meinem Anteil, welches anscheinend irgendeinem anderen Kloster oder einer Kirchenstiftung überlassen wurde, über zweihundert Moidors jährlich betrage, und was meine Wiedereinsetzung in den ungestörten Besitz des Anteils betreffe, so stehe sie außer Frage, da mein Teilhaber ja am Leben sei, um meinen Anspruch zu bezeugen, und mein Name darüber hinaus im Grundbuch des Landes eingetragen sei. Er erklärte mir auch, die Erben meiner Treuhänder seien sehr anständige, ehrliche Leute und sehr wohlhabend; er glaube, ich würde nicht nur ihren Beistand erhalten, zu meinem Besitz zu kommen, sondern auch eine beträchtliche Geldsumme auf meinen Namen in ihren Händen vorfinden, den Ertrag der Pflanzung aus der Zeit, wo ihre Väter die Treuhand hatten, bevor sie diese, wie oben beschrieben, übergaben – vor ungefähr zwölf Jahren, wenn er sich recht erinnere.

Was dies betraf, so war ich ein bisschen besorgt und unsicher und fragte den alten Kapitän, wie es denn gekommen sei, dass die Treuhänder auf diese Weise über meinen Besitz verfügt hätten, wo er doch wusste, dass ich mein Testament gemacht und ihn, den portugiesischen Kapitän, zum Alleinerben eingesetzt hatte und so weiter.

Er erwiderte, das sei richtig, da es aber keinen Beweis dafür gegeben habe, dass ich tot sei, habe er nicht als Vollstrecker handeln können, bis nicht eine sichere Nachricht über meinen Tod gekommen wäre, außerdem sei er nicht gewillt gewesen, sich in eine so entfernt liegende Sache einzumischen. Freilich habe er mein Testament registrieren lassen und seine Forderung angemeldet, und wenn er sichere Nachricht darüber hätte geben können, dass ich entweder tot oder lebendig sei, dann hätte er als Bevollmächtigter gehandelt, von dem Ingenio (so nennen sie dort die Zuckersiederei) Besitz ergriffen und seinen Sohn, der sich gegenwärtig in Brasilien befand, damit beauftragt.

»Ich habe Euch aber etwas mitzuteilen«, sagte der alte Mann, »was Euch vielleicht nicht so erfreulich vorkommen wird wie das übrige, und zwar, dass Euer Teilhaber und die Treuhänder, da sie und auch alle anderen annahmen, Ihr wäret umgekommen, mir tatsächlich anboten, mit mir in Eurem Namen den Gewinn für die sechs bis acht ersten Jahre abzurechnen, und ich habe ihn auch erhalten«, sagte er. Da sich aber zur gleichen Zeit Ausgaben für eine Produktionserweiterung, den Bau eines Ingenio und den Ankauf von Sklaven ergeben hätten, sei die Summe nicht im entferntesten so bedeutend wie der spätere Ertrag, berichtete der alte Mann. »Ich werde Euch aber eine gewissenhafte Aufstellung über alles geben, was ich erhalten und wie ich darüber verfügt habe.«

Nachdem ich noch einige Tage lang mit diesem alten Freund beratschlagt hatte, brachte er mir eine Abrechnung über den Ertrag meiner Pflanzung während der ersten sechs Jahre, unterzeichnet von meinem Teilhaber und den Kaufleuten, welche die Treuhänder waren; sie hatten jedes Mal in Form von Waren geliefert, nämlich Tabakrollen, Zucker in Kisten, ferner Rum, Melasse, ein Nebenprodukt der Zuckergewinnung, und so fort; aus dieser Aufstellung ersah ich, dass der Ertrag sich von Jahr zu Jahr erheblich gesteigert hatte; da aber die Ausgaben, wie oben gesagt, bedeutend waren, betrug der Reingewinn zuerst nur wenig. Der alte Mann zeigte mir jedoch, dass er mir vierhundertsiebzig Moidors in Gold schuldete, neben sechzig Kisten Zucker und fünfzehn Doppelrollen Tabak, die mit seinem Schiff untergegangen waren, als er, etwa elf Jahre nachdem ich von dort fortgefahren war, auf der Heimfahrt nach Lissabon Schiffbruch erlitten hatte.

Nun beklagte sich der gute Mann über sein Missgeschick und darüber, dass er gezwungen gewesen sei, mein Geld dazu zu verwenden, seinen Verlust auszugleichen und sich an einem neuen Schiff einen Anteil zu kaufen. »Aber, mein alter Freund«, sagte er, »es soll Euch in Eurer Not an nichts mangeln, und sobald mein Sohn zurückkehrt, sollt Ihr völlig zufriedengestellt werden.«

Darauf zog er seine alte Börse hervor und gab mir zweihundert portugiesische Moidors in Gold sowie die Urkunde über seinen Anteil an dem Schiff, auf dem sein Sohn nach Brasilien gefahren war und das er zu einem Viertel und sein Sohn zu einem weiteren Viertel besaßen; er gab mir beide als Sicherheit für die restliche Summe in die Hand.

Die Redlichkeit und die Güte des armen Mannes rührten mich allzusehr, als dass ich das hätte zulassen können; in Erinnerung daran, was er früher für mich getan, wie er mich auf hoher See aufgenommen und wie großmütig er sich mir bei jeder Gelegenheit gezeigt hatte, und ganz besonders, als was für ein aufrichtiger Freund er sich mir jetzt erwies, weinte ich fast bei seinen Worten. Darum fragte ich ihn zuerst, ob seine Lage ihm denn gestatte, soviel Geld auf einmal zu entbehren, und ob er dadurch nicht ein wenig in Verlegenheit komme. Er antwortete, freilich müsse er zugeben, dass er dadurch ein wenig in Verlegenheit komme, schließlich sei es aber mein Geld und vielleicht brauchte ich es nötiger als er.

Alles, was der gütige Mann sagte, war voller Herzlichkeit, und während er sprach, vermochte ich kaum, die Tränen zurückzuhalten. Kurz, ich nahm hundert Moidors von dem Geld, rief nach Tinte und Feder, um ihm eine Empfangsbestätigung auszuschreiben, und gab ihm dann das übrige Geld zurück, wobei ich ihm sagte, wenn ich jemals wieder in den Besitz meiner Pflanzung gelangte, wolle ich ihm auch dieses hier zurückerstatten, und das tat ich später tatsächlich; was den Kaufbrief seines Anteils am Schiff seines Sohnes betreffe, so wolle ich ihn um keinen Preis nehmen, denn ich wisse ja, dass er so redlich sei, mir das Geld auszuzahlen, wenn ich es brauchte, und wenn ich es nicht brauchte, sondern das erhielte, was ich erwarten konnte, wie er mir Ursache zu hoffen gegeben hatte, dann wolle ich nie mehr auch nur einen Penny von ihm annehmen.

Als wir damit fertig waren, fragte mich der alte Mann, ob er mir mitteilen solle, auf welche Weise ich meinen Anspruch auf die Pflanzung geltend machen könne. Ich antwortete ihm, ich beabsichtige, hinüberzufahren und es selbst zu tun. Er erwiderte, das könne ich tun, wenn ich wolle, falls ich aber keine Lust dazu hätte, gebe es Wege genug, um meine Rechte zu sichern und den Gewinn sogleich zu meiner Verwendung in Besitz zu nehmen; und da im Fluss von Lissabon Schiffe lagen, die gerade zur Überfahrt nach Brasilien bereit waren, veranlasste er mich, meinen Namen in ein öffentliches Register eintragen zu lassen, zusammen mit seiner schriftlichen Zeugenaussage, mit der er unter Eid bestätigte, dass ich am Leben und dieselbe Person war, die seinerzeit das Land zum Anlegen der besagten Pflanzung erworben hatte.

Nachdem dies ordnungsgemäß durch einen Notar bestätigt und eine Vollmacht darüber ausgestellt war, wies er mich an, sie zusammen mit einem von ihm geschriebenen Brief an einen in Brasilien wohnenden Kaufmann seiner Bekanntschaft zu übersenden; danach schlug er mir vor, bei ihm wohnen zu bleiben, bis die Abrechnung über die Rückzahlung eintraf.

Nie ging etwas ehrenhafter zu als das Verfahren entsprechend dieser meiner Vollmacht, denn nach kaum sieben Monaten erhielt ich ein großes Paket von den Erben meiner Treuhänder, den Kaufleuten, auf deren Rechnung ich zur See gegangen war, das folgende besonderen Briefe und Papiere enthielt:

1. Die laufende Abrechnung des Ertrages meiner Farm oder Pflanzung von dem Jahre an, wo ihre Väter mit meinem alten portugiesischen Kapitän abgerechnet hatten, nämlich für sechs Jahre; die Bilanz war 1174 Moidors zu meinen Gunsten.

2. Die Abrechnung für vier weitere Jahre, solange sie das Vermögen betreuten, bis die Regierung dessen Verwaltung gefordert hatte, da es das Vermögen einer unauffindbaren Person gewesen war, was man als den bürgerlichen Tod bezeichnet; und die Bilanz hiervon belief sich, da der Wert der Pflanzung gestiegen war, auf 29169 Crusados, das waren 3241 Moidors.

3. Die Abrechnung des Augustinerpriors, der den Erlös etwa vierzehn Jahre lang erhalten hatte; da er aber nicht in der Lage war, die für das Hospital gemachten Ausgaben abzurechnen, erklärte er sehr redlich, 872 Moidors habe er nicht verteilt, die er als mein Guthaben bestätigte. Was den Anteil des Königs betraf, so wurde davon nichts zurückerstattet.

Auch ein Brief meines Teilhabers war darin, der mich sehr freundschaftlich zu der Tatsache beglückwünschte, dass ich am Leben war, und mir mitteilte, welchen Ertragszuwachs der Besitz erfahren hatte und wieviel er jährlich hervorbrachte, mit einer Aufstellung der Anzahl der Felder oder Acres, die er umfasste, womit sie bepflanzt waren und wieviel Sklaven sich darauf befanden. Er hatte zweiundzwanzig Kreuze zum Segen aufgemalt und dazu geschrieben, er habe ebenso viele Ave-Marias gebetet, um der Heiligen Jungfrau dafür zu danken, dass ich am Leben war; er lud mich mit sehr warmen Worten ein, herüberzukommen und mein Eigentum in Besitz zu nehmen; inzwischen solle ich ihm Anweisung geben, an wen er meine Gelder schicken solle, wenn ich nicht selbst käme, und er schloss mit einer herzlichen Versicherung seiner Freundschaft und der seiner Familie. Als Geschenk sandte er mir sieben schöne Leopardenfelle, die er wohl mit einem anderen Schiff erhalten, das er nach Afrika geschickt hatte und dessen Fahrt anscheinend glücklicher verlaufen war als meine. Er sandte mir auch fünf Kisten mit ausgezeichnetem Konfekt und hundert ungemünzte Goldstücke, die nicht ganz so groß waren wie Moidors.

Mit derselben Flotte schickten mir meine Treuhänder, die Kaufleute, zwölfhundert Kisten Zucker, achthundert Rollen Tabak und den Rest des Guthabens in Gold.

Jetzt konnte ich mit Recht sagen, dass der zweite Teil der Geschichte Hiobs besser war als deren Anfang. Unmöglich kann ich beschreiben, wie mir das Herz klopfte, als ich die Briefe durchlas, und besonders, als ich meinen ganzen Reichtum um mich ausgebreitet sah, denn da die Schiffe aus Brasilien alle flottenweise segelten, brachten mir die, welche meine Briefe befördert hatten, auch meine Waren, und die Sachen befanden sich sicher auf dem Tajo, noch bevor der Brief in meine Hände gelangte. Mit einem Wort, ich erbleichte, mir wurde übel, und wäre der alte Mann nicht nach einem Magenlikör gelaufen, dann hätte mich, wie ich glaube, der freudige Schreck überwältigt, und ich wäre auf der Stelle gestorben.

Ja, auch danach war ich noch ein paar Stunden lang sehr krank, bis ein Arzt geholt wurde, und nachdem er etwas über die wahren Ursachen meiner Krankheit erfahren hatte, verordnete er mir einen Aderlass, wonach ich Erleichterung hatte und mich erholte; ich glaube aber wahrhaftig, ich wäre gestorben, wenn ich nicht dadurch Beruhigung gefunden hätte, dass man den Lebensgeistern auf diese Weise Luft machte.

Nun war ich, und das ganz plötzlich, Herr über mehr als fünfzigtausend Pfund Sterling in Bargeld und hatte in Brasilien ein Besitztum, wie ich es wohl nennen kann, das mir im Jahr über tausend Pfund einbrachte, ebenso wie ein Landgut in England dies getan hätte; mit einem Wort, ich befand mich in einer Lage, bei der ich kaum wusste, wie ich sie fassen noch wie ich mich beruhigen sollte, um sie zu genießen.

Meine erste Tat war, meinen ursprünglichen Wohltäter, meinen guten alten Kapitän, zu belohnen, der in meiner Not als erster barmherzig zu mir gewesen war, gütig am Anfang und ehrlich am Ende. Ich zeigte ihm alles, was ich gesandt bekommen hatte, und erklärte ihm, dass ich das – nächst der Vorsehung des Himmels, die alle Dinge bestimmt – vor allem ihm verdankte; jetzt sei ich an der Reihe, ihn zu belohnen, und ich wolle es ihm hundertfach vergelten. So gab ich ihm also als erstes die hundert Moidors zurück, die ich von ihm erhalten hatte, danach bestellte ich einen Notar und ließ ihn eine allgemeine Entlastungsquittung über die vierhundertsiebzig Moidors ausschreiben, die mir der Kapitän nach seiner ganz ausdrücklichen und bestimmten Erklärung schuldete; danach ließ ich eine Vollmacht anfertigen, die diesen berechtigte, die jährlichen Einkünfte meiner Pflanzung in Empfang zu nehmen, und meinen Teilhaber verpflichtete, bei ihm abzurechnen und ihm die Einkünfte auf meinen Namen durch die üblichen Schiffsverbände zu übersenden; zum Schluss ließ ich in einer Klausel hinzufügen, dass er auf Lebenszeit hundert Moidors jährlich aus dem Verkauf der Waren erhalten solle und sein Sohn nach seinem Tode fünfzig Moidors, ebenfalls lebenslänglich. Und so zeigte ich mich meinem alten Freund erkenntlich.

Nun musste ich überlegen, welchen Kurs ich jetzt steuern und was ich mit dem Besitz, den das Schicksal mir in die Hand gegeben, anfangen sollte; ich hatte jetzt wirklich mehr Sorgen auf dem Hals als bei meinem stillen Dasein auf der Insel, wo ich nichts weiter gebraucht hatte als das, was ich besaß, und nichts weiter besaß als nur das, was ich brauchte; jetzt hingegen lastete eine große Bürde auf mir, und ich musste mich darum kümmern, wie ich sie sicherstellen sollte; ich hatte keine Höhle, in der ich mein Geld verbergen, und keinen Platz, an dem es ohne Schloss und Riegel liegen konnte, bis es schimmlig wurde und Patina ansetzte, bevor jemand es anrührte. Im Gegenteil, ich wusste nicht, wo ich es lassen oder wem ich es anvertrauen sollte; mein alter Gönner freilich, der Kapitän, war ein ehrlicher Mensch, und er war meine einzige Zuflucht.

Als nächstes schienen mich meine Interessen nach Brasilien zu rufen; bis ich aber meine Angelegenheiten geregelt und mein Vermögen in irgendwelche sicheren Hände gegeben hatte, war daran nicht zu denken. Zuerst fiel mir meine alte Freundin, die Witwe, ein, die, wie ich wusste, redlich war und mich nicht benachteiligen würde, aber sie war schon bei Jahren und arm und mochte, soviel ich wusste, verschuldet sein, so dass mir, mit einem Wort, nichts weiter übrigblieb, als nach England zurückzukehren und meine Habe mitzunehmen.

Es dauerte jedoch ein paar Monate, bis ich mich dazu entschloss, und weil ich nun den alten Kapitän, meinen früheren Wohltäter, vollauf und zu seiner Zufriedenheit belohnt hatte, begann ich an meine arme Witwe zu denken, deren Mann mein erster Wohltäter gewesen war und sie selbst, solange es in ihrer Macht gestanden hatte, meine treue Verwalterin und Ratgeberin. So wandte ich mich als erstes an einen Kaufmann in Lissabon und veranlasste ihn, seinem Geschäftsfreund in London zu schreiben, er möge ihr nicht nur einen Wechsel ausstellen, sondern sie ausfindig machen und ihr hundert Pfund in bar von mir überbringen, mit ihr sprechen und sie in ihrer Armut trösten, indem er ihr mitteilte, sie solle noch einen weiteren Zuschuss empfangen, sofern ich am Leben bleibe. Gleichzeitig sandte ich meinen beiden Schwestern auf dem Lande je hundert Pfund, denn sie lebten zwar nicht in Not, aber doch auch nicht in sehr guten Verhältnissen; die eine war verheiratet gewesen und verwitwet, und die andere hatte einen Gatten, der nicht so gut zu ihr war, wie er hätte sein sollen. – Unter all meinen Verwandten und Bekannten vermochte ich mich jedoch für keinen zu entscheiden, dem ich gewagt hätte mein ganzes Vermögen anzuvertrauen, um nach Brasilien zu fahren und alles beruhigt hinterlassen zu können, und das verursachte mir viel Kopfzerbrechen.

Ich hatte wohl die Absicht, nach Brasilien zu gehen und mich dort niederzulassen, denn ich war da dort sozusagen naturalisiert; ich empfand jedoch einige Skrupel wegen der Religion, die mich unmerklich zurückhielten und über die ich gleich mehr sagen werde. Gegenwärtig aber war es nicht die Religion, die mich hinderte, dorthin zu fahren; ebenso wie ich keinerlei Bedenken gehabt hatte, mich offen zur Religion des Landes zu bekennen, solange ich unter den Leuten dort gewesen war, hatte ich sie auch jetzt noch nicht, nur begann ich nun, da ich in letzter Zeit mehr darüber nachgedacht hatte als früher und erwog, unter ihnen zu leben und zu sterben, es hin und wieder zu bereuen, dass ich mich zum Papisten erklärt hatte, und war der Ansicht, das sei wohl nicht die beste Religion zum Sterben.

Aber wie gesagt, das war nicht die Hauptursache, die mich davon abhielt, nach Brasilien zu fahren, sondern dass ich tatsächlich nicht wusste, bei wem ich meine Gelder zurücklassen sollte, und so beschloss ich endlich, mich damit nach England zu begeben, und dachte, wenn ich einmal dorthin gelangt war, würde ich schon irgendeine Bekanntschaft schließen oder einen Verwandten finden, der mir treu wäre, und so machte ich mich also mit meinem gesamten Reichtum nach England auf.

Um alles für meine Heimreise vorzubereiten, nahm ich mir als erstes vor (da die Flotte der Brasiliensegler gerade ausfahren wollte), auf alle die getreuen und redlichen Abrechnungen, die ich von dort erhalten hatte, gebührend zu antworten; zunächst schrieb ich dem Prior von St. Augustin einen Brief voller Dankbarkeit für seine ehrliche Handlungsweise und für das Angebot von achthundertzweiundsiebzig Moidors, über die er noch nicht verfügt hatte; ich bestimmte, dass fünfhundert davon das Kloster erhielte und dreihundertzweiundsiebzig an die Armen gingen, nach Gutdünken des Priors; ich bat den guten Padre, für mich zu beten, und so fort.

Danach schrieb ich einen Dankesbrief an meine beiden Treuhänder und bezeigte ihnen soviel Anerkennung, wie ihre Redlichkeit und Gerechtigkeit es verdienten; was irgendwelche Geschenke für sie anging, so standen sie weit darüber, sie zu benötigen.

Schließlich schrieb ich an meinen Teilhaber, bedankte mich für seinen Fleiß, mit dem er den Ertrag der Pflanzung vermehrt hatte, und für seine Rechtschaffenheit bei der Vergrößerung der Anlagen; ich gab ihm auch Anweisungen für die künftige Verwaltung meines Anteils, entsprechend der Vollmacht, die ich bei meinem alten Gönner gelassen hatte, dem er alles schicken sollte, was auf mich entfiel, bis er Näheres von mir hörte. Ich versicherte ihm, es sei meine Absicht, nicht nur zu ihm hinüberzukommen, sondern mich auch für den Rest meines Lebens dort niederzulassen. Dem fügte ich ein sehr schönes Geschenk von verschiedenen italienischen Seiden bei für seine Frau und seine beiden Töchter, von deren Dasein mir der Sohn des Kapitäns berichtet hatte, dazu zwei Stück feines englisches Tuch, das beste, das ich in Lissabon auftreiben konnte, fünf Stück schwarzen Flaus und kostbare flandrische Spitzen.

Nachdem ich meine Angelegenheiten geordnet, mein Frachtgut verkauft und meine gesamte Habe in gute Wechsel verwandelt hatte, bestand die nächste schwierige Frage darin, auf welchem Wege ich nach England gelangen sollte. Zwar war ich ans Meer durchaus gewöhnt, aber ich empfand eine seltsame Abneigung, zu dieser Zeit zur See nach England zu fahren; und obgleich ich dafür keinen Grund anzugeben vermochte, verstärkte sich dieses Widerstreben so in mir, dass ich, obgleich ich mein Gepäck – zur Fahrt bereit – schon einmal an Bord eines Schiffes hatte, doch meine Pläne änderte, und dies nicht nur einmal, sondern zwei- oder dreimal.

Es stimmte zwar, dass ich zur See sehr viel Unglück gehabt hatte, und dies mag einer der Gründe gewesen sein. Niemand aber sollte die starken Impulse seines Empfindens bei so wichtigen Anlässen missachten. Zwei von den Schiffen, die ich für die Überfahrt ausgewählt hatte – ich meine, vor anderen ausgewählt, denn bei einem hatte ich bereits meine Sachen an Bord gebracht, und bei dem anderen war ich mit dem Kapitän einig geworden –, zwei von diesen Schiffen also gingen verloren; eins wurde nämlich von den Algeriern genommen, und das andere scheiterte vor Torbay, und alle Mann ertranken, bis auf drei, so dass ich auf beiden Schiffen ins Unglück geraten wäre – mit welchem davon mehr, ist schwer zu sagen.

Während mich so meine Gedanken plagten, drängte mich mein alter Ratgeber, dem ich alles mitteilte, sehr ernsthaft, nicht den Seeweg zu wählen, sondern entweder bis Groyne über Land zu fahren und dann den Golf von Biskaya zu überqueren bis La Rochelle, von wo die Reise zu Land nach Paris und von dort nach Calais und Dover leicht und gefahrlos war, oder aber den Weg nach Madrid zu wählen und so den gesamten Weg über Land durch Frankreich zu reisen.

Mit einem Wort, ich war so voreingenommen gegen eine Seefahrt überhaupt, außer von Calais bis Dover, dass ich beschloss, die ganze Reise über Land durchzuführen, was, da ich es nicht eilig hatte und die Kosten nicht scheute, bei weitem der angenehmere Weg war, und um ihn noch angenehmer zu machen, brachte mein alter Kapitän einen englischen Gentleman zu mir, den Sohn eines in Lissabon woh-

nenden Kaufmanns, der bereit war, mit mir zu reisen, wonach wir
noch zwei weitere Leute fanden, gleichfalls englische Kaufleute, und
zwei junge portugiesische Herren, die nur bis Paris reisen wollten, so
dass wir im ganzen sechs waren, nebst fünf Dienern, denn die beiden
Kaufleute und die beiden Portugiesen begnügten sich mit je einem
Diener für zwei Herren, um Kosten zu sparen; was mich betraf, so
besorgte ich mir einen englischen Matrosen, der als mein Diener mit
mir reiste, außer Freitag, der hier zu fremd war, um in der Lage zu
sein, unterwegs die Stelle eines Dieners auszufüllen.

Auf diese Weise brach ich von Lissabon auf, und da unsere Gesellschaft sehr gut beritten und bewaffnet war, bildeten wir eine
kleine Truppe, zu deren Hauptmann mich die anderen ehrenvoller-
weise ernannten, einmal, weil ich der Älteste und Urheber der ganzen Reise war, und zum andern, weil ich zwei Diener hatte.

Ebenso, wie ich den Leser mit keinem meiner Seetagebücher be-
lästigt habe, will ich es auch nicht mit meinem Landtagebuch tun.
Einige Abenteuer aber, die uns auf dieser mühsamen und langwieri-
gen Reise begegneten, darf ich nicht übergehen.

Als wir nach Madrid kamen, wollten wir, da wir alle noch nicht in
Spanien gewesen waren, einige Zeit dort bleiben, um den spanischen
Hof und alles Sehenswerte zu besichtigen; weil wir uns aber schon in
der zweiten Sommerhälfte befanden, beeilten wir uns fortzukommen
und brachen Mitte Oktober von Madrid auf. Als wir jedoch an die
Grenze von Navarra gelangten, beunruhigte man uns unterwegs in
mehreren Städten mit dem Bericht, auf der französischen Seite der
Berge sei soviel Schnee gefallen, dass mehrere Reisende nach Pamplona hatten zurückkehren müssen, nachdem sie unter äußerster Gefahr versucht hatten weiterzureisen.

Als wir nach Pamplona selbst kamen, stellten wir fest, dass es tatsächlich so war, und für mich, der immer an ein heißes Klima und
praktisch an Länder gewöhnt gewesen war, wo wir kaum irgendwelche Kleidung auf dem Leib aushalten konnten, war die Kälte unerträglich und auch ebenso überraschend wie unangenehm. Erst vor
zehn Tagen das alte Kastilien verlassen zu haben, wo nicht nur warmes, sondern sogar sehr heißes Wetter geherrscht hatte, und gleich
darauf derartig jäh den Wind der Pyrenäen zu spüren, der so scharf,
so bitter kalt war, dass man ihn nicht zu ertragen vermochte und er

uns drohte, unsere Finger und Zehen zum Erstarren und zum Erfrieren zu bringen, war sehr erstaunlich.

Der arme Freitag hatte wirklich Angst, als er die schneebedeckten Berge sah und dies kalte Wetter spürte; so etwas hatte er ja noch nie im Leben gesehen oder gefühlt.

Zu allem Überfluss schneite es auch, als wir in Pamplona waren, so heftig und unaufhörlich, dass die Leute sagten, der Winter habe sich vorzeitig eingestellt, und auf den vorher schon schwer passierbaren Straßen war nun überhaupt kein Durchkommen mehr möglich; mit einem Wort, stellenweise lag der Schnee zu hoch, als dass wir hätten reisen können, und da er nicht hartgefroren war, wie es in nördlichen Ländern der Fall ist, konnten wir nicht weiter, ohne Gefahr zu laufen, bei jedem Schritt lebendig begraben zu werden. Wir blieben volle zwanzig Tage in Pamplona; da ich sah, dass der Winter kam und keine Wahrscheinlichkeit einer Besserung bestand, denn in ganz Europa war es der strengste Winter seit vielen Jahren, schlug ich vor, dass wir alle nach Fuenterrabia gehen und von dort mit dem Schiff nach Bordeaux weiterfahren sollten, was nur eine kleine Reise war.

Während wir aber darüber beratschlagten, kamen vier französische Herren an; diese waren, nachdem das Wetter sie auf der französischen Seite des Passes wie uns auf der spanischen festgehalten hatte, auf einen Führer gestoßen, der sie nahe der Grenze des Languedoc über Land und dann auf solchen Wegen über die Berge gebracht hatte, dass der Schnee sie nicht sehr behinderte, und dort, wo sie Schnee in größerer Menge angetroffen hatten, war er, wie sie sagten, hart genug gefroren, um sie und ihre Pferde zu tragen.

Wir ließen uns diesen Führer kommen, und er erklärte uns, er wolle es übernehmen, uns auf demselben Weg zurückzubringen, ohne dass wir vom Schnee etwas zu fürchten hätten, wenn wir nur ausreichend bewaffnet wären, um uns vor den wilden Tieren zu schützen, denn bei so starkem Schneefall, sagte er, komme es häufig vor, dass sich am Fuß der Berge ein paar Wölfe sehen ließen, die der Hunger raubgierig machte, weil der Boden schneebedeckt war. Wir antworteten ihm, auf solche Geschöpfe seien wir recht gut vorbereitet, wenn er uns nur vor einer Art zweibeiniger Wölfe bewahren wolle, von denen wir, wie man uns sagte, am meisten zu fürchten hätten, besonders auf der französischen Seite der Berge.

Er beruhigte uns, es gebe auf dem Wege, den er uns führen werde, keine Gefahr dieser Art, und so erklärten wir uns rasch bereit, ihm zu folgen, wie auch zwölf andere Herren mit ihren Dienern, von denen einige Franzosen, andere Spanier waren und die, wie sie erzählten, den vergeblichen Versuch unternommen hatten hinüberzugehen.

Am fünfzehnten November machten wir uns also alle von Pamplona aus mit unserem Führer auf den Weg, und ich war wirklich erstaunt, als er nicht vorwärts, sondern über zwanzig Meilen dieselbe Straße mit uns zurückritt, auf der wir von Madrid gekommen waren. Nach der Überquerung zweier Flüsse kamen wir in die Ebene und befanden uns wieder in einem warmen Klima, wo die Landschaft angenehm und kein Schnee zu sehen war. Unvermutet aber wandte er sich nach links und näherte sich von neuem auf anderem Wege dem Gebirge, und obgleich die Berge und die Schluchten ganz furchterregend aussahen, machte er so viele Wendungen, nahm so viele Zickzackwege und führte uns über so verschlungene Pfade, dass wir unmerklich über den Kamm der Berge gelangten, ohne dass uns der Schnee viel zu schaffen machte, und plötzlich zeigte er uns die lieblichen, fruchtbaren Provinzen des Languedoc und der Gascogne, die ganz grün und üppig in großer Ferne dalagen und zu denen wir noch einen rauen Weg vor uns hatten.

Wir wurden jedoch ein wenig unruhig, als es einen ganzen Tag und eine Nacht lang schneite, und zwar so stark, dass wir nicht weiterreisen konnten; unser Führer sagte aber, wir sollten uns keine Sorgen machen, es wäre bald alles vorbei. Wir stellten fest, dass wir nun tatsächlich jeden Tag mehr hinabstiegen und weiter nach Norden gelangten als bisher; so verließen wir uns also auf unseren Führer und setzten unseren Weg fort.

Etwa zwei Stunden vor Anbruch der Nacht, als unser Führer ein Stück vor uns her ritt und gerade nicht in Sicht war, kamen plötzlich drei riesige Wölfe aus einem Hohlweg angestürzt, der neben einem dichten Wald lag, und hinter ihnen ein Bär. Zwei von den Wölfen warfen sich auf den Führer und hätten diesen gefressen, bevor wir ihm hätten helfen können, wäre er noch eine Meile weiter von uns entfernt gewesen. Einer biss sich an seinem Pferd fest, und der andere griff den Mann mit solcher Wut an, dass er keine Zeit oder nicht Geistesgegenwart genug hatte, die Pistole zu ziehen, sondern nach uns brüllte und aus Leibeskräften schrie. Da mein Diener Freitag sich neben mir befand, ließ ich ihn vorreiten und nachsehen, was es gab. Sobald Freitag den Mann zu Gesicht bekam, brüllte er ebenso laut wie der andere: »O Master! O Master!« Weil er aber ein kühner Bursche war, ritt er direkt auf den Mann zu und schoss dem Wolf, der den Führer angegriffen hatte, eine Kugel durch den Kopf.

Der arme Mann hatte Glück, dass es mein Diener Freitag war, denn dieser – in seiner Heimat an solche Bestien gewöhnt – fürchtete sich nicht, sondern ging nahe heran und schoss das Raubtier tot, wie oben beschrieben, während einer von uns aus größerer Entfernung geschossen und vielleicht entweder den Wolf verfehlt oder womöglich den Mann getroffen hätte.

Es wäre jedoch ausreichend gewesen, einen kühneren Menschen als mich in Furcht zu versetzen, und es erfüllte unsere ganze Gesellschaft mit Angst, als wir nach dem Knall von Freitags Pistole zu beiden Seiten das schauerlichste Wolfsgeheul hörten; die Berge warfen das Echo dieser Laute zweifach zurück, so dass uns schien, als gebe es dort eine ungeheure Menge von Wölfen, und es waren auch nicht so wenige, dass wir keine Ursache zur Beunruhigung gehabt hätten.

Nachdem es aber Freitag gelungen war, den einen Wolf zu töten, ließ der andere, der sich an dem Pferd festgebissen hatte, sogleich von diesem ab und floh; glücklicherweise hatte er sich am Kopf verbissen, wo ihm die Beschläge der Zügel in die Zähne gekommen waren, so dass er dem Pferd nicht viel getan hatte. Der Mann freilich war schwer verletzt, denn die rasende Bestie hatte ihn zweimal gebissen, einmal in den Arm und einmal etwas oberhalb vom Knie; gerade eben drohte er von dem sich bäumenden Pferd zu fallen, als Freitag herbeikam und den Wolf totschoss.

Wie sich der Leser wohl leicht vorstellen kann, beschleunigten wir beim Knall von Freitags Pistole alle den Schritt unserer Pferde und eilten so schnell dorthin, wie es der Weg (der sehr schwierig war) erlaubte, um zu sehen, was es gab. Sobald wir hinter den Bäumen, die uns vorher das Blickfeld versperrt hatten, hervorkamen, sahen wir deutlich, was geschehen war und wie Freitag den armen

Führer befreit hatte, obwohl wir nicht sogleich erkennen konnten, was für eine Bestie er erschossen hatte.

Noch nie aber wurde ein Kampf so kühn und auf eine so überraschende Weise geführt wie der nun folgende zwischen Freitag und dem Bären, und er war für uns alle (obgleich wir zuerst sehr erstaunt waren und Angst um Freitag hatten) die denkbar größte Unterhaltung. Ebenso wie der Bär ein schweres, plumpes Tier ist und nicht galoppiert wie der behände, leichte Wolf, hat er auch zwei besondere Eigentümlichkeiten, die gewöhnlich sein Verhalten bestimmen: erstens, was den Menschen betrifft, so ist dieser nicht seine eigentliche Beute – ich sage, nicht seine eigentliche, denn ich weiß nicht, was der übermäßige Hunger vielleicht bewirkt, und der herrschte jetzt bei ihm, denn der Boden war ganz mit Schnee bedeckt; für gewöhnlich aber wagt er sich nicht an den Menschen, wenn dieser ihn nicht zuvor angreift – im Gegenteil, trifft man im Wald auf ihn und lässt ihn in Ruhe, so lässt er einen auch in Ruhe; dann muss man freilich darauf achten, ihn sehr höflich zu behandeln und ihm den Weg frei zu machen, denn er ist ein sehr feiner Herr und ginge auch für einen Fürsten nicht einen Schritt von seinem Wege ab; ja, und wenn man wirklich Angst hat, dann ist es am besten, auf die andere Seite zu blicken und weiterzugehen, denn wenn man innehält, still stehenbleibt und ihn ansieht, fasst er das manchmal als Beleidigung auf; wirft oder schleudert man etwas nach ihm und trifft ihn, und wenn es auch nur ein kleiner Stock, nicht größer als ein Finger, wäre, dann fasst er auch das als Beleidigung auf, lässt alle übrigen Geschäfte beiseite und fordert seine Rache, denn in Dingen der Ehre besteht er auf Satisfaktion. Das ist seine erste Eigentümlichkeit, und die zweite ist, dass er, wenn man ihn einmal beleidigt hat, Tag und Nacht nicht von einem lässt, solange er sich nicht gerächt hat, sondern den Beleidiger in raschem Tempo verfolgt, bis er ihn einholt.

Mein Diener Freitag hatte unseren Führer befreit, und als wir zu ihm gelangten, half er ihm gerade vom Pferd, denn der Mann war sowohl verletzt als auch zugleich erschrocken, und dies noch mehr als jenes; da sahen wir plötzlich den Bären aus dem Wald kommen, und es war ein ganz riesiger – bei weitem der größte, den ich je gesehen hatte. Wir waren bei seinem Anblick alle ein wenig bestürzt; als Freitag ihn jedoch zu Gesicht bekam, zeichneten sich sichtbar

Freude und Mut auf seinem Antlitz ab. »Oh, oh, oh!«, sagte Freitag dreimal hintereinander und zeigte auf das Tier. »O Herr, du mir geben Erlaubnis, ich ihm die Hand schütteln, ich euch machen gut lachen.«

Ich war erstaunt, den Burschen so froh zu sehen. »Du Narr«, sagte ich, »er wird dich auffressen!« – »Mich auffressen, mich auffressen!«, erwiderte Freitag gleich zweimal. »Ich ihn aufessen. Ich euch machen gut lachen, ihr alle hierbleiben, ich euch zeigen gut lachen.« Er setzte sich also nieder, hatte im Nu die Stiefel abgestreift und ein Paar flache Schuhe angelegt (die man dort trägt und die er in der Tasche bei sich hatte), übergab meinem anderen Diener sein Pferd, und fort sauste er mit seinem Gewehr, so rasch wie der Wind.

Der Bär trabte gemächlich weiter und ließ keine Absicht erkennen, jemandem etwas zu tun, bis Freitag ziemlich nahe bei ihm war und ihn anrief, als könne ihn der Bär verstehen. »Höre, du, höre, du!«, rief Freitag. »Ich mit dir sprechen.« Wir folgten ihm in einigem Abstand, denn jetzt waren wir auf der Gascogner Seite des Gebirges heruntergekommen und hatten eine sich weit dahinziehende flache und trotz vieler verstreuter Bäume offen daliegende Landschaft betreten.

Freitag, der dem Bären auf den Fersen war, wie wir sagen, holte ihn rasch ein, hob einen großen Stein auf, warf ihn nach ihm und traf ihn genau am Kopf; er tat ihm jedoch nicht mehr Schaden, als hätte er den Stein gegen eine Wand geworfen, aber er erreichte damit sein Ziel, denn der Spitzbube war so völlig ohne jede Furcht, dass er es einfach nur getan hatte, um den Bären zu veranlassen, ihn zu verfolgen und uns ›lachen zeigen‹, wie er es nannte.

Sobald der Bär den Stein fühlte und Freitag erblickte, machte er kehrt, kam mit teuflisch langen Sätzen hinter ihm her und tappte mit erstaunlicher Geschwindigkeit dahin, als wolle er ein Pferd zu einem mittelschnellen Galopp bringen. Freitag rannte davon und hielt dabei auf uns zu, als wolle er bei uns Hilfe suchen; deshalb beschlossen wir alle, sofort auf den Bären zu schießen und meinen Diener zu befreien, obwohl ich von Herzen böse auf ihn war, weil er den Bären zurück und uns auf den Hals brachte, wo das Tier vorher auf einem anderen Weg seinen Angelegenheiten nachgegangen war; besonders böse aber war ich, dass er den Bären auf uns gehetzt und dann fort-

gelaufen war, und ich rief: »Du Hund, nennst du das uns zum Lachen bringen? Komm da fort und nimm dein Pferd, damit wir die
Bestie totschießen können!« Er hörte mich und rief: »Nicht schießen,
nicht schießen, stehen still, ihr bekommen viel Lachen!« Und während der behände Kerl jeweils zwei Schritte rannte, während der Bär
einen tat, schlug er plötzlich neben uns einen Haken, und da er eine
große Eiche sah, die ihm für seine Zwecke geeignet schien, winkte er
uns, ihm zu folgen, verdoppelte sein Tempo und kletterte gewandt
auf den Baum, nachdem er sein Gewehr etwa fünfzehn Fuß weit
vom Baum auf dem Boden abgelegt hatte.

Der Bär gelangte bald zum Baum, und wir folgten in einiger Entfernung. Als erstes blieb er bei dem Gewehr stehen, besah es, ließ es
aber liegen und kletterte trotz seiner ungeheuren Schwere wie eine
Katze den Baum hinauf. Ich war verblüfft über die Torheit meines
Dieners, für die ich es hielt, und konnte um nichts in der Welt etwas
sehen, was zum Lachen gewesen wäre, bis wir den Bären den Baum
hinaufsteigen sahen, und da ritten wir alle näher.

Als wir bei dem Baum ankamen, hatte sich Freitag auf das dünne
Ende eines großen Astes hinausbegeben, und der Bär war etwa halb
zu ihm gelangt. Sobald dieser auf den schwächeren Teil gekommen
war, sagte Freitag zu uns: »Ha, jetzt ihr sehen, ich dem Bär Tanzen
beibringen«, und er fing an, zu springen und den Ast zu schütteln,
worauf der Bär zu schwanken begann, aber stillstand und hinter sich
blickte, um zu sehen, wie er zurück konnte, und nun lachten wir
wirklich herzlich. Freitag aber war noch längst nicht mit ihm fertig;
als er sah, dass er stehengeblieben war, rief er ihn wieder, als nehme
er an, der Bär könne sprechen. »Was, du nicht weiter kommen?
Bitte, du weiter kommen.« So hörte er auf, zu springen und den Ast
zu schütteln, und der Bär, gerade als habe er verstanden, was Freitag
gesagt hatte, kam ein bisschen näher; nun begann dieser wieder zu
springen, und der Bär hielt von neuem inne.

Wir dachten, jetzt sei es an der Zeit, ihm eins auf den Kopf zu geben, und riefen Freitag zu, er solle stillstehen, wir wollten den Bären
abschießen, aber er drängte uns: »Bitte, nicht schießen, ich schießen
nach und dann«; er wollte sagen ›dann sehen‹. Aber um die Geschichte abzukürzen: Freitag tanzte so heftig, und der Bär stand so
unsicher da, dass wir wirklich genug zu lachen hatten; wir konnten

uns aber immer noch nicht vorstellen, was der Bursche tun wollte. Zuerst glaubten wir, er beabsichtige, den Bären herunterzuschütteln, und stellten fest, dass dieser zu schlau dazu war, denn er ging nicht weit genug hinaus, um sich vom Baum schütteln zu lassen, sondern klammerte sich mit seinen großen breiten Tatzen und Krallen gut an, so dass wir uns nicht vorstellen konnten, wie es enden werde und wohin der Spaß wohl führen mochte.

Freitag nahm uns jedoch rasch alle Zweifel, denn als er sah, dass sich der Bär am Ast festkrallte und sich nicht überzeugen ließ, noch weiter hinauszugehen, sagte er: »Na, dann gut, du nicht kommen zu mir, ich kommen zu dir!«, und damit ging er auf das dünnste Ende des Astes hinaus, so dass sich dieser unter seinem Gewicht bog, ließ sich sanft daran herab und rutschte an ihm hinunter, bis er schließlich tief genug gelangt war, um abspringen zu können; dann rannte er zu seinem Gewehr, hob es auf und blieb stehen.

»Nun, Freitag«, fragte ich ihn, »was willst du jetzt tun? Warum erschießt du ihn denn nicht?« – »Nicht schießen«, sagte Freitag, »noch nicht; ich jetzt schießen, ich nicht töten, ich bleiben, geben euch noch einmal Lachen.« Und das tat er auch, wie der Leser gleich erfahren wird, denn als der Bär sah, dass sein Feind fort war, ging er auf dem Ast zurück, auf dem er sich befand, und er tat es höchst gemächlich, blickte bei jedem Schritt hinter sich und begab sich rückwärts, bis er an den Stamm des Baumes gelangt war; dann kletterte er, ebenfalls mit dem Hinterteil zuerst, den Baum hinunter, indem er sich daran festkrallte und immer nur einen Fuß auf einmal setzte. In diesem kritischen Moment, gerade bevor er seine Hintertatzen auf den Boden setzen konnte, trat Freitag dicht zu ihm hin, hielt ihm die Gewehrmündung ins Ohr und schoss ihn mausetot.

Dann wandte sich der Schelm um, weil er sehen wollte, ob wir auch lachten, und als er uns ansah, dass es uns gefallen hatte, fing er ebenfalls laut zu lachen an. »So wir in unserem Land Bären töten«, sagte er. »So tötet ihr sie?«, fragte ich. »Aber ihr habt doch gar keine Gewehre.« – »Nein«, antwortete er, »keine Gewehre, aber schießen großen langen Pfeil.«

Dies war nun wirklich sehr belustigend für uns gewesen, aber wir befanden uns noch immer in der Wildnis, unser Führer war schwer verletzt, und wir wussten kaum, was wir tun sollten; das Geheul der

Wölfe klang mir noch in den Ohren, denn außer den Lauten, die ich einst an der Küste von Afrika gehört hatte und über die ich schon sprach, hatte ich noch nie etwas gehört, was mich so mit Entsetzen erfüllt hätte.

All das und die Tatsache, dass es bald Nacht würde, trieb uns fort, sonst hätten wir, wie Freitag es wünschte, der ungeheuren Bestie ganz gewiss das Fell abgezogen, das es wohl wert gewesen wäre, aber wir hatten noch drei Meilen zu reiten, und unser Führer mahnte uns zur Eile. So ließen wir denn den Bären und setzten unseren Weg fort.

Der Boden war noch immer mit Schnee bedeckt, wenn dieser auch nicht so hoch lag und nicht so gefährlich war wie in den Bergen, und die raubgierigen Bestien hatte, wie wir später hörten, der Hunger in den Wald und die Ebene hinuntergetrieben, um Nahrung zu suchen, und sie hatten in den Dörfern viel Schaden angerichtet, wo sie die Landleute überfielen, viele von den Schafen und Pferden und sogar auch einige Menschen töteten.

Wir mussten noch eine gefährliche Stelle durchqueren, von der uns der Führer gesagt hatte, wenn es in der Gegend noch irgendwelche Wölfe gebe, dann träfen wir dort auf sie; dieser Ort war eine auf allen Seiten von Wald umgebene kleine Ebene und ein langer Engpass oder Hohlweg, durch den wir hindurch mussten, um in den Wald zu gelangen, danach kämen wir dann ins Dorf, wo wir übernachten wollten.

Kaum eine halbe Stunde vor Sonnenuntergang ritten wir in das erste Gehölz hinein, und kurz nach Sonnenuntergang kamen wir auf die Ebene. In dem ersten Wald begegnete uns nichts, außer dass wir auf einer kleinen Lichtung, die nicht länger war als eine Viertelmeile, fünf große Wölfe den Weg überqueren sahen; sie liefen in schnellem Tempo einer hinter dem anderen her, als befänden sie sich auf der Jagd nach einer Beute, die sie schon vor sich sahen; sie beachteten uns nicht, und nach wenigen Augenblicken waren sie verschwunden und nicht mehr zu sehen.

Hierauf bat uns unser Führer, der, nebenbei gesagt, ein elender Hasenfuß war, uns bereitzuhalten, denn er glaubte, dass sich noch mehr Wölfe einstellen würden.

Wir hielten unsere Waffen schussbereit und die Augen offen, sahen jedoch keine Wölfe mehr, bis wir diesen Wald, der etwa eine halbe Meile lang war, durchquert hatten und auf die Ebene gelangten; kaum aber waren wir dort angekommen, da hatten wir Grund genug, uns umzusehen. Das erste, worauf unser Blick fiel, war ein totes Pferd, das heißt ein armes Pferd, das die Wölfe gerissen hatten, und mindestens ein Dutzend von ihnen waren eben im Begriff, nicht, es aufzufressen, sondern vielmehr seine Knochen abzunagen, denn das ganze Fleisch hatten sie schon vorher gefressen.

Es schien uns nicht ratsam, sie bei ihrem Festmahl zu stören, und sie nahmen auch kaum Notiz von uns; Freitag wollte gern auf sie schießen, aber ich erlaubte das unter keinen Umständen, denn ich dachte, wir würden noch mehr zu tun bekommen, als wir uns vorstellten. Wir waren noch nicht halb über die Ebene gelangt, als wir zu unserer Linken die Wölfe ganz entsetzlich im Wald heulen hörten, und kurz darauf sahen wir etwa hundert von diesen Bestien gerade auf uns zukommen, alle in einem Rudel und die meisten in einer so gut ausgerichteten Linie wie bei einer Armee, die erfahrene Offiziere hatten aufmarschieren lassen. Ich hatte wenig Ahnung, wie wir sie empfangen sollten, aber ich sah, dass die einzig richtige Methode war, uns zu einer eng geschlossenen Reihe zu formieren, und so nahmen wir sogleich Aufstellung; damit aber unsere Feuerpausen nicht zu lang waren, gab ich Befehl, dass nur jeder zweite Mann schießen sollte und dass die anderen, die nicht geschossen hatten, sich bereit hielten, sofort eine zweite Salve auf die Wölfe abzugeben, falls sie weiter auf uns zukamen; dann sollten diejenigen, die zuerst geschossen hatten, sich nicht damit aufhalten, ihre Flinten wieder zu laden, sondern mit der Pistole bereitstehen, denn jeder von uns war mit einem Gewehr und zwei Pistolen bewaffnet, und auf diese Weise waren wir in der Lage, sechs Salven abzugeben, immer die Hälfte von uns auf einmal; gegenwärtig war das jedoch nicht nötig, denn nachdem wir die erste Salve abgefeuert hatten, machten die Feinde halt, vom Knall wie auch vom Feuer erschreckt, vier von ihnen fielen, in den Kopf getroffen, um, mehrere waren verwundet und liefen blutend davon, wie wir im Schnee feststellen konnten. Ich sah, dass die Wölfe stehengeblieben waren und sich nicht sogleich zurückzogen; da erinnerte ich mich, dass ich hatte sagen hören, die wildeste

Kreatur habe Furcht vor der Stimme des Menschen, und so ließ ich unsere ganze Kompanie so laut wie nur möglich brüllen, und ich stellte fest, dass diese Ansicht nicht ganz unbegründet ist, denn auf unser Geschrei begannen die Wölfe zurückzuweichen und kehrtzumachen. Nun befal ich, eine zweite Salve hinter ihnen her abzufeuern, die sie in Trab versetzte und fort in den Wald rennen ließ.

Dies gab uns Muße, unsere Waffen wieder zu laden, und um keine Zeit zu verlieren, taten wir es im Weiterreiten, aber wir hatten kaum unsere Gewehre fertig und uns in Bereitschaft gesetzt, als wir im selben Wald zu unserer Linken, nur weiter vorn, auf dem Weg, den wir entlangreiten mussten, entsetzliche Laute hörten.

Die Nacht brach herein, und es wurde dunkel, was es für uns noch schlimmer machte; als die Laute stärker wurden, erkannten wir bald, dass es das Heulen und Jaulen dieser teuflischen Geschöpfe war, und plötzlich erblickte ich zu unserer Linken zwei oder drei Rudel Wölfe – eins hinter und eins vor uns, so dass es schien, als hätten sie uns umzingelt. Da sie uns aber nicht anfielen, ritten wir weiter, so schnell unsere Pferde nur laufen konnten – was auf dem schlechten Weg nur ein guter, kräftiger Trab war, und so erblickten wir bald in jenem Wald auf der anderen Seite der Ebene eine Schneise, durch die wir reiten mussten; als wir aber in die Nähe des Hohlwegs oder Engpasses kamen, sahen wir zu unserer großen Bestürzung einen wirren Haufen von Wölfen gerade am Eingang stehen.

Plötzlich hörten wir von einer anderen Lichtung des Waldes her einen Flintenschuss; wir blickten in diese Richtung, und da raste ein Pferd mit Sattel und Zaumzeug heraus; es flog wie der Wind dahin und sechzehn oder siebzehn Wölfe in vollem Lauf hinter ihm her. Das Pferd hatte zwar einen Vorsprung, aber da wir annahmen, dass es dieses Tempo nicht durchzuhalten vermochte, zweifelten wir nicht daran, dass sie es schließlich einholen würden, und das taten sie auch gewiss.

Hier bot sich uns ein grauenvoller Anblick, denn als wir zu der Schneise ritten, aus der das Pferd gekommen war, fanden wir den Kadaver eines zweiten Pferdes und die Leichen zweier Männer, die diese raubgierigen Bestien zerrissen hatten. Der eine war zweifellos der, den wir die Flinte hatten abfeuern hören, denn unmittelbar neben ihm lag eine entladene Waffe; was aber den Mann betraf, so waren der Kopf und die obere Körperhälfte aufgefressen.

Das erfüllte uns mit Entsetzen, und wir wussten nicht, wie wir handeln sollten, aber die Bestien entschieden es rasch für uns, denn sie sammelten sich, auf Beute hoffend, bald rings um uns, und ich glaube tatsächlich, dass es dreihundert waren. Zufällig lagen zu unserem großen Vorteil am Waldesrand, nur wenig von der Schneise entfernt, einige große Baumstämme, die im vorigen Sommer gefällt worden waren und, wie ich annehme, zum Abtransport dort lagerten.

Ich zog mich mit meiner kleinen Truppe zwischen diese Stämme zurück, ließ sie hinter einem langen Baumstamm eine Linie bilden und riet allen, abzusteigen, den Baum als Brustwehr zu benutzen und sich in einem Dreieck oder in drei Fronten aufzustellen und unsere Pferde in der Mitte einzuschließen.

Das geschah, und wir taten gut daran, denn einen wütenderen Angriff als den, welchen dort die Bestien auf uns unternahmen, hat es wohl noch nicht gegeben; sie kamen mit knurrendem Laut auf uns zu und sprangen auf den Baumstamm (der, wie gesagt, unsere Brustwehr war), als wollten sie sich nur einfach auf ihre Beute stürzen, und diese Wut rief bei ihnen anscheinend vor allem der Anblick unserer hinter uns stehenden Pferde hervor, welche der Fang waren, auf den sie es abgesehen hatten. Ich befahl unseren Leuten, dass jeder einzelne wieder auf die gleiche Weise schießen sollte wie zuvor, und sie zielten so gut, dass sie schon bei der ersten Salve mehrere Wölfe erlegten; es war jedoch notwendig, ununterbrochen weiterzuschießen, denn die Tiere kamen wie die Teufel heran, und die hinteren stießen die vorderen vorwärts.

Als wir unsere zweite Flintensalve abgegeben hatten, schien es uns, als hielten sie ein wenig inne, und ich hoffte, dass sie sich davonmachten; es dauerte aber bloß einen Augenblick, denn andere drängten wieder heran, und so schossen wir unsere Pistolen ab, und ich glaube, mit diesen vier Salven erlegten wir siebzehn oder achtzehn Wölfe und schossen doppelt so viele lahm; trotzdem aber kamen sie von neuem heran.

Ich wollte unsere letzten Schüsse nicht gern voreilig abgeben, darum rief ich meinen Diener – nicht meinen Burschen Freitag, der Besseres zu tun hatte, denn mit der größten Behändigkeit, die man sich nur vorstellen kann, lud er mein Gewehr und auch seins, während wir in Anspruch genommen waren –, ich rief also, wie gesagt, meinen anderen Diener, gab ihm ein Pulverhorn und hieß ihn, über die ganze Länge des Baumstamms einen Pulverstreifen zu streuen, und zwar einen breiten; er tat es und hatte gerade noch Zeit, von dort fortzugelangen, als die Wölfe herankamen und einige schon hinaufsprangen, da ließ ich dicht bei dem Pulver den Hahn einer ungeladenen Pistole schnappen und entzündete es. Das Feuer versengte die Wölfe, die sich auf dem Baumstamm befanden, und durch seine Gewalt erschreckt, fielen oder vielmehr sprangen sechs oder sieben zwischen uns; wir erledigten sie im Nu, und die übrigen entmutigte der Feuerschein, den die dunkle Nacht noch beängstigender machte, derart, dass sie sich ein wenig zurückzogen. Nun befahl ich, den letzten Schuss aus unseren Pistolen in einer Salve abzufeuern, und danach stimmten wir ein Gebrüll an. Daraufhin machten die Wölfe kehrt, und wir fielen sofort über fast zwanzig lahme Bestien her, die sich am Boden wanden; wir hieben mit unseren Degen auf sie ein, und das hatte die erwartete Wirkung, denn das Gejaule und Geheul, das sie von sich gaben, verstanden ihre Kameraden besser, so dass diese flohen und von uns abließen.

Wir hatten alles in allem etwa sechzig Wölfe getötet, und bei Tageslicht hätten wir noch viel mehr erlegt. Nachdem das Schlachtfeld auf diese Weise geräumt war, ritten wir wieder weiter, denn wir hatten noch immer fast eine Meile vor uns. Unterwegs hörten wir mehrmals die raubgierigen Bestien im Wald heulen, und zuweilen glaubten wir ein paar von ihnen zu sehen, aber der Schnee blendete uns, und wir waren dessen nicht sicher. Ungefähr eine Stunde später gelangten wir in den Ort, wo wir übernachten wollten, und trafen die Bewohner in großer Angst und unter Waffen an; anscheinend waren die Nacht zuvor Wölfe und ein paar Bären in das Dorf eingedrungen und hatten die Leute in furchtbaren Schrecken versetzt. Sie mussten Tag und Nacht Wache halten, besonders aber nachts, um ihr Vieh und tatsächlich auch die Menschen zu retten.

Am nächsten Morgen fühlte sich unser Führer so krank und seine Glieder waren vom Schwären beider Wunden so geschwollen, dass er nicht weiterzureiten vermochte; wir waren deshalb gezwungen, uns doch einen neuen Führer zu nehmen, um nach Toulouse zu gelangen, wo wir ein warmes Klima und eine fruchtbare anmutige Gegend vorfanden und wo es keinen Schnee, keine Wölfe noch etwas Ähnliches gab. Als wir aber in Toulouse unsere Geschichte erzählten, sagte man uns dort, sie sei nichts Ungewöhnliches in dem großen Wald am Fuß der Berge, besonders wenn Schnee lag; aber die Leute dort erkundigten sich sehr eingehend danach, was für ein Führer es denn gewesen sei, der gewagt hatte, uns in einer so strengen Jahreszeit diesen Weg zu führen, und sie sagten, es sei ein Wunder, dass uns die Wölfe nicht alle gefressen hätten. Als wir ihnen berichteten, wie wir uns – die Pferde in der Mitte – aufgestellt hatten, machten sie uns große Vorwürfe; sie sagten, es habe hundert zu eins gestanden, dass wir alle umkamen, denn der Anblick der Pferde sei es gewesen, der die Wölfe so rasend gemacht habe, da sie ihre Beute vor sich sahen. Gewöhnlich fürchteten sie sich wirklich vor einem Gewehr, aber sie seien außerordentlich hungrig und daher wütend, und die Gier nach den Pferden habe sie für die Gefahr blind gemacht; wären wir ihrer nicht durch das fortgesetzte Schießen und zuletzt durch die Kriegslist mit dem Feuerstreifen Herr geworden, dann hätten sie uns sehr wahrscheinlich in Stücke gerissen, hätten wir uns aber damit begnügt, zu Pferde sitzen zu bleiben und als Reiter auf die Wölfe zu schießen, dann hätten sie die berittenen Pferde nicht ebensosehr als ihr Eigentum angesehen, und wenn wir dann zuletzt, so sagte man uns, von den Pferden gestiegen wären und uns alle zusammengestellt hätten, dann wären sie so begierig gewesen, die Pferde zu fressen, dass wir wohl unbehelligt davongekommen wären, besonders, da wir Feuerwaffen in den Händen hielten und so zahlreich waren.

Was mich betrifft, so war ich mir noch nie zuvor im Leben einer Gefahr so bewusst gewesen, denn als ich über dreihundert Teufel heulend und mit aufgerissenem Maul fressgierig auf uns zugestürzt kommen sah und nichts da war, wo wir Schutz und Zuflucht finden konnten, gab ich mich verloren, und wie die Dinge lagen, glaube ich wohl, dass ich diese Berge nie wieder überqueren möchte – lieber führe ich tausend Meilen zur See, sollte ich auch sicher sein, jede Woche einen Sturm zu erleben.

Über meine Reise durch Frankreich habe ich nichts Ungewöhnliches zu berichten, nichts, was nicht auch andere Reisende schon viel besser beschrieben hätten, als ich es könnte. Ich reiste von Toulouse nach Paris, gelangte ohne nennenswerten Aufenthalt nach Calais und landete nach einer Reise in der bitterkalten Jahreszeit am vierzehnten Januar glücklich in Dover.

Ich war jetzt am Ausgangspunkt meiner Reisen angelangt und fand mich nach kurzer Zeit im Besitz meines gesamten neuentdeckten Reichtums, denn ich hatte die mitgebrachten Wechsel sogleich einlösen können.

Mein wichtigster Ratgeber und Anwalt war meine gute alte Witwe, die aus Dankbarkeit für das Geld, das ich ihr geschickt hatte, meinetwegen keine Mühe und keine Sorge scheute; und ich vertraute ihr so völlig in allem, dass ich wegen der Sicherheit meines Besitzes ganz ruhig war, und hatte auch von Anfang bis Ende großes Glück mit der makellosen Rechtschaffenheit dieser gütigen Dame.

Jetzt dachte ich daran, meine Habe bei dieser Frau zu lassen und über Lissabon nach Brasilien abzureisen. Nun aber hemmten mich andere Skrupel, und zwar wegen der Religion; ebenso wie mir über die römische Kirche Zweifel gekommen waren, während ich mich in der Fremde befand, besonders in meiner Einsamkeit, wusste ich auch, dass ich nicht nach Brasilien fahren und noch viel weniger mich dort niederlassen konnte, wenn ich mich nicht entschloss, die römisch-katholische Religion ohne jeden Vorbehalt anzunehmen, oder aber mich meinen Grundsätzen opfern, zum Märtyrer der Religion werden und durch die Inquisition sterben wollte; so entschied ich mich also dafür, zu Hause zu bleiben und meine Pflanzung zu verkaufen, wenn ich eine Gelegenheit dazu fände.

Zu diesem Zweck schrieb ich an meinen alten Freund nach Lissabon, und in seiner Antwort teilte er mir mit, dass er die Plantage dort ohne weiteres verkaufen könne; falls ich ihn aber ermächtigte, sie in meinem Namen den beiden Kaufleuten, den Erben meiner Treuhänder, anzubieten – die ja in Brasilien an Ort und Stelle lebten und den vollen Wert der Pflanzung kennen mussten und die, wie ich wisse, sehr reich waren und sie vermutlich gern erwerben würden –, dann zweifelte er nicht daran, dass ich auf die Weise vier- oder fünftausend Pesos mehr dafür erhielte.

Ich erklärte mich damit einverstanden, gab ihm Anweisung, den beiden die Pflanzung anzubieten, und er tat es; etwa acht Monate später, nach der Rückkehr des Schiffs, teilte er mir mit, dass sie das Angebot angenommen und einem ihrer Geschäftsfreunde in Lissabon als Bezahlung für die Pflanzung dreiunddreißigtausend Pesos überwiesen hätten. Dafür unterzeichnete ich den Kaufvertrag auf dem Dokument, das sie von Lissabon geschickt hatten, und sandte es an meinen alten Freund, der mir den Wechsel über zweiunddreißigtausendachthundertachtzig Pesos für das Besitztum überwies, vorbehaltlich der Zahlung von hundert Moidors jährlich an ihn (den alten Mann), solange er am Leben war, und fünfzig Moidors nach seinem Tod an seinen Sohn auf Lebenszeit, wie ich es ihnen versprochen hatte, eine Summe, welche die Pflanzung als Erbzins aufbringen musste.

So habe ich also den ersten Teil eines Lebens voller Zufälle und Abenteuer berichtet, eines Lebens, dem die Vorsehung Buntheit verliehen hatte und das von einer Vielfalt gewesen war, wie es die Welt wohl selten aufzuweisen vermag; voller Torheit hatte es begonnen, endete jedoch viel glücklicher, als ich in jeder seiner einzelnen Phasen hatte hoffen dürfen.

Man sollte meinen, dass ich in diesem Zustand eines schwer erlangten Glückes hätte darüber hinaus sein müssen, mich noch irgendwelchen Zufällen auszusetzen, und das wäre ich auch gewesen, wenn andere Umstände geherrscht hätten, aber ich war an ein Wanderleben gewöhnt, hatte weder Familie noch viele Verwandte und, so reich ich auch war, nicht viele Bekanntschaften geschlossen; obwohl ich mein Besitztum in Brasilien verkauft hatte, konnte ich mir das Land nicht aus dem Kopf schlagen und hatte große Lust, die Flügel wieder zu regen; vor allem vermochte ich der starken Neigung nicht zu widerstehen, meine Insel von neuem zu sehen, um zu erfahren, ob sich die armen Spanier dort befanden und wie die Schufte, die ich dagelassen hatte, sie behandelten.

Meine treue Freundin, die Witwe, riet mir ernsthaft davon ab, und ihr Einfluss behielt so weit die Oberhand bei mir, dass sie mich sieben Jahre lang davon zurückhielt, in die Ferne zu schweifen, und während dieser Zeit nahm ich meine beiden Neffen, die Kinder eines meiner Brüder, in meine Obhut. Da der Ältere ein wenig eigenes Geld hatte, erzog ich ihn als Gentleman und setzte ihm zusätzlich zu seinem eigenen Vermögen für den Fall meines Todes noch eine

Rente aus; den anderen gab ich zu einem Schiffskapitän, und da ich nach fünf Jahren feststellte, dass er ein vernünftiger, kühner, unternehmungslustiger Jüngling war, gab ich ihm ein gutes Schiff und schickte ihn zur See; und dieser junge Bursche verleitete mich, so alt ich war, später zu neuen Abenteuern.

In der Zwischenzeit ließ ich mich hier gewissermaßen häuslich nieder, denn als erstes heiratete ich, und zwar weder zu meinem Nachteil noch zu meiner Unzufriedenheit, und hatte drei Kinder – zwei Söhne und eine Tochter; da aber meine Frau starb und mein Neffe mit gutem Erfolg von einer Fahrt nach Spanien zurückkehrte, trugen sein Drängen und meine Neigung, in die Fremde zu gehen, den Sieg davon und veranlassten mich, als Privathändler auf seinem Schiff nach Ostindien zu fahren; das war im Jahre 1694.

Auf dieser Reise besuchte ich meine neue Kolonie auf der Insel, sah meine Nachfolger, die Spanier, erfuhr alles über ihr Leben und das der Übeltäter, die ich dort gelassen hatte – wie diese zuerst die armen Spanier beleidigt hatten, wie sie sich später einigten, stritten, wieder vereinigten, sich trennten, wie die Spanier schließlich gezwungen waren, Gewalt gegen sie anzuwenden, wie die Spanier sie sich unterwarfen und wie anständig sie sie behandelten –, eine Geschichte, die, wenn ich sie in allen Einzelheiten erzählen wollte, ebenso abwechslungsreich und voller wunderbarer Zufälle wäre wie die meine, besonders, was ihre Kämpfe mit den Kariben, die mehrmals auf der Insel landeten, und was die Verbesserungen betrifft, die sie auf der Insel durchführten, und wie fünf von ihnen sich zum Festland hinüberwagten und elf männliche und fünf weibliche Gefangene mitbrachten, von denen ich bei meiner Ankunft etwa zwanzig kleine Kinder auf der Insel vorfand.

Ich blieb ungefähr zwanzig Tage dort, ließ ihnen Vorräte von allem Notwendigen da, besonders Waffen, Pulver, Blei, Kleidungsstücke, Werkzeug sowie auch zwei Handwerker, die ich aus England hergebracht hatte, nämlich einen Zimmermann und einen Schmied.

Außerdem teilte ich die Insel unter ihnen in Parzellen auf, behielt mir selbst das Eigentum des Ganzen vor und gab jedem von ihnen ein Stück, das ihm zusagte; und nachdem ich alles mit ihnen festgelegt und sie verpflichtet hatte, den Ort nicht zu verlassen, fuhr ich ab.

314

Von dort aus legte ich in Brasilien an und schickte eine Bark, die ich da gekauft hatte, mit weiteren Leuten zur Insel; neben anderen Lieferungen sandte ich sieben Frauen mit, die ich als Dienstboten für geeignet hielt oder aber als Ehefrauen für die, welche sie nehmen wollten; den Engländern versprach ich, einige Frauen aus England zu schicken, zusammen mit einer größeren Ladung notwendiger Dinge, wenn sie sich fleißig ans Pflanzen machen wollten, und ich tat es später auch. Die Burschen erwiesen sich als sehr ehrlich und fleißig, nachdem sie einmal unterworfen waren und ihren Grund und Boden zugewiesen erhalten hatten. Von Brasilien aus schickte ich auch fünf Kühe, drei davon tragend, ein paar Schafe und einige Schweine, die sich, als ich wiederkam, beträchtlich vermehrt hatten.

All dies aber, zusammen mit einem Bericht, wie dreihundert Kariben kamen, sie überfielen und ihre Pflanzungen zerstörten, wie sie zweimal gegen diese große Anzahl kämpften und zuerst besiegt und drei von ihnen getötet wurden, wie sie aber schließlich, als ein Sturm die Kanus ihrer Feinde zerstört hatte, fast alle übrigen aushungerten oder töteten, ihre Pflanzungen zurückeroberten und wieder in Besitz nahmen und weiter auf der Insel lebten – all das, zusammen mit einigen ganz erstaunlichen Ereignissen bei meinen neuen Abenteuern in den nächsten zehn Jahren, werde ich vielleicht später näher beschreiben.